IAN MCDONALD

黃鴻硯——譯

伊恩・麥克唐納

血染新月

新月球帝國 I

LUNA

NEW MOON

目錄

獻給艾尼德

人物介紹

有關月球婚姻習俗與企業頭銜等相關詞彙，請見書末詞彙表。

【柯塔氦氣】

亞德里安娜．柯塔：柯塔氦氣的創立者兼最高。

卡羅斯．迪．馬德拉斯．卡斯楚：亞德里安娜的歐科伴侶（已故）。

拉法爾（拉法）．柯塔：亞德里安娜長子，柯塔氦氣會長。

瑞秋．馬肯齊：拉法．柯塔的歐科伴侶。

露西卡．阿沙默：拉法．柯塔的第二歐科伴侶。

羅伯森．柯塔：拉法．柯塔與瑞秋．馬肯齊之子。

露娜．柯塔：拉法．柯塔與露西卡．阿沙默之女。

盧卡斯．柯塔：亞德里安娜．柯塔次子，柯塔氦氣專務。

亞曼達．陽：盧卡斯．柯塔的歐科伴侶。

路卡辛侯．柯塔：盧卡斯．柯塔與亞曼達．陽之子。

艾芮兒．柯塔：亞德里安娜．柯塔之女，克拉維斯法庭的知名律師。

卡林侯・柯塔：亞德里安娜・柯塔三子，地表工作隊經理，柯塔氦氣扈衛。

華格納・「小狼」・柯塔：亞德里安娜么子，與她無血緣關係。分析師，月狼。

瑪莉娜・卡爾札：柯塔氦氣地表工人，後來成為艾芮兒・柯塔助理。

海倫・迪・布拉加：柯塔氦氣財務長。

赫特・裴瑞拉：柯塔氦氣保安隊長。

卡羅萊娜・馬卡拉格醫生：亞德里安娜・柯塔的私人專屬醫師。

尼爾遜・努恩斯：博阿維斯塔管家。

【教母】

伊維特：代理孕母，生下拉法・柯塔。

莫妮卡：代理孕母，生下盧卡斯・柯塔。

阿瑪莉亞：代理孕母，生下艾芮兒・柯塔。

弗拉維亞：代理孕母，生下卡林侯、華格納、路卡辛侯・柯塔。

愛麗絲：代理孕母，生下羅伯森與露娜・柯塔。

【馬肯齊金屬】

羅伯特・馬肯齊：馬肯齊金屬創立者，前任執行長。

艾莉莎・馬肯齊：羅伯特・馬肯齊的歐科伴侶（已故）。

鄧肯・馬肯齊：羅伯特・馬肯齊與艾莉莎・馬肯齊的長子，馬肯齊金屬總裁。

安娜塔西亞・沃隆佐夫：鄧肯・馬肯齊的歐科伴侶。

瑞秋・馬肯齊：鄧肯與安娜塔西亞的么女，拉法・柯塔的歐科伴侶，羅伯森・柯塔之母。

阿波利奈爾・沃隆佐夫：鄧肯・馬肯齊的第二歐科伴侶。

阿德里安・馬肯齊：鄧肯與阿波利奈爾的長子，月之鷹強納森・阿猶德的歐科伴侶。

丹尼・馬肯齊：鄧肯與阿波利奈爾的么子，馬肯齊熱熔（馬肯齊金屬氦-3部門）主任。

布萊斯・馬肯齊：羅伯特・馬肯齊次子，馬肯齊金屬財務長，有許多「養子」。

熊弘琳：布萊斯・馬肯齊養子，曾與羅伯森・柯塔短暫結為連理。

婕德・陽—馬肯齊：羅伯特・馬肯齊第二任歐科伴侶。

哈德利・馬肯齊：婕德・陽與羅伯特・馬肯齊之子，馬肯齊金屬扈衛。鄧肯與布萊斯的同父異母之弟。

安妮麗絲・馬肯齊：華格納・柯塔黑暗人格的祕密愛侶。

艾歐因・基輔：馬肯齊金屬保安部部長，後來被哈德利・馬肯齊取代。

綺拉・馬肯齊：奔月者。

【AKA】

露西卡・阿沙默：拉法・柯塔的歐科伴侶，後來成為科托科成員。

亞別娜・阿沙默：奔月者。

卡喬・阿沙默：路卡辛侯・柯塔的研討班同學，奔月者。

亞・阿芙姆・阿沙默：忒的派對愛好者。

阿多芙・孟沙・阿沙默：金覓大酋長，科托科之首。

【太陽企業】

婕德・陽：鄧肯・馬肯齊的伴侶。

亞曼達・陽：盧卡斯・柯塔的伴侶。

傑登・溫・陽：手球隊「太陽老虎隊」的老闆。

傑克・天龍・陽：短命的「最小鳥」設計公司的總裁。

伏羲、神農氏、黃帝：三皇，太陽企業研發的高階人工智慧。

【VTO】

瓦列里・沃隆佐夫：VTO創始人，過去五十年都生活在地月循環太空船「聖彼得與保羅號」的無重力狀態中。

尼可萊・「尼可」・沃隆佐夫：VTO月球飛船指揮官。

格里戈里・沃隆佐夫：（短暫當過）路卡辛侯・柯塔的愛侶，並收留他。

【月球開發法人】

強納森・阿猶德：月之鷹，月球開發法人總裁。

庫福爾法官：克拉維斯法庭的資深法官，艾芮兒的法律老師。

長井理惠子：克拉維斯法庭的資深法官，白兔閣成員。

維迪亞・拉歐：經濟學家，數學家，白兔閣與月人社成員，獨立運動支持者，與太陽企業一同為白兔閣研發三皇。

【現主姊妹會】

洛亞修女：亞德里安娜・柯塔的告解對象。

弗拉維亞教母：遭博阿維斯塔流放後加入姊妹會。

聖母奧敦拉・阿波賽・艾德科拉：現主姊妹會聖母。

【梅利迪安／南后】

荷西・納德斯：巴莎諾瓦音樂家，盧卡斯・柯塔的愛侶。

索妮・夏瑪：遠端大學學者。

馬里亞諾・加百列・迪馬里亞：刺殺者訓練校「七鐘院」負責人。

安秀英：中國能源投資企業的貿易代表。

愛麗莎・史特基：為「最小鳥」工作的獨立接案奈米裝置設計師。

【狼幫】

阿莫爾：梅利迪安藍狼幫領導人。

沙夏・凡喬諾克・埃爾明：南后的馬格達萊納幫領導人。

伊莉娜：華格納・柯塔表人格時期的狼幫愛侶。

新月球帝國I

血染新月

1

二〇五〇年，亞德里安娜．柯塔從月球學家開鑿出的豐饒海通道垂降到這裡來，燈光照亮了一處隱藏的天地：完好無缺的熔岩管，寬、高一百公尺，長兩公里。這是空無的處女宇宙，跟水晶洞同樣珍貴。就是這裡了，亞德里安娜．柯塔宣告，我要在這裡打造我的王朝。

中央灣外緣的白色房間內，坐著六個裸體青少年，三女三男，膚色分別是黑、黃、棕、白。他們一再熱切地搔抓皮膚，因為減壓程序使其乾燥、發癢。

房間狹小，呈筒狀，人在裡頭會站得很勉強。這幾個孩子面對面擠在兩排板凳上。相鄰者大腿緊抵，相對者膝蓋相觸。除了彼此之外，他們在這裡沒什麼東西可看，不過他們會避免視線交集。太近了，太無防備了。每個人都透過各自的透明口罩呼吸。氧氣從封得不夠緊的密封處漏出，嘶嘶作響。氣閥外門的窗戶正下方有個氣壓計，指針指著十五千帕。他們等了一個小時，氣壓才減到這麼低。

不過門外是真空。

路卡辛侯側身，再度望向小窗外頭。大門的模樣盡收眼底。它就在他正前方，中間毫無阻礙。太陽低垂天際，朝他投來悠長而深邃的影子。月壤黑上加黑，於是埋得住許多背信忘義的行徑。他的副靈警告過他：**地表溫度是攝氏一百二十度，跟踩在火上沒兩樣**。

踩火，踏冰。

七千帕。路卡辛侯感覺到自己身體的腫脹，皮膚緊繃而骯髒。氣壓計的指針指到五時，氣閥門就會打開。真希望副靈金吉也在場，如果他在，一定早就調慢他狂飆的心跳，抑制右大腿肌肉的抽動了。路卡辛侯的視線和對面的女孩對上。她是阿沙默家的人，哥哥就坐在她身旁。她的手指撥弄著頸間的阿丁克拉護身符，她的副靈肯定會警告她別戴護身符。在外太空，金屬有可能閃焊到皮膚裡頭，到時候她或許永遠也擺脫不掉化為疤痕的印記。她對路卡辛侯露出淺笑。這裡有六個面容姣好的青少年坐在一塊，大腿貼大腿，但室內毫無性的意識，大家都把注意力放到氣閥的另一頭。兩個阿沙默家族成員，一個陽族女孩，一個馬肯齊家族的女孩，一個神聖的沃隆佐夫家的男孩（處於換氣過度的狀態），還有柯塔家族的路卡辛侯．艾弗斯．茂．迪．費洛．艾利娜。路卡辛侯跟馬肯齊女孩之外的所有人都搞過，因為柯塔家跟馬肯齊家就是不會搞在一塊。亞別娜．曼努．阿沙默也是例外，因為她的完美無瑕嚇阻了路卡辛侯．柯塔。她哥的技巧可高明了。

二十公尺，十五秒。金吉已將這兩個數字烙印在腦海中。第一個數字是他和第二氣閥之間的距離，第二個數字是赤裸人類在真空中所能存活的時間。待十五秒就會失去意識，三十秒後，肉體將產生無法逆轉的損傷。二十公尺，十大步。

路卡辛侯對五官別致的亞別娜．阿沙默露出微笑。下一刻，紅光亮起。路卡辛侯起身的同時，氣閥門開啟了。最後一絲氣壓將他拋向門外的中央彎。

第一大步。他赤腳踩上月壤，驅走腦中所有念頭。眼珠灼痛，肺部燃燒。他就要爆開了。

第二大步。呼氣，**呼出去，讓肺中氣壓歸零**，金吉說。不，不，搞錯就是死路一條。呼出去，不然你的肺會炸掉。他的腳落地了。

第三大步。他吐氣，呼出的氣息在臉上結冰。他舌頭上的水，眼角的淚都逐漸沸騰。

四，亞別娜．阿沙默飛奔超前他，結霜染灰了她的肌膚。

五，他的眼睛逐漸結凍，他不敢眨眼，闔上的眼皮會冰封。眨眼導致盲目，盲目就是死亡。他的視線緊鎖在氣閥上，氣閥門四周有一圈藍色導航燈。瘦巴巴的沃隆佐夫家男孩也超前了，跑得像個瘋子。

六，他的心臟陷入恐慌，掙扎、灼燒著。亞別娜·阿沙默撲進氣閥內，環顧四周的同時，手伸向氧氣面罩。她瞪大眼睛，看著路卡辛侯身後的某物。張嘴發出無聲的尖叫。

七，他轉頭回望。卡喬·阿沙默倒臥在地，打滾著，溺於月海。

八，衝向藍色氣閥門燈的路卡辛侯伸出雙手，中斷自己的埋頭狂奔。

九，卡喬·阿沙默掙扎起身，但他已經瞎了。灰塵在他眼球上結冰。他揮動雙手，跌跌撞撞地前進。路卡辛侯抓住他的手。撐住，撐住！

十，他的雙眼中有一片脈動的紅：一個乘載光線與意識的圓圈，聚焦於氣閥入口。逐漸崩壞的大腦中，那片紅色每脈動一次，圓圈就縮小一些。呼吸！他的肺發出尖叫。呼吸！撐住，撐住。氣閥內充斥著手臂和臉孔，路卡辛侯撲向伸長的手臂所形成的圓。他的血液沸騰，氣體在血管內冒泡，每個泡泡都像白熱的滾珠軸乘。他的力氣逐漸流失，心智逐漸死滅，但他沒鬆開卡喬的手。他拖著那隻手，那個男孩，痛苦掙扎，真空焚身。他感受到衝擊，聽到高速加壓所產生的尖嘯。

僅存的一小片視野內，他看到交纏的肢體、皮膚、臀腹，凝結的水滴與汗接連滑落。倒抽一口氣變成爆笑，啜泣變成狂亂的咯咯笑，那些身體隨之顫動。**我們完成奔月了，我們打敗了月球夫人。**

又一個景象閃過眼前：氣閥外門的中線上有一抹紅，詭異的白中帶紅。他緊盯著看，所有注意力都放在那靶眼似的色塊與他之間的直線上。意識滑入黑暗的途中，他明白那紅點是什麼了。血液。氣閥外門猛然關上時，將卡喬·阿沙默的左腳大拇指壓成了一團碎肉。

黑暗降臨了。

有翼的女人翱翔在上升氣流的頂端，晨光鍍金她的身影。她擦過世界的屋頂，接著弓起背，收起雙手，輕抖雙腳，燕子般俯衝，墜落一百、兩百公尺，以黑點之姿自虛假的黎明中拋射而出，經過工廠與公寓，窗台與陽台，纜車與電梯，步道與橋墩。在最後一瞬間，她張開手指，延展原始羽毛的奈米纖維，中斷俯衝，然後竄上雲霄，翅膀在刺眼光芒中閃耀。振翅三下後，她便移動到一公里外，化為獵戶座方樓單調峽谷景致中的一個金點。

「賤人。」瑪莉娜．卡爾札低語。她憎恨飛天女的自由、強健，恨那完美的肌膚，緊實如體操選手的身體。最恨的是，那女人竟然可以把空氣浪費在消遣娛樂上，而瑪莉娜得努力爭取她呼吸的每一口空氣。她已調慢自己的反射性呼吸頻率，但眼球上隱形眼鏡裡的眼幕顯示她的氧氣債不斷增加。每讓肺部充滿空氣一次，就得花錢。她的呼吸銀行帳戶已經透支了。她還記得自己第一次試圖靠眨眼眨掉眼球上的新眼幕時，內心萬分驚慌。它就是不會掉。用手指戳，它也還是跟眼球相連。

「每個人都戴著啊，」月球開發法人的人力徵召與環境適應輔導專員說：「無論是剛下地月循環軌道太空船的月光菜鳥，還是月球的老大月之鷹本人都要戴。」

四大元素的狀態欄啟動了：水，碳，資訊傳輸，空氣帳目。從此刻起，她喝的每一口水、每次睡眠、所有思考和呼吸量都會接受測量並計費。

她走到樓梯頂端時已經頭暈腦脹了。倚靠低矮的欄杆，呼吸困難。眼前是駭人、擁擠的虛空，萬千光束燦亮。梅利迪安的方樓深達一公里，奉行逆轉的社會秩序：富人住低處，窮人住高處。赤裸的月球表面承受紫外線、太空射線、太陽閃焰產生的帶電粒子的轟炸。幾公尺厚的月壤隨時會吸收放射線，但高能太空射線會在土壤中引起一連串的次要粒子爆炸，損害人類基因。因此人類居住地總是挖得很深，而居民會遷入經濟狀況所能許可的最深處地段。只有工業區的位置高於瑪莉娜．卡爾札的住居地，而那裡幾乎已完全自動化營運。

一顆銀色氣球抵著假天空，彈啊彈的，受困該處。

瑪莉娜·卡爾札準備上去賣她膀胱的內容物。尿液買家點頭示意她進入他的小隔間，她的尿液稀少，呈黃土色，混濁。那是血絲嗎？買家檢驗礦物質和營養含量，支付她費用，她再把錢轉到通訊網帳戶去。這裡的人可以調低呼吸頻率、劫水、乞食，但頻寬可是搞不來的。一陣像素霧迸發，副靈海蒂又在她左肩上成形了，外型模組只是免費的基本款。不過瑪莉娜·卡爾札又連上網了。

朝上方那個捕霧器移動的途中，她輕聲說：**下一次，我會弄到藥的，布雷克。**

瑪莉娜手腳並用地爬上最後幾階。塑膠網是上等的拾荒法寶，查巴林的打撈機器人還來不及回收，她就將它奪走、藏起來了。她用的招數古老又可靠：把塑膠網掛在穩固的橫梁上，升上來的暖空氣會在人工夜晚的寒意中暫時形成卷雲。溼氣會凝結在細密的網子上，然後沿著糾結的繩子流入收集壺內，聚積出可供飲用的水量。對她來說是一小口，對布雷克來說也是。

有人在她的裝置旁。是個細瘦如弦月的高個子男人，正在喝她收集到的水。

「給我！」

男人望向她，接著將水壺內的水一飲而盡。

「那不是你的！」

她還保有居住在地球時的肌肉強度。儘管肺中無空氣，她還是能夠擺平他。對方只是一朵蒼白而碩大的月球之花。

「滾出去，那是我的。」

「不再是了。」他手中有刀，她打不贏刀子。「我要是發現妳又跑回來這裡，同時察覺我有東西遺失，我就會把妳大卸八塊拿去賣。」

她什麼也做不了，任何行動、語言、威脅、妙點子都改變不了狀況。持刀的男人已徹底擊垮她，她只能溜走，跨出的每一步，踩下的每一梯級都是恥辱。她回到稍早望見飛天女的長廊後跪了下來，憤怒緊揪住她，令她反胃。她乾嘔，什麼也沒吐出來。體內已沒有水分和食物。

這就是月球的上層，外側。

路卡辛侯醒了。一片透明的殼狀物蓋在他臉上，距離近到他呼出的氣息都凝結其上。他陷入恐慌，舉起手將那幽閉空間似的玩意兒推開。黑暗暖意擴散開來，穿過他的頭骨，沿著後腦勺、手臂、軀幹流開。別慌，睡吧。他最後看見的事物，是床腳的一道人影。他知道那不是鬼魂，因為月球上沒有鬼。月球的石頭排斥他們，輻射線和真空能驅魔。鬼魂是脆弱的玩意兒，是蒸氣、痕漬、嘆息。不過那道人影鬼魂般立於床腳，顏色灰濛，雙手盤起。

「弗拉維亞教母？」

鬼魂抬起頭，微笑。

因絕望而行竊的女人不會受到上帝懲罰。瑪莉娜去找尿液收購者的路上，每天都會經過街頭神殿，裡頭供奉著吾輩的卡珊夫人聖像，星叢般的生化燈泡向她投以脈動的光。一小團膠狀物中就有一口水。她快手快腳、罪孽深重地將燈泡摸入背包中，其中四個要給布雷克，他老是在口渴。

瑪莉娜在兩個星期前才與布雷克相遇，但感覺像是認識他一輩子了。貧窮延展時間。貧窮也是一場雪崩，小規模的滑動觸發另一個小規模的滑動，撞鬆其他部位，接著所有東西都開始滑落，傾瀉。

先是合約取消，某天仲介就不打電話來了。她視野邊緣的數字還是不斷跳著。滑落，傾瀉。於是她開始爬梯子和樓梯到獵戶座方樓的牆上。沿著錯綜複雜的橋墩與走廊往上爬，爬到公寓的通道上，然後再走更陡峭的樓梯和梯子（因為搭電梯要錢，而且電梯也沒延伸到最高層）朝突出的煙囪和立方體組成的上城區前進。稀薄的空氣散發火藥味：這裡有營建機器人剛開挖出的天然石塊，還有燒結的玻璃。步道險象環生地蜿蜒著，經過石室的門簾，步行者唯一的光源自門縫和窗孔瀉出。只要踏錯一步，下一秒就會有緩慢飄向加格林大道霓虹燈的尖叫。

上城區每個月都會產生變化，瑪莉娜晃了一大圈才找到布雷克的房間。廣告上寫著：**樂於分攤，共用每日四大元素基本額**。

「我不會待太久。」她環顧單人房，望向兩塊記憶床墊、空塑膠水瓶、棄置的食物托盤。

「大家總是這樣。」接著他雙眼一突，彎腰發出暴烈而無生氣的咳嗽，每根肋骨和孱弱骨架都為之震動。那劈開空氣的咳嗽聲令瑪莉娜整晚失眠。三聲乾燥且近乎暴躁的小咳嗽，之後又三聲，又三聲。之後的每個晚上，她也無法入睡。這就是上城區之歌：咳嗽。矽肺病所致，月塵會把肺變成石頭。癱瘓後，接著就是結核病了。使用噬菌可輕易治好病，不過上城區的居民都把錢花在空氣、水、食物上了。對他們來說，連最便宜的噬菌都是遠在天邊的希望。

自從在梯子上意外跌落後，她的副靈已很久沒對她說話了：**瑪莉娜，有人要給妳工作**。她跌落的高度只有幾公尺，在這瘋狂的重力環境下不會有什麼大礙。她還是會做飛翔的夢，夢中她是一隻發條鳥，繞著發條裝置的太陽系儀打轉。太陽系儀設置在石籠中。

「我接。」

內容是辦酒席。

「我辦。」她什麼都願意做。她瀏覽了一下合約，發現對方開出來的價碼還算公道，儘管她自己列的薪資條件偏低。空氣／水／碳排放／資料傳輸點數，另外還有一丁點報酬。對方還給了一筆頭款。她得弄一套3D列印的新制服，還得去洗個俄式三溫暖，她自己都聞得到頭髮的異味了。車馬費也另計。

瑪莉娜得在一小時內抵達中央車站。她眨眼簽署合約，隱形眼鏡便掃描她的視網膜紋理，傳送到仲介那裡去。副靈握手，她的帳戶裡有錢入帳了。喜悅銳利如錐，刺痛了她。金錢的強大與神奇之處不在於「允許你擁有」，而是在於「允許你存在」。金錢就是自由。

「領受，」她對副靈海蒂說：「恢復預設值。」

她肺部的緊繃感立刻消失。呼氣真是美好，吸氣真是歡欣。她品味著梅利迪安的香氣：電力、火藥、穢物惡臭、黴菌。呼吸理應終止的那一刻，空氣還有剩。她深深再吸一口。

不過時間很緊湊。她得搭西八十三號電梯才能趕上火車，但電梯在布雷克住處的反方向。電梯或布雷克？她下不了決定。

路卡辛侯再度醒來。他試圖起身，但疼痛驅使他再度躺回床上。他痛得像是全身上下所有肌肉都從骨頭或關節上剝落，然後被塞碎玻璃到皮與骨的間隙中。他躺在床上，身穿加壓衣，就是他理性、安全、日常地行走在月球表面時會穿的那種。他的手臂和手掌都動得了，手指在身上遊走，盤查。腹肌（他肚子上的肌肉鎧甲），大腿緊實而輪廓分明，屁股感覺棒呆了。真希望能觸碰到自己的肌膚，他迫切地想感受自己的美好膚質。他的皮膚是出了名的棒。

「我感覺爛透了，連眼睛都在痛。我接受了藥物注射嗎？」

你導水管周圍灰質內的μ－型類鴉片叢正受到直接刺激，他腦海中的聲音說，我可以調整輸入強度。

「嘿，金吉，你回來了。」他的副靈金吉說起話來像個挑剔的管家，不可能錯認。副靈不太會應對歧義。他注意到視野右下角的眼幕了。柯塔家成員不需要理會那些數字，但他看了很開心。眼幕證明他還活著，有意識，消耗著資源。「我在哪裡？」

你在桑那菲爾·梅利迪安的醫療設施內，金吉說，**原本在高壓治療艙內，現在已轉移到加壓外衣中。你連續昏迷了幾次，都是醫療程序誘發的。**

「昏迷了多久？」他試圖坐挺，撕裂式的疼痛沿著他的每根骨頭和每個關節傳開。「我的派對！」

已經改期了。根據預訂時程，你現在必須再次進入人為誘發的昏迷狀態。令尊會來看你。

白色的鉸接式醫療用機器手臂從牆上伸過來。

「等等，先不要。我剛剛看到弗拉維亞了。」

是，她來訪過。

「別告訴我爸。」

路卡辛侯始終想不通：父親盧卡斯為什麼要在他十六歲生日的早晨，將他的教母（宿母）逐出博阿維斯塔？他只確定一件事，那就是盧卡斯·柯塔如果得知弗拉維亞教母來過這裡，一定會滿懷惡意地傷害她。

我不會的，金吉說。

路卡辛侯第三度醒來時，父親正站在床腳。他父親個頭小，纖瘦，黑髮，憂容滿面，卻有位身材寬闊的金髮兄長。他氣定神閒，舉止得體，鬍髭淡如鉛筆線條，就這麼一丁點。完美無瑕，但也總是得斤斤計較才能維持完美：衣服、頭髮、指甲都潔淨無垢。這男人冷淡，喜歡對他人品頭論足。他左肩上方懸浮著托基尼奧，這副靈是由一團錯綜複雜的音符、複雜的和弦構成，偶爾會凝聚成低喃聲依稀可聞的巴莎諾瓦吉他。

盧卡斯．柯塔鼓掌了，清晰的五響。

「恭喜，你現在是奔月者了。」柯塔家族成員以及其他外人都知道盧卡斯．柯塔從未完成奔月，原因仍是個祕密。路卡辛侯曾聽說，所有試圖刺探那祕密的人都受到了處罰，而且是嚴厲的懲罰。

「急診室小組，眼科醫生，氣胸專家，租借高壓治療艙，租借加壓外衣，氧氣費用……」他父親說。路卡辛侯旋身下床。醫療機器人已移除了加壓外衣，四周白牆開啟，機器手臂遞出剛列印好的衣物。

「從梅利迪安移轉到神之若望……」

「我現在在神之若望？」

「你有個派對得去，歡迎英雄歸來的派對。費心準備一下吧。還有，別老是把器官塞在別人體內，起碼留個五分鐘空檔。每個人都會來，就連整天黏在克拉維斯法庭的艾芮兒都會想辦法脫身。」

先搞定基本的部分，再談其他。金屬鉚釘和尖刺滑入他皮肉上精心穿出的孔洞——每個洞都代表一次心碎。金吉向路卡辛侯展示他自己的倒影，他得以幫自己的鬈髮梳出低重力環境允許的、光芒四射的造型。潤澤、濃密的頭髮有如深海浪潮。顴骨帥得要命，腹肌碎得了石頭。他比父親還高。不只他，他這一代的每個孩子都比上一代高。他性感死了。

「他會活下來的。」盧卡斯說。

「誰？」路卡辛侯猶豫了一下，最後選擇柔軟材質的棕泥灰色花紋上衣。

「卡喬．阿沙默。他身上有百分之二十的二度灼傷，肺泡破裂，血管爆開，腦部損傷。還有腳趾的傷。不過，他不會有事的。阿沙默家的代表團正在博阿維斯塔等著要向你道謝。」

亞別娜．阿沙默應該會在那。也許她真的很感激他，感激到願意讓他上。棕褐色褲子，褲腳反摺兩公分，另有六條摺紋。他扣上皮帶，喀。蜘蛛絲襪，黑白雙色平跟船鞋。他要去的是派對，所以挑運動外套正好。他選擇花呢的，捏捏料子，感受纖維的扎刺。材質是動物皮，不是3D列印出來的。價格是天文數字的動物皮衣。

「你原本有可能丟掉性命。」

路卡辛侯穿上外套時，發現翻領上有個別針：月球夫人，那是獨屬於奔月者的印記。她是月球的主保聖人，生死夫人，明闇夫人，半張臉是黑天使，另外半張是赤裸的白色骷髏。雙面夫人，月球夫人。

「那麼，我們家的人碰到那狀況會怎麼做？」

他父親怎麼知道他會挑有別針的那件外套？下一刻，機器手臂將其他衣物收回牆內，他才發現每件外套上都有月球夫人別針。

「如果我是你，我就會拋下他。」

「但你不是我。」路卡辛侯說。金吉向他展示整體穿搭效果：瀟灑但不死板，不拘小節但別致，也符合當季潮流，也就是五〇年代歐風。路卡辛侯．柯塔非常喜愛衣裝和飾品。「我準備好要去派對了。」

「我來跟你打。」

艾芮兒．柯塔的聲音清晰地響徹法庭，引爆一串歡呼。被告大吼：妳不能這麼做！辯護律師咆哮：這是濫用訴訟程序。艾芮兒的律師團（決鬥審判已成立，所以他們現在變成副手了）懇求、哄騙她收回前言，直呼這太瘋狂了。艾堯允的扈衛會把她劈成兩半的。公眾旁聽席喧鬧著，法庭記者現場直播，吃光了所有頻寬。

常見的離婚後監護權官司變成了頂級好戲。艾芮兒．柯塔是梅利迪安一流的（因此也等於是月球上最高明的）婚姻相關案件律師，結婚和離婚都經手。她曾幫五龍（也就是月球上最偉大王朝）所有成員締定尼卡赫婚約。她安排婚姻，也進行婚約中止的協商工作，從尼卡赫婚約的山盟海誓中找出漏洞來鑽，協助客戶討價還價贖回自由身，掙得鉅額贍養費。法官、公眾旁聽席、媒體、社會評論家、法庭迷都對艾堯允和費爾穆斯這場官司投以高度期待。

艾芮兒．柯塔並沒讓大家失望。她脫下手套，踢飛鞋子，脫下迪奧洋裝，最後身上只剩一件緊身運動褲和運動背心，站到克拉維斯法庭的眾目之前。艾芮兒拍拍伊修拉的背。她的扈衛伊修拉是個魁梧、尖頭的約魯巴人，心地善良，戰鬥技巧凶殘。他是月光菜鳥（新移民），仍有地球上的肌肉組織，最適合在法庭上跟人決鬥。

「這次交給我，伊修拉。」

「小姐，不可。」

「他動不了我一根寒毛。」

艾芮兒靠向三位法官。

「有人反對我的挑戰嗎？」

庫福爾法官和艾芮兒．柯塔已往來多時，曾有師生關係。她進入法學院的第一天，他就為她上了一課：月球法律以三足鼎立。一，這裡沒有刑法，只有契約法，因此任何事務都有協調的餘地。二，繁複的法律就是惡法。三，帥氣的行動、機靈的變通、瀟灑的冒險，就跟理性論證、交叉詢問一樣強大。

「柯塔律師，妳跟我們都很清楚一件事：這裡是克拉維斯法庭，一切都可接受考驗，包括克拉維斯法庭本身。」庫福爾法官說。

她縮攏右手手指，向法官輕輕點頭，然後轉身面對鬥籠中的被告扈衛。他肌肉發達，一身傷疤，多次在法庭審判演變成的鬥毆中出征，經驗老到。他已在示意她上前、下來，進入鬥籠。

「我們打吧。」

讚許的呼聲響徹法庭。

「先流血者敗！」艾堯允的律師埃拉爾多．穆尼奧斯大吼。

「喔，不對。」艾芮兒．柯塔大喊：「一方死亡才分出勝負。」

她的律師團、扈衛都站了起來。長井理惠子法官試圖讓自己的聲音穿過暴風雨般的群眾喧囂：「柯塔律師，我得警告妳……」一片騷動中，艾芮兒．柯塔泰然自若、能量飽足地挺立在嘈雜人聲的風暴中心，平靜得像風眼。被告律師低頭協商，視線短暫飄到她身上，接著又開始快速、低沉地對話起來。

「如果庭上准許，」穆尼奧斯站著說：「被告選擇退出此戰。」

第三法庭內完全沒人呼吸。

「那我們就判原告勝訴，」張法官說：「訴訟費用由被告支付。」

法庭內第三度爆出歡呼聲，而且比前兩次都還要響亮。艾芮兒享受眾人的吹捧，確認設定在各方位的攝影機都拍下了自己的身影，然後從包包中掏出細長的鈦金屬電子菸，扣好，鎖定，點菸，呼出白色的稀薄煙霧。她將外套甩到肩上，伸出一根手指勾起鞋子，就這樣以戰鬥裝之姿大搖大擺地走出法庭。喝采、諸多面孔、懸浮副靈聚集成的雲朵全遭到她的吞食，所有官司都是劇碼。

屋外景觀要付費才能看，娛樂更是昂貴。因此坐在底艙中央區座位的瑪莉娜選擇對一個小孩扮鬼臉，他先前不斷從座位頭靠墊的間隙偷瞄她。從梅利迪安搭高速列車到神之若望只要一小時，在這期間內逗小孩已經算得上是娛樂了。這是瑪莉娜第一次離開梅利迪安。此刻她在月球上，月球表面上，以一千公里的時速飛掠於磁浮軌道之上。但她人在一根金屬管內，什麼風景也看不到。平原，隕石坑壁，細溝，絕壁，雄偉的山脈和寬闊的隕石坑全都在外頭，在這溫暖、散發茉莉清香、震顫不已的粉色系內裝的外側。灰濛而沙質，全都一個樣，都不壯麗。她什麼也沒錯過。

海蒂已取回完整的連線權限，因此同行者叫那小孩別吵後排女士後，瑪莉娜就聽音樂、看照片打發時間。她妹妹又上傳了新的家族合照。這是她的新甥女，這是舊的那一個。這是她的妹夫亞倫。這是她母親，坐在椅子上，手背連接管線，面露微笑。她看不到無空氣的山脈，蒼涼空洞的海洋，而瑪莉娜為此慶幸。相較於茂盛的枝葉、柔軟的鴿色天空、翠綠且豐饒到她幾乎可嗅出其深度的海洋，月球簡直像是白色的骷髏頭。列車上的瑪莉娜可以騙自己即將回到地球，踏出車廂後將會有卡斯卡迪亞的樹林和火山迎接她。

媽星期二開始新療程了。凱西從不大刺刺地討錢，但她需要錢的事實就擺在眼前。媽的醫療帳單會寄到月球來，由瑪莉娜支付。月球上的景氣可旺了！每個人都向她伸手。每個人，每天的每一秒都在向她伸手。瑪莉娜壓抑怒火，月球上不能這樣搞。如果每個人都由著自己的感受驅使採取行動，所有都市就會在夜幕降下前化為停屍間。

列車緩慢駛入神之若望，乘客開始收拾行囊。海蒂指示她去找六號月台的保全，然後從那裡搭私人電車到目的地去。瑪莉娜心中的興奮之情猛然湧現，現在才首度意識到私人電鐵的盡頭就是博阿維斯塔——傳說中柯塔家的花園宮殿。

第三法庭外，大批人馬冒了出來。艾芮兒．柯塔從來不缺各種性別的仰慕者、跟屁蟲、潛在客戶、潛在請願者。**魅力十足**是所有人對艾芮兒的第一印象。柯塔家族沒出過大美人，不過巴西人也不可能醜到哪裡去，而亞德里安娜的每個孩子都能以優雅吸睛。艾芮兒的魅力在於她的儀態，一舉一動都沉著而堅定，帶有冷冷的自信。群眾的注意力自然而然飄向她。她的同事埃德里斯．厄馬克穿行於親吻和道賀聲中，來到她身邊。

「妳原本有可能死在那裡。」

昆蟲大小的攝影機蜂擁聚集在艾芮兒頭頂。

「不，我不會。」

「他有可能把妳劈成兩半。」

「你真的這麼想？」

艾芮兒伸手捉住埃德里斯的前臂，鎖住他的手肘。只要再稍加施壓，他的關節就會像瓶蓋般「啵」一聲爆開。眾多隨行人馬倒抽一口氣，攝影機飛到更低處，尋求更近的拍攝角度。這畫面聳動到了極點，八卦網站肯定會吠個幾天。她鬆手了，而埃德里斯甩動他疼動不已的手。所有柯塔家的小孩都要修習巴西柔術。亞德里安娜．柯塔相信，每個小孩都應該要學會一種武術，一種樂器，三種語言，要會讀年度報告書和跳探戈。

「他會把我削成緞帶。要不是知道穆尼奧斯肯定會屈服，我哪會冒那種險啊，你以為我會嗎？」

埃德里斯攤開雙手，要她解釋她的伎倆。

「艾堯允原本是馬肯齊家的客戶，但後來畢泰．艾堯允不肯跟譚西．馬肯齊結婚，等於是侮辱了鄧肯．馬肯齊。」艾芮兒說，其他看熱鬧的人沉浸在她的發言中。「馬肯齊於是收回了奧援。艾堯允要是敢動我一根寒毛，就等於是在沒馬肯齊這座靠山的情況下與柯塔家結怨。他們不敢冒這種險。我始終想把官司推往決鬥審判的方向，因為我知道他們一定會退讓。」她在律師室的門前停下腳步，然後對隨行人馬說：「有件事要請大家見諒。我要去參加我姪子的奔月派對，而我真的不能穿這樣去。」

律師室內，長井法官和一瓶十草琴酒等著艾芮兒。

「妳要是在我的法庭上再玩那招一次，我就命令扈衛切開妳的肚子。」法官說。她坐在洗手台邊緣，因為律師室又小又擠。

「但切開我的肚子顯然是欠缺周慮的行動。」艾芮兒說，並把滿手的商務套裝丟進反列印機內。漏斗吞下衣物，將纖維分解成有機原料。艾芮兒的副靈碧賈浮已幫她挑好派對上要穿的衣服：一九五八年的巴黎世家，有肩帶，不對稱剪裁，深灰底襯黑花圖樣。「法庭等於是沒能保障締約方的利益？」

「妳為什麼不去開採氦氣就好，像妳兄弟那樣？」

「那幾個男孩太乏味了。」艾芮兒親吻法官兩邊臉頰。「盧卡斯沒半點幽默感。」艾芮兒端詳琴酒，那是客戶送的禮物。「客製化列印，品味真棒。」她拿起酒瓶朝法官一傾，對方搖搖頭。艾芮兒幫自己倒了杯燙喉的馬丁尼。

理惠子以左手食指碰觸雙眼之間——這是多數人也使用的手勢，意思是「在無副靈的情況下談話」。艾芮兒眨眼關掉碧賈浮，它是一隻若隱若現的蜂鳥，一片燦爛光霧，會不斷隨著艾芮兒的衣著改變色彩。理惠子的副靈也被她眨眼關掉了，那是一張白紙，不斷兀自摺成各種模樣。

「我不會耽擱妳。」長井法官說：「我長話短說。妳先前也許沒發現我是白兔閣的成員？」

「俗話是怎麼說的？所有自稱是白兔閣成員的人——」

「——都是冒牌貨。」長井法官接著把那句箴言說完。「所有常態都伴隨著例外。」

艾芮兒．柯塔溫文儒雅地喝了一口馬丁尼，但她所有的神經都變得機警、煥發。白兔閣是月之鷹的顧問團，存在於傳說與真實的夾縫之間。存在，卻又缺乏存在的可能性，隱匿於日常中。其成員一下子承認自己隸屬於該團體，一下子又否認。就算碧賈浮沒說，艾芮兒．柯塔也知道自己的心跳速度加快了，呼吸也變得急促。她得把所有注意力都用在抑制亢奮上，才不至於在那杯馬丁尼的表面掀起漣漪。

「我是白兔閣的成員。」長井法官說：「已經有五年了。他們每年都會踢掉兩名成員，今年輪到我了，而我想提名妳入閣。」

艾芮兒的腹部一縮。法官想讓她坐圓桌旁的一席，而她站在這裡，身上只穿著內衣。

「我很榮幸，但我得問……」

「因為妳是天賦異稟的年輕女性。而白兔閣已注意到，五龍內部某些單位對月球開發法人的影響力與日俱增，而我們想抵銷掉那股力量。」

「馬肯齊家。」除了他們之外，沒有其他世家大剌剌地展露對政治權力的渴求。鄧肯總裁的長子阿德里安．馬肯齊是月之鷹、月球開發法人總裁強納森．阿猶德的「歐科」，也就是婚配伴侶；羅伯特．馬肯齊是氏族之首，長期投入月球開發法人廢止運動，也追求月球完全獨立，擺脫地球的家父長式監督。**月球是我們的**。艾芮兒對這些政治爭論和參與者都有所耳聞，但總是不感興趣。月球的婚姻法比其他任何法律都更像是混沌的地景，狂熱的忠誠、氣體般洩出的憎恨、無盡的怨妒雜生其中。跟月球開發法人內部政治混在一起後，易燃性又更高了。不過，一想到月之鷹手邊的高位……艾芮兒的皮膚或許從來不曾沾染月塵味，不過她畢竟是柯塔家的人，而權力就是柯塔家的精魂。

「有幾個接近權力中心的人物認為時候已經到了，柯塔家應該要脫離孤立狀態，成為月球政體的一員。」

在所有家族成員中，艾芮兒最接近政治勢力。柯塔氦氣的副會長拉法有經濟方面的實力，因為地球的夜晚由柯塔氦氣賦予光明。柯塔氦氣的創辦人兼女帝亞德里安娜具備道德面的力量，不過所有歷史悠長的世家並非全都欣賞柯塔家。五龍，一般人眼中的暴發戶、惡行被粉飾為善行的壞蛋、獰笑的刺客、巴西土著牛仔。柯塔家的人會邊笑邊砍人。巴西土著牛仔，區區挖氦氣的混混。然而他們獲邀坐上圓桌了，上位者認可柯塔家是貴族了。老媽一定會不屑一顧（誰需要那些墮落的傢伙認可？全是軟趴趴的寄生蟲），不過她會為自己感到開心。艾芮兒知道自己從來不是她的最愛，不是最耀眼的孩子。不過呢，就算亞德里安娜對自己的女兒嚴苛，也全是因為她對女兒的期待高過兒子。

「那妳接受嘍？」長井法官說：「我只想快點離開這洗手台。」

「我當然接受。」艾芮兒說：「妳以為我會怎麼回答？」

「妳也許會適度評估。」長井法官指出。

「為什麼？」艾芮兒驚訝得瞪大眼睛，她是誠心感到意外：「傻子才不接受。」

「妳的家人可能會有意見……」

「我家人給我的意見是：『回神之若望穿地表活動衣把自己搞得髒兮兮又滿頭大汗。免談。』」她舉起馬丁尼酒杯：「敬我自己。艾芮兒．柯塔，白兔閣成員。」

長井法官以右手食指掃過眉毛。**我們可以回到凡事必留下記錄的那個世界了**。艾芮兒眨眼，副靈碧賈浮再度現身；法官的副靈御香也回來了。長井法官走出房間，列印機發出嗶嗶聲。巴黎世家的派對禮服完成了，而碧賈浮已開始變換成相襯的顏色。

小露娜．柯塔穿著牡丹圖樣的泡泡洋裝。白衣下襬聚攏，大膽地印著紅花。皮爾卡登。不過露娜只有八歲，穿華服已經穿到厭倦了，因此她甩開腳上的鞋子，赤腳奔跑於竹林中。她的副靈也叫露娜，是隻萊姆綠色的月蛾，翅膀上有大大的藍眼睛。**月蛾是北美洲的生物，不是南美洲的**，亞德里安娜奶奶曾告訴她，**還有，妳不該用自己的名字命名副靈，別人跟妳講話時會搞不懂妳在指誰**。

蝴蝶竄出藏身處，飛旋在露娜頭頂。牠們是藍色的，藍如虛假的天空，寬如這女孩的手。阿沙默家的孩子帶了派對盒過來，蝴蝶是他們放出來的。露娜欣喜地鼓掌，她在博阿維斯塔從未見過動物。祖母怕動物，不准任何有毛、有鱗、有翼的活物進入博阿維斯塔。露娜追逐緩慢振翅的蝴蝶所形成的緞帶，為的不是捉牠們，而是想跟牠們一樣自由、輕盈。氣流打旋，竹林吐露低語，挾帶著人聲、樂聲和料理的氣味。肉！露娜環抱自己。今天很特別。她一面為烤肉的香氣分神，一面鑽過細長、擺盪著的竹子。在她身後，瀑布自奧里莎像巨大臉龐的縫隙間緩慢傾瀉而下。

三十五億年前，岩漿自月球活生生的心臟地帶噴發而出，淹沒豐饒海盆地，徐徐流成小河，通過土堤與熔岩管。後來月球的心臟死去，岩漿流冷卻下來，空洞的熔岩管便化為寒冷、黑暗的祕密地帶，有如硬化的血管。二〇五〇年，亞德里安娜．柯塔從月球學家開鑿出的豐饒海通道垂降到這裡來，燈光照亮了一處隱藏的天地：完好無缺的熔岩管，寬、高一百公尺，長兩公里。這是空無的處女宇宙，跟水晶洞同樣珍貴。**就是這裡了**，亞德里安娜．柯塔宣告，**我要在這裡打造我的王朝**。五年內，她的機器就在熔岩館內部開闢出地景，刻出大如都市街區的烏姆邦達諸神面孔，完成水循環系統，並在空間內塞入露台、公寓、亭子、長廊。這就是博阿維斯塔，柯塔家的大宅。就連開派對慶賀的這一天，開鑿機和燒結機也還是在岩壁深處施工著，為露娜以及同世代的孩子打造房間與活動空間；機器的震動使岩石隨之顫抖。

今天要舉辦路卡辛侯的奔月派對，博阿維斯塔因而向大眾敞開它綠色的心臟。露娜．柯塔穿梭在愛侶與教母、家人與家臣、阿沙默家、陽家與沃隆佐夫家人之間，甚至連馬肯齊家以及家世不顯赫的人都來了。高大的第三代月球人和矮胖的第一代月球人混在一塊。洋裝，西裝，反摺褲腳，襯裙，派對手套，有色鞋。各種膚色與眼珠顏色，富人與美人，盟友與死對頭。露娜就降生在這種環境，聽著水流自高處落下，人造風吹拂竹子與樹枝的聲響。她並不知曉其他世界的存在。在這特別的一天，大家有肉吃。

奧旬女神懸空的下唇底下，外燴承包商架起了電子烤肉架，廚師不斷戳弄、翻動肉串，油膩的煙霧升向天際線，為蔚藍午後增添幾絲流動的雲氣。地球時間的午後。服務生將盛裝烤肉串的大盤子遞給賓客，露娜此刻位於女服務生和她的目的地之間。

「嘿，那件衣服好漂亮。」女服務生用極彆腳的葡萄牙文說。她個頭很小，沒比露娜高多少，身材結實。在這重力環境下，她的一舉一動都顯得施力過度。月光菜鳥，才剛下地月循環軌道太空船。她的副靈是展開的四面體，廉價外型模組。

「謝謝妳。」露娜用地語回答，也就是機器可理解的簡化版英文、通用語言。「它真的很漂亮。」

女服務生遞托盤給露娜。

「雞肉還是牛肉？」

露娜選了油膩、多汁的烤牛肉。

「小心別沾到那可愛的洋裝嘍。」她有北方口音。

「我絕對不會的。」露娜萬分嚴肅地回答。接著她沿小溪旁的鋪石小徑蹦跳前行，通過博阿維斯塔中心地帶，同時以細小的白牙齧咬血淋淋的牛肉。有了，路卡辛侯在前面。他身穿派對華服，上頭別著月球夫人別針，一杯藍月馬丁尼在手。和他一起參與奔月的朋友圍繞著他。露娜認得阿沙默家還有陽家的女孩，這兩家的人總是會和柯塔家往來。詭異又蒼白的沃隆佐夫家男孩也很好認，露娜認為他就像吸血鬼似的。另一個肯定就是馬肯齊家的女孩了，一身金。

「妳的雀斑很美。」露娜斷言，打進路卡辛侯的小圈圈內。她直盯著馬肯齊家女孩的臉，大家都被她的大膽逗笑了，其中馬肯齊女孩自己笑得最開心。

「露娜，」路卡辛侯說：「去其他地方吃那玩意兒。」他的語氣像在說笑，但露娜聽得出他的真意。他不爽她，因為她礙到他和亞別娜．阿沙默了，他八成想和她做愛。他真是個勢利鬼，腳邊還有一排倒扣的雞尾酒杯。不只是個勢利鬼，還是個酒鬼。

「開玩笑的。」柯塔家的人心口一致。露娜以手背擦擦嘴。肉吃完了，現在她聽到了音樂。「我也有雀斑！」她豎起手指碰了一下自己的臉頰，柯塔家和阿沙默家基因的產物。接著她又繼續開始奔跑，衝向河中的踏石，尋找音樂的源頭。她濺起水花，霧般的飛沫緩緩沉降。派對賓客紛紛發出驚愕之聲和尖叫聲，閃避水花，不過他們臉上都掛著微笑。露娜知道沒人抵抗得了她的魅力。

「盧卡斯叔叔！」

露娜衝向他，手一甩，環抱住他的雙腿。他當然會在樂聲附近。他正在跟端肉給露娜的新移民女性說話，而她現在端著一盤藍色的雞尾酒。被露娜打斷後，盧卡斯撥了撥小女孩的深色鬈髮。

「露娜甜心，妳繼續往前跑，好嗎？」他輕觸她的肩膀，讓她轉向另一頭。悄悄溜走的途中，她聽到他對侍者說：「不能再供酒給我兒子了，懂嗎？我不會讓他喝得醉醺醺的，在所有人面前出糗。他在私底下愛幹啥都沒差，但我不會眼睜睜看著他讓家族蒙羞。今天之內他要是再沾到一滴酒，我們就會要你們所有人好看。你們回上城區的路上就得乞討二手氧氣，喝彼此的尿了。我說這話不是針對妳，請把我的話傳給主管。」

露娜熱愛盧卡斯叔叔，喜歡他蹲下來跟自己說話的模樣，他的小遊戲、小花招，還有只有他們兩個人懂的玩笑話，但他有時顯得高大又遙遠，置身於冷酷、無情的世界中。露娜看到新移民女性蒼白、畏懼的表情，為她感到膽戰心驚。

一雙手掃了過來，高高舉起她，然後拋向空中。

「嘿，嘿，我的天使！」

她如羽毛般輕柔落下，那雙手又接住了她。她的牡丹洋裝向上掀起，蓋住了她的臉。是拉法，露娜黏到她父親身上。

「嘿，嘿，妳猜誰剛到了？艾芮兒姑姑。我們要不要去找她？」拉法捏捏露娜的手，而露娜精神飽滿地點點頭。

在迷死人不償命的洋裝包覆下，艾芮兒．科塔走出車站，來到博阿維斯塔的大花園。一九五八年的巴黎世家多層次剪裁飄浮於月球重力中，有如花瓣。竊竊私語在大群賓客中蔓延開：是艾芮兒．柯塔。艾堯允和費爾穆斯這場官司的結果，大家都已經耳聞了。露娜跳向姑姑，艾芮兒則撈起半空中的姪女，拉著她轉，逼出她欣喜的尖叫。接著，她的教母莫妮卡也到場了。溫暖的擁抱，親吻。盧卡斯之妻亞曼達．陽，露娜之母露西卡．阿沙默。拉法把自己的妹妹艾芮兒拋向半空中，逼得她苦苦哀求：注意一下洋裝啊。他的另一位歐科伴侶瑞秋．馬肯齊正跟他們的兒子一起待在南后，她從未踏入博阿維斯塔一步。艾芮兒為瑞秋的缺席感到開懷。這安排合法，但馬肯齊一族懷恨在心。接著是奔月男孩本人。他面對姑姑的模樣彆扭、笨拙，和朋友相處時絕不可能如此。她的手指在月球夫人的紋章停留片刻，將他的視線引導到她花飾的金屬牌上。**想像我赤裸裸又渾身冰霜地奔跑在荒涼月球上的模樣吧**。

接著是家臣們：財務長海倫．迪．布拉加（她的模樣比艾芮兒上次來博阿維斯塔時老了一些），然後是年邁、英挺的保安隊長赫特．裴瑞拉。最後，盧卡斯到場了，他給妹妹溫暖的吻。盧卡斯認為，所有兄弟姊妹中只有艾芮兒跟自己平起平坐。他輕聲說：想借一步說話。艾芮兒戴手套的手從經過身邊的托盤撈起一杯藍月馬丁尼，全不費工夫。

「本季在梅利迪安過得如何？」盧卡斯說：「我沒時間上去。」

艾芮兒知道她哥是怎麼想的：選擇走法律這條路就是對柯塔氦氣不忠。

「我顯然出名了，暫時性地。」

「我也聽說類似的事情了。流言蜚語。」

「流言比氧氣還充足，蜚語比水還豐沛。」

「我也聽說中國能源投資企業的代表團正在聖彼得與保羅號上，朝這裡過來。聽說他們和馬肯齊金屬簽了五年的生產合約。」

「我也聽到類似的消息了。」

「我還聽說月之鷹準備幫他們擺一個接風宴。」

「有這麼一回事。是的，我受邀了。」艾芮兒知道她哥的情報網夠強大，她和長井法官在律師室內的談話內容肯定已被掌握了。

「妳總是對社交手腕很有一套，真令人嫉妒。」

「我不是很懂你在說什麼，盧卡斯，別扯那些了。」

盧卡斯雙手一攤，彷彿在說：都是我不對。

「我只是轉述幾個聽來的傳言。」

艾芮兒發出銀鈴般的笑聲，但盧卡斯態度堅定依舊。他就像鋼鐵，困住了她。就在這時，強風揚起一陣辛辣的月塵，救世主現身了。

也許會有更多肉，也許有果汁可以喝。盧卡斯把艾芮兒姑媽逼到死角了，這位叔叔把自己的臉貼到別人面前說話時，就會變成一個無聊的人。就在這時，她的眼睛瞪大，嘴角咧開了。她發出興奮的尖叫。

身穿地活衣的一道人影闊步於溝壑間，他的安全帽夾在右臂下，左手帶著月球地表器材包。雙腳套著靴子，緊貼肌膚的地表活動衣由商標、反光條、導航燈、種族徽章拼補而成。他進入博阿維斯塔的網路後，副靈便甦醒了過來，相素接連堆疊。他身上流瀉著月塵，拖著一條緩慢落定的銀黑色軌跡。

「卡林侯！」

卡林侯．柯塔看到姪女衝過來想抱他，退後了幾步，但她還是撞上了他，抱住他的腿，揚起一大片灰塵。它們煤灰似地落到她美麗的牡丹洋裝上。

拉法來到露娜身後兩步之處，和弟弟卡林侯互搥著玩，拳碰拳。

「你橫越地表來的？」

卡林侯遞安全帽給對方看，作為證明。他身穿拼布似的地表活動衣，散發出嗆辣、火藥般的月塵氣味，整個人就像是雞尾酒派對上的海盜。他丟下月球地表器材包，撈起一杯藍月馬丁尼，一飲而盡。

「我告訴你，騎兩個小時的三輪摩托，途中喝自己的尿……」

拉法搖搖頭，讚嘆他的瘋狂。

「真的會死人，愚蠢的摩托之旅。今天也許不會，明天可能也不會，不過太陽總有一天會發出閃焰，而到時候我人會坐在一輛沙地摩托上，周遭鳥不生蛋，要前往任何地方都得騎五個小時。太陽會烤乾我的巴、西、土、著、屁、股。」他每強調一次就戳一次拉法的肩膀。

「你上一次到地表又是什麼時候了？」卡林侯開玩笑地揍哥哥的肚子。「我感覺到什麼？肥肚腩。你身材走樣嘍，老哥。你得穿穿地表衣，會開太多啦。我們是開採氦氣的，不是會計師。」

柯塔家的大男人和小男孩都熱愛運動。卡林侯把熱情投注在沙地摩托上，是極限運動先鋒。他改良了三輪摩托和訂製服，留下的胎痕遍布雨海及亞平寧山脈，還主辦了橫越晴朗海耐力賽。拉法的運動較安全，環境也較封閉。他有一支月球聯盟手球隊，超級聯賽級的。拉法和他弟媳的弟弟傑登・溫・陽有同樣的運動狂熱，後者是太陽老虎隊的老闆。他們比幽默也比凶殘。

「派對結束後會留下來嗎？」拉法問。

「我已經放自己假了，當作獎勵。」卡林侯已在寧靜海待了三個月，開採氦氣。

「來參一腳吧，你應該要看看我們在幹啥。」

「聽說是在輸錢吧。」卡林侯說：「奔月男孩呢？阿沙默家那孩子的事我也聽說了。他幹得好。如果他想在外頭工作，我可以用他。」

「這不在盧卡斯的生涯規畫內。」

卡林侯身後兩步遠的地方，還有另一個穿地表活動衣的年輕男子，膚色的黝黑與卡林侯的白皙形成對比，顴骨俊俏，細眼有獵人的氣質。

「華格納老弟。」拉法說，接著落下第二陣拳頭雨。柯塔家年紀最小的男孩華格納露出羞怯的微笑。

露娜攀住卡林侯叔叔的腿，身上沾滿月塵，髒兮兮的。

「讓我看看你！」艾芮兒和身後的一票人到場了。「美少年！」她彎腰親吻他，但沒碰到對方。這件洋裝上可不能留下汙漬。

盧卡斯也到了，還刻意延後抵達時間。他有禮貌地向卡林侯打招呼，但感覺只是在執行例行公事。他的注意力飄到華格納身上：「我愛派對，因為從沒見過的遠親都會冒出來。」

「華格納算是我的客人。」卡林侯說。

「當然了，」盧卡斯說：「我家就是你家。」

赤裸的恨意在華格納和盧卡斯之間拋來射去，接著卡林侯抓住華格納的手肘，領他轉個身，走向派對熱絡處。

「露娜，妳跟愛麗絲教母一起去跑跑。」拉法說。

「我們來幫妳清掉灰塵。」愛麗絲教母說。她是臉型方正、身體健壯的保利斯塔諾人，比月球誕生世代矮一個頭。地球人的身體可充作強悍的代理孕母母體。柯塔家的人只肯讓巴西人代理生產他們的子嗣。她牽起髒兮兮的露娜的手，遠離交談的成人，尋找樂手去了。

「盧卡斯，別挑這場合。」拉法輕聲說。

「他不是柯塔家的人。」盧卡斯只撇下這麼一句。

一隻手觸碰了盧卡斯的手背，是亞曼達・陽來到他身邊了。

「就算由你來說，這話還是太失禮了。」亞曼達責怪他。她是第三代月球人，身高接近月球人平均，比丈夫還高。她的副靈叫「震」，是深紅色的。陽族人傳統上會從《易經》中挑選卦符，充作副靈的外型模組。

「為什麼？我說的是事實。」盧卡斯說。當亞曼達・陽從恆光宮搬到尚未整頓完成的博阿維斯塔時，上流社會吃了一驚。尼卡赫婚約並沒有具體要求她這麼做。這段婚姻成就了強大的王朝。支票、結餘、取消條款都搞定了，但亞曼達．陽還是來到了博阿維斯塔，一住就是十七年，彷彿成了這裡的一部分，就像奧里莎或流水一般。上流社會（當中還是有些人很在意這檔事）認為她是在打長期戰。陽族是最早的月球定居者之一，他們和馬肯齊家都認為自己是老鳥，是真的月球貴族。過去半世紀來，他們不斷與人民共和國霸權交戰，後者有意將太陽之屋充作征服月球的橋頭堡。所有人都同意一件事：陽家人不該在缺乏思慮的情況下與他人通婚。

過去五年來，盧卡斯．柯塔一直住在神之若望的公寓。

音樂（輕柔的巴莎諾瓦旋律）停了，酒杯在送往賓客唇邊的途中頓住。對話死滅，語言蒸發，親吻以失敗告終。所有人都嚇壞了——一名嬌小的女子走出奧里莎巨神像平靜面孔之間的門扉。

亞德里安娜．柯塔駕到。

「大家不會找你嗎？」

路卡辛侯牽著亞別娜．曼努．阿沙默的手，領她遠離人煙，穿行在走廊上，以其他房間流瀉出的燈火（建築機器人需要光）為照明，通過剛開闢完成的房間，以及仍感受得到鑽孔機震動的斗室。

「他們還要花幾百年的時間親手、演講呢，我們多的是時間。」路卡辛侯手一拉，攬住亞別娜。加熱燈瓦解了零下二十度的地表下恆常低溫，但空氣還是相當冷，呵氣會凝成白煙，穿著派對禮服的亞別娜打著冷顫。月亮有顆冰冷的心臟。「好啦，妳要給我什麼特別的東西？」路卡辛侯的手沿著亞別娜的脅腹滑到她的臀部上。她邊笑邊推開他

「卡喬說得對，你是個壞小子。」

「壞就是好。不，真的啦。別這樣嘛——我們是奔月者。」他的另一隻手輕觸亞別娜的月球夫人，蜘蛛般爬行到她胸部的北半球上。「我們活著，此刻比這塊石頭上的任何人都活得透徹。」

「路卡辛侯，不要。」

「我救了妳哥。我原本有可能丟掉性命，也真的差點就死了。我進了高壓治療艙，他們還把我弄昏過去。我回頭救了卡喬，而我其實不用那麼做。我們都知道那行動的風險有多大。」

「路卡辛侯，如果你這樣扯下去，它會死的。」

他抬起雙手，投降。

「好啦，這是什麼？」

亞別娜攤開右手。那裡有個銀色的玩意兒，閃亮的金屬尖牙。下一刻，她的手甩向他左耳。他叫出聲來，意料外的疼痛驅使他蓋住自己耳朵。他的手指染血了。

「妳做了什麼？金吉，她做了什麼？」

我們在博阿維斯塔攝影機的拍攝範圍外，金吉說，**我什麼也看不到**。

「你以後看到這樣東西，就會想起卡喬。」也許是加熱燈的紅光所致，亞別娜的眼睛流露出路卡辛侯從未見過的神韻。他認不出她是誰。「你知道其他人是怎麼說你的嗎？他們說你讓人心碎一次，就穿一次環。嗯，不過我的情況就不同了。我穿到你耳朵上的環能讓心癒合，是我的承諾。當你需要阿沙默族的幫助……我是指真的亟需援手，沒有其他指望，落單、赤裸裸地暴露在危險中，處境變得跟我哥相同時，你就把耳環寄給我。我會記得承諾。」

「好痛！」路卡辛侯哀號。

「痛就會記住。」亞別娜說，她的食指上有路卡辛侯的血漬。她緩慢、優雅地舔掉它。

在高大的子女以及更高大的孫子之間，亞德里安娜．柯塔嬌小、優雅如禽鳥。月球重力環境下，年歲增長帶來的老化有限。她的皮膚光滑無皺紋，身軀在七十九歲這年依舊筆挺，儀態有如初入社交界的女子。她仍是柯塔氦氣的領導人，儘管她已經好幾個月不曾在博阿維斯塔外露臉了。就連許多博阿維斯塔的居民都很難見上她一面，不過她還是有辦法為家人做做排場。她向兒女道安，給拉法爾和艾芮兒三個吻，給盧卡斯和卡林侯兩個吻，給華格納一個吻。露娜掙脫愛麗絲教母的懷抱，衝向亞德里安娜奶奶。眾人見到亞德里安娜那身賽爾．查普曼洋裝上的汙漬，紛紛倒抽一口氣。亞德里安娜並沒有佩戴月球夫人別針，儘管她在盲目開挖年代喝過的真空比博阿維斯塔所有奔月者加起來還多。

盧卡斯緊跟在母親身後，隨她哄成排的孫子、教母、歐科伴侶、賓客。她對每個人都有話說，還撥特別多的時間給亞曼達．陽和拉法的第二歐科露西卡．阿沙默。

「好啦，路卡辛侯在哪？」亞德里安娜．柯塔說：「英雄得在場才行。」

盧卡斯發現兒子不見了，他按捺住怒火。

「我會找到他的，媽。」副靈托基尼奧試圖呼叫男孩，但他離線中。亞德里安娜．柯塔不悅地「嘖」了一聲。她要是不恭賀派對男孩，禮數就不周到了。盧卡斯走到樂團那裡去。那是一支小室內樂團，成員有吉他手、鋼琴手、低音大提琴手、打出輕柔藍調節奏的鼓手。「你們知道〈三月水〉嗎？」

「當然了，標準曲目，經典作品。」

「演奏這首，感情放多一點，這是我媽的愛曲。」

吉他手和鋼琴手對彼此點點頭，開始打難以捉摸的反拍節奏。〈三月水〉：當教母把孩子們帶到亞德里安娜．柯塔面前，讓他們坐到她膝上時，她就會唱這首美妙的老歌；他們躺在幼兒床時，她也會唱。那是非常印象派的秋季歌曲，誦唱雨水、鄉間、渺小的生物；觸及掌中大小的宇宙。有歡快的部分，但虛幻的渴望也貫穿其中。男聲與女聲輪唱歌詞，搶接彼此拋出的球，生氣與玩心兼具。盧卡斯認真、投入地聆聽。他的呼吸變淺，身體變得緊繃，淚水在眼皮內打轉。音樂總是能帶給他強烈的感動，尤其是巴西老音樂。巴莎諾瓦，巴西流行樂；電梯音樂，中間路線電台播放的小品。軟──到不行的娘炮爵士。那樣形容的人根本沒有耳朵，不懂音樂。他們聽不到那虛幻的渴望。萬物稍縱即逝叫人浸淫在甜蜜的悲傷中，而那悲傷又使所有喜悅更加鮮明。他們聽不到那微弱的絕望，不覺得所有美好與倦怠背後有非常、非常不對勁的狀況在醞釀。

盧卡斯瞄了一眼母親，發現她隨著樂曲的節奏點著頭，雙眼閉著。他成功讓她分心了，她沒在管浪蕩子路卡辛侯了。盧卡斯晚點再來料理他。

這首歌的高潮是兩位歌者同唱一個字，跳戰舞似地插入彼此的橋段，翻滾，閃避。彈吉他的男人和彈鋼琴的女人非常高桿。盧卡斯先前沒聽過這個組合，此刻非常開心，覺得能聽到真是太好了。歌曲結束了，盧卡斯將自己的情感吞回腹中，發出響亮、清晰的喝采。

「太棒了！」他大喊。亞德里安娜跟進，接著拉法、艾芮兒、卡林侯、華格納也鼓掌了。掌聲如漣漪在派對會場擴散開來。「太棒了！」飲料恢復供應，剛剛那尷尬的時刻被拋諸腦後，派對延續了下去。盧卡斯湊向鋼琴手，跟他說幾句話。「謝謝你。你的演奏很有味道，先生。我母親很愛。如果你能來我神之若望的公寓為我演奏，我會很開心。」

「聽你這麼說，我們感到很榮幸，柯塔先生。」

「不是『我們』，只有你。你叫什麼名字？」

「荷西，荷西．納德斯。」

他們的副靈交換了聯絡方式。就在這時，女服務生，也就是有北方口音、端著雞尾酒托盤的那個月光菜鳥突然撲向拉法爾．柯塔。

她喜歡路卡辛侯耳朵結痂的粗糙觸感，樂於撥弄它，打斷癒合的過程，讓新鮮的小血珠滲出。過程中，亞別娜一身舞裙包裹的肉體也濡溼了。如今他們已回到博阿維斯塔的網路覆蓋範圍內，金吉向路卡辛侯展示了亞別娜的禮物：鉻製尖牙，刺穿他右耳頂端的弧度。看起來很棒，很性感，但她甚至不願讓他環抱腰。

還沒抵達窗邊，他們就發現狀況不太對勁了。沒有音樂，沒有閒聊，沒有人在瀑布池內濺起水花。有人在呼喊，氣急敗壞地以葡萄牙文和地語下達命令。贊果的石眼俯瞰著博阿維斯塔的縱深。路卡辛侯發現柯塔家的保安護衛隊正在保護賓客，樂隊成員與服務生的雙手都背在頭上。保全無人機掃描石雕牆，雷射光一度停留在路卡辛侯和亞別娜身上。

「發生什麼事了？」路卡辛侯問。金吉回答的那一瞬間，亞別娜也露出震驚的表情。

有人試圖刺殺拉法爾．柯塔。

刀鋒抵著瑪莉娜．卡爾札的喉嚨，她如果移動、說話、吸太大口氣，刀子就會切開她的肉。刀鋒利得見鬼，簡直帶有麻醉效果——就算氣管被割開，她也不會有感覺。但她非行動不可，如果想活下來，她就得說話。

她的手指敲了敲托盤上倒扣著的雞尾酒杯杯腳。

「蒼蠅。」她用氣音說。

蒼蠅不會那樣移動。瑪莉娜．卡爾札熟知蒼蠅的習性，她當過捕蠅人。月球上的昆蟲——例如授粉昆蟲，以及阿沙默家小孩釋放出來的、翩翩飛舞於博阿維斯塔的裝飾性蝴蝶，都是獲得許可才得以存活下來。蒼蠅、黃蜂、野生蟲子對月球城市複雜的系統構成威脅，因此都會遭到撲殺。瑪莉娜．卡爾札殺過一百萬隻蒼蠅，知道牠們不會那樣飛，不會筆直地襲向拉法爾．柯塔下顎一角，以柔軟、無衣物遮蔽的肌膚為目標。她手拿馬丁尼空杯撲過去，將蒼蠅倒扣在托盤上。牠只差幾公釐就要觸及目的地了。雞尾酒監獄。就在同一瞬間，一把刀唰地飛出磁鞘，抵住她的喉嚨。持刀者是柯塔家的保安，他身穿燕尾服，胸前口袋插著摺疊整齊的手帕。但他看起來仍是個惡棍，仍像死神。

赫特．裴瑞拉姿勢僵硬地蹲下來端詳杯中物。他在第一代月球人中算是個巨漢，身材健壯。要不是他手上拿著刀，海軍退役大個頭盯著倒扣雞尾酒杯的畫面可有喜感了。

「刺殺蠅，」赫特．裴瑞拉說：「ＡＫＡ。」

下一瞬間，露西卡．阿沙默身側有數把刀出鞘，發出響鈴般的聲音。刀尖距離她的肌膚只有數公釐。露娜嚎啕大哭，隨即哽咽，緊貼著自己的母親。拉法爾衝向保全人員，結果被穿襯衫的男人們壓倒、固定在地。

「這是為了保障您的安全，先生。」赫特．裴瑞拉說：「她身上也許有生化藥劑。」

「那是無人機。」瑪莉娜．卡爾札喃喃低語：「裝晶片的。」

赫特．裴瑞拉更仔細端詳。蒼蠅不斷撞擊玻璃，但牠短暫停歇時，翅膀和甲殼上的金色花格紋仍清晰可見。

「放開她。」亞德里安娜．柯塔的嗓音沉靜，但命令式的語調令男女保全都打了個哆嗦。赫特．裴瑞拉點點頭，刀刃回鞘。露西卡將嚎啕大哭的露娜撈到懷中。

「還有她。」亞德里安娜・柯塔下令。刀子從喉嚨上移開後，瑪莉娜吸了一大口氣，這才發現：被保全逮住的那一刻起，自己就一直在憋氣。她開始發抖了。

盧卡斯大吼：「路卡辛侯？路卡辛侯在哪？」

「現在交由我處理。」赫特・裴瑞拉將手按到玻璃杯上，然後從小槍套中取出脈衝槍。那裝置只有他拇指大，因此在他的大掌中顯得愚蠢又娘炮。「關掉你們的副靈。」散布博阿維斯塔內的副靈紛紛在一眨眼的時間內消失。瑪莉娜也眨眼關閉她自己的海蒂。那娘炮小槍的能量足以癱瘓全博阿維斯塔的網路。擊發的過程中沒什麼特別的畫面或聲響，不過那機械蒼蠅還是漸漸靜止下來，最後完全停擺。

盧卡斯・柯塔湊向保安隊長，說了幾句悄悄話。

「他們試圖殺害我兄弟，他們闖進了博阿維斯塔，闖進我們家，而且試圖殺害我兄弟。」

「狀況都在我們的掌控中，柯塔先生。」

「狀況是，刺客差一點就殺掉拉法了，只差一丁點距離，跟雞尾酒杯杯緣等寬。當著所有人的面，所有五龍的面，我媽的面。乍看下狀況並不在你們掌握之中，不是嗎？」

「我們會分析武器，會揪出幕後黑手。」

「呃，這還不夠。對方隨時可能發動新的攻勢，我要確保這裡安全無虞。派對結束了。」

「各位先生，各位女士，剛剛發生了一起維安事故。」赫特・裴瑞拉宣告：「我們必須保衛博阿維斯塔，因此得請各位離開，麻煩往電車站前進。現在可以重新啟動副靈了，不會有受損的危險。」

「找出我兒子！」盧卡斯對赫特・裴瑞拉下令。路卡辛侯的朋友四處亂轉，不知所措，頓失光彩。他們的奔月成功、路卡辛侯拯救卡喬・阿沙默的義行都變得不重要了。博阿維斯塔的保全人員趕羊似地送賓客離開花園，引導他們到車站去。一名保全送柯塔家的要員們進入室內。鐵石心腸的盧卡斯．柯塔思考著瑪莉娜．卡爾札的處置方式，大受震驚的她正發著抖。

「妳叫什麼名字？」

「瑪莉娜．卡爾札。」

「妳是外燴承包商的員工？」

「有什麼工作我就做什麼。我是……我以前是製程管理工程師。」

「現在起，妳就是柯塔氦氣的員工了。」

盧卡斯伸出手，瑪莉娜握住它。

「去跟我弟卡林侯談談。柯塔家欠妳人情。」

說完他就走了。受驚過度、感官仍處於麻木狀態的瑪莉娜試圖釐清剛剛的狀況：柯塔起先想割開她的喉嚨，現在又給了她一份工作。是柯塔家啊。布雷克，一切都不會有問題了。我可以弄藥給你，我們再也不會口渴了。我們可以自在地呼吸了。

2

不，他不需要付帳單，可以直接走人，就跟在博阿維斯塔或神之若望時沒兩樣。服務生能拿他怎樣？拿刀捅他？聚眾圍堵他？他畢竟仍是柯塔家的成員。動一個柯塔人的寒毛，所有柯塔人都會來砍你。月球上沒有犯罪，沒有偷竊，沒有謀殺。只有合約與協商。

露娜．柯塔，小間諜。博阿維斯塔有許多地方可供無聊到發慌的女孩躲藏。某個漫長的早晨，露娜跟著清潔機器人到處跑，結果發現了工作人員通道。她就跟所有月球誕生的孩子一樣，深受隧道以及狹小空間的吸引。它們好就好在大人進不去，藏身洞穴和賊窟當然要很祕密才行。露娜覺得這個通風管變得比她先前來時還要窄。她上次就發現從這裡可以窺看母親的私人房間，只要閉氣就能聽到裡頭的說話聲。露娜瑟縮到奧索希之眼的後方，扭動身體，把自己堵進獵人與保護者之神的顱內凹陷處。

「他們拿刀抵住我的喉嚨。」

她父親說了一些話，但她聽不清楚。露娜扭動身體，讓自己更靠近通風管柵網。沙質的燈光打亮她的臉龐。

「他們拿刀架在我脖子上，拉法！」

露娜看到母親以手指撥弄頸間，觸碰她記憶中的刀刃。

「只是為了安全起見才那麼做。」

「他們原本有可能宰掉我嗎？」

露娜再度移動，把爸媽的身影同時收進狹窄的視野中。她父親坐在床上，身影顯得微小而黯淡，彷彿空氣和光線從他體內洩了出去。

「他們是要保護我們。柯塔家之外的人都是嫌犯。」

「亞曼達．陽也不是柯塔家的人，我可沒看到誰在她脖子上架刀。」

「是因為蒼蠅。所有人都知道你們族人使用生化武器。」

「『你們族人』？」

「我是說阿沙默家。」

「派對會場還有其他阿沙默家的人，比方說亞別娜．曼努。我沒看到誰在她脖子上架刀。你們是針對我們這一族，還是我們這族當中的某些人？」

「妳為什麼要鬧這個？」

「拉法，因為你們家的人在我脖子上架刀，我可沒聽到你表示什麼，你沒說『他們不可能真的對我動手』之類的。」

「我絕對不會讓他們動手。」

「如果你媽下令的話，你還會阻擋他們嗎？」

「我是柯塔氦氣的副會長。」

「不要侮辱我，拉法。」

「保全人員在妳脖子上架刀，我看了很火。他們把妳當成嫌犯，我也很氣，氣炸了。但妳知道住在這裡是怎麼一回事。」

「沒錯，也許我不想住在這裡。」

露娜目睹拉法抬頭。

「我知道住在忒是怎麼一回事，忒是個好地方。拉法，那裡安全，而且**我的族人**也在。我想帶露娜過去。」

露娜倒抽一口氣。通風管太窄了，她無法伸手摀住自己的嘴，無法試圖把聲音攔下來。他們也許聽到了。不過接著她又想，博阿維斯塔本來就充滿嘆息和低語。

拉法起身了。他發火時會朝說話對象湊得很近，近到呼出的氣全吹在對方臉上，彷彿在說：有種就對我的臉吐口水啊。露西卡並沒有退縮。

「妳不准帶走露娜。」

「她待在這裡不安全。」

「我的孩子都要待在我身邊。」

「你的孩子？」

「妳沒讀尼卡赫婚約的內容嗎？或者妳當初只是急著想和柯塔氦氣的法定繼承人跳上床？」

「拉法，不要，別這樣說話。你水準沒這麼低，你不是這樣的人。」

拉法的怒火燒得更旺了，易怒是他的原罪。他是和藹可親，但也有另一面：愛笑，愛玩，愛上床。愛發火。

「妳知道嗎？也許妳的族人策畫了……」

「拉法，別說了。」露西卡以手指封住拉法的雙唇，知道他的怒意來得快去得也快。「我永遠不可能設局對付你——我不會，**我的族人**也不會，我們不會為了帶走露娜耍小動作。」

「露娜要待在我身邊。」

「是，但我不要。」

「我不要妳走，這裡是妳家。跟我待在一起，跟露娜待在一起。」

「我在這不安全，露娜在這也不安全。但尼卡赫婚約不許我帶走她。如果你從頭到尾說過一次『很抱歉保全架刀在妳脖子上』，事情也許就會不一樣了。你只有怒氣，沒有歉意。」

這時，露娜的父親又接了話，但露娜聽不清楚除了腦海中洶湧的噪音外，她什麼也聽不到。世界上最可怕的事物降臨時的噪音——媽媽要走了。她的胸口變得好緊，腦海中響起嘹亮又可怕的嘶聲，彷彿空氣和生命力正在流瀉。露娜扭動身體離開窄縫，沿著通風管繼續前進，遠離讓她偷聽到太多情報的藏身處。她的鞋子刮磨著地面，皮爾卡登洋裝被粗糙的石頭勾破了。

雨水沖刷下，死蝴蝶化為浮物和渣滓，牠們的翅膀沿水池邊緣形成一圈蔚藍的汙垢。露娜．柯塔坐在屍骸之中。

「嘿嘿嘿，怎麼啦？」露西卡．阿沙默在女兒身旁蹲下。

「蝴蝶死了。」

「牠們壽命不長，只有一天。」

「我喜歡牠們，牠們很漂亮。好不公平喔。」

「我們就是這樣安排的。」

露西卡踢開腳上的鞋子，在露娜身旁的石頭上坐下，腳涉入水中一滑，藍色的翅膀沾黏到她黝黑的腳上。

「你們可以讓牠們活久一點，活得比一天長。」露娜說。

「我們辦得到，可是牠們要吃什麼呢？牠們要何去何從？牠們只是裝飾品。」

「可是牠們不是裝飾品，」露娜說：「牠們有生命。」

「露娜，妳的鞋子怎麼了？」露西卡說：「還有妳的洋裝？」

露娜目送蝴蝶浮屍緩慢地隨著水流漂遠。

「妳要走了。」

「妳怎麼會這麼想？」

「我聽到妳說的。」

此刻，露西卡不管問她什麼問題都沒有意義了。

「對，我要回忒，回到我家人身邊。但我只會待一陣子，不會永遠留在那裡。」

「一陣子是多久？」

「我不知道，親愛的。需要待多久就待多久，不會比那還久。」

「但我不能跟妳一起去。」

「不能。真希望妳也能去，這是我最大的盼望——比起我自己，我更在乎妳的安危。但我不能帶妳去。」

「媽媽，我安全嗎？」

露西卡將露娜擁入懷中，親吻她的頭頂。

「妳很安全，爸爸會保護妳。要是有人試圖傷害妳，爸爸會把他的頭扯斷。但我得離開，等塵埃落定再回來。我不想走，我肯定會很想念妳。爸爸會照顧妳，還有愛麗絲教母。愛麗絲教母不會讓任何人傷害妳。」

露西卡這番話灼痛著自己的喉嚨。教母，就是代理孕母，受雇的子宮。她們會成為孩子的保母、無血緣的姑媽，也是家人。柯塔家這種小企業在打造事業版圖的過程中，並沒有時間懷孕、生子、照顧幼兒。露西卡可以理解「教母」這種安排的用意，但這做法不該傳到下一代，賢淑、亦步亦趨的教母團不該成為一種傳統。她痛恨高大、有巴西人典型顴骨的愛麗絲教母，恨她懷自己的孩子，還生下她。拉法當初告知她孩子將由代理孕母產下時，態度篤定，彷彿木已成舟：這就是柯塔家的做法。放進我體內，植入我體內吧，讓我滋養她，孕育她，再將她擠出體外，讓她出世。我不需要虛擬聖母來混合你的精液和我的卵子，然後宣告：**有生命了**。我不要看著你的子房機器人將胚胎滑入健壯、臉上掛著微笑的愛麗絲體內，也不要看她的肚皮日漸鼓脹、圓潤。我不需要讀那些報告，什麼子宮掃描、懷孕進程每日追蹤。我也沒必要在愛麗絲剖腹生產那天把自己鎖在房間，哭天喊地、摔東西。那原本是我的任務才對，露娜。應該要由我生下妳才對，妳在世上看到的第一個畫面，應該要是我微笑、虛脫、涕淚縱橫的臉才對。我是阿沙默人，生命隨著我們的各種液體和汁液流淌、噴發、湧出。我能勝任母職，我有生育力，身上的一切機制都自然、卓越、豐饒地運作著。但自然產子不是柯塔家的做法。

我愛妳，露娜，但我愛不了柯塔家的做事方法。

露西卡雙手環抱露娜，輕輕搖晃她，加以安撫，也安撫自己。一隻刺殺蠅瓦解了她的世界。這裡不是諸神花園，不是水之宮殿，只是岩石裡的管道。她家人的每一塊光燦農田，每座城市、工廠、居住地都是由勉強積攢出來的資源在維持，都只是脆弱的石造營地，而外頭是真空的天際以及殺人不眨眼的太陽。所有人，隨時都處在危險狀態。無處可逃、可躲。

「妳爸爸、婚約、所有人都說妳是柯塔家的人，但妳是我們阿沙默族的。因為我是阿沙默人，我母親也是阿沙默人。這就是阿沙默族的規矩。」

盧卡斯・柯塔的手在會議桌上一掃，虛擬文件散落各方。

「我沒時間看這些。它到底是從哪來的？誰造的？」

赫特・裴瑞拉低下頭去。他幾乎比會議桌邊的所有人都矮一個頭，髮色也較灰白，看起來比大家都老十歲。唯一的例外是亞德里安娜・柯塔，以及財務長海倫・迪・布拉加－柯塔氦氣的黑色意志。

「我們還在分析——」

「我們有月球上最強大的研發單位，你卻沒辦法告訴我那玩意兒是誰做出來的？」

「對方竭盡所能隱藏了可供辨識的線索。晶片很普通，列印模式也沒什麼特別之處。」

「也就是說，你不知道是誰做的。」

「我們還不知道。」會議桌邊的所有人都聽得出赫特・裴瑞拉的聲音在顫抖。

「你不知道無人機是誰做的，不知道是誰送過來的，不知道它如何通過保全檢測。你不知道敵方此刻有沒有派另一架無人機來攻擊我兄弟，或我，或……老天保佑，或我媽。你是保安隊長，而你卻毫不知情？」

盧卡斯持續瞪視赫特・裴瑞拉，後者的臉部肌肉開始抽動。

「我們目前處在全然安全的環境，尺寸大於皮屑的物體都在我們的監控之中。」

「如果無人機已經在這裡了呢？搞不好幾個月前就被植入博阿維斯塔了，你考慮過這可能性嗎？現在也許另有十幾架無人機啟動了，或甚至上百架。它們只需要僥倖成功一次就夠了。我知道現在的毒藥有什麼效果，沾到就得等死。你得承受好幾個小時的疼痛，知道自己吸到的每口氣都變得比前一口少，知道自己無藥可醫。你得花上一大段時間凝視死亡，之後才會嚥下最終一口氣。我知道有人想把那種毒藥用在我哥身上。以上是我掌握的情報，現在告訴我你掌握了什麼？」

「盧卡斯，夠了。」亞德里安娜．柯塔坐在會議桌的主位。過去幾個月那個位置都是空著的，只有一張粗陋的大照片掛在會議桌的短邊附近，俯瞰長桌盡頭：照片中的她穿著地表活動衣，吾輩的氦氣夫人。得知自己的子嗣面臨即刻的性命威脅，她便現身於會議室中，威風八面。拉法坐在她右手邊，艾芮兒坐在她左手邊。盧卡斯坐在哥哥的右手邊。

「媽，如果妳的保安隊長沒辦法保障我們的安全，還有誰辦得到？」

「赫特效忠我們家族的時間比你活在世上的時間還長。」這是權威十足的挖苦，沒人會聽錯。

「是的，媽。」盧卡斯向母親低頭。

「凶手是誰，還不夠明顯嗎？」拉法打破叫人坐立難安的沉默。

「很明顯嗎？」艾芮兒說。

「還會是誰？」拉法在桌前伏低身子，怒火正冒著煙。「羅伯特．馬肯齊一直沒原諒媽，他是藥性緩慢的毒。今天、明天不會發作；今年、甚至這十年內都不會有動靜，但在某年、某日，馬肯齊家就會三倍奉還。他們想攻擊繼承人，媽，他們要妳眼睜睜看著自己建立的一切土崩瓦解。」

「拉法……」艾芮兒開口。

「綺拉．馬肯齊，」拉法插嘴：「她剛剛也在派對會場，有人搜過她的身嗎？還是只因為她是路卡辛侯的朋友，我們就揮揮手直接放她走了？」

「拉法，你認為馬肯齊會冒險發動全面戰爭？」艾芮兒說，並吸了一大口電子菸。「真的嗎？」

「如果他們有把握突破我們的壟斷，就有可能發動戰爭。」盧卡斯說。

「他們又開始蠢蠢欲動了，妳看不出來嗎？」拉法說。

八年前，柯塔氦氣和馬肯齊金屬曾打過一小段時間的地盤爭奪戰。他們的精煉機被倒入金屬碎料，火車被人入侵、劫走貨品，黑暗程式碼的轟炸擊潰了機器人與人工智慧。塵工在馬斯基林、簡森隧道中肉搏或持刀互砍，寧靜海和晴朗海的石海中也有戰局。一百二十人死亡，損失達百萬比西。最後柯塔家和馬肯齊家同意接受仲裁，而克拉維斯法庭做出對柯塔氦氣有利的判決。兩個月後，阿德里安・馬肯齊就和強納森・阿猶德結為連理了。強納森・阿猶德是月之鷹，月球開發法人（也就是月球主宰）的總裁。

「拉法，夠了。」亞德里安娜・柯塔說。她的嗓音單薄，威嚴卻毋庸置疑。「我們要在商場跟馬肯齊打，透過生意手腕擊敗他們。我們要賺錢。」亞德里安娜從座位上起身，臉部表情和四肢都很僵硬且顯露疲態。她的兒女和家臣紛紛鞠躬，跟著她離開會議室。

卡林侯起身，收攏右手手指，向母親鞠躬。會議過程中，他一句話也沒說。他總是不開口。野外才是他的歸屬，他習慣與萃取器、精煉機、塵工為伍。他是塵工、鬥士。拉法的魅力比他外放，盧卡斯的論述會帶給他迎頭痛擊，艾芮兒則會以雄辯束縛他，不過這些人運土的工夫都比不上他。

盧卡斯留住赫特・裴瑞拉片刻。

「你犯了一個錯誤。」盧卡斯低聲說：「你太老了，不中用了，沒救了。」

華格納・柯塔在會議室外的大廳候著。亞德里安娜與家臣從旁經過，瞄都不瞄他一眼，接著盧卡斯和艾芮兒來了；艾芮兒點點頭，露出緊繃的微笑。卡林侯拍拍他弟弟的背。

「嘿，老弟。」

剛剛的會議桌前，華格納的缺席格外顯眼。

「我要跟拉法談談。」華格納說。

「當然好，你要騎三輪摩托回神之若望？」

「我有其他計畫。」

「晚點見，小狼。」

「談什麼？」拉法說，他高踞在奧薩拉像右眼的眼皮內側，身後的瀑布緩慢傾瀉著。

「蒼蠅，我想看看那隻蒼蠅。」

拉法已吩咐屬下把赫特．裴瑞拉的無人機構造圖送到華格納手中，也確保他每次都會收到會議整理出的資料。

「你什麼都有了。」

「我尊重赫特，也尊重你的研發單位，但有些東西只有我看得出來，他不行。」

拉法知道華格納的人生路很崎嶇，他活在家族外緣的陰影中，持續對柯塔氦氣有所貢獻，儘管那些貢獻很難量化。不過他是傑出的工程師，對複雜精細的小玩意兒很有一套。拉法有時很嫉妒他的兩種特質：檯面下的嚴格，檯面上的創造力。

「比方說？」

「我看了就會知道，但我得先看到。」

「我會告知赫特。」拉法的副靈「蘇格拉底」已經發送通知出去了。「我要他瞞著亞德里安娜處理。」

「謝謝你。」

華格納已在家族的陰暗處生活太久，久到他的兄弟都為他發展出另類的社交重力場了。他們有事都會知會他，把他納入自己的小圈圈內，同時又讓他保持隱形，彷彿他是個黑洞似的。

「你什麼時候會再過來，孩子？」拉法說。亞達里安娜回頭望，等著拉法。

「我有事情報告時。」華格納說：「你懂我意思的。別斷氣，拉法。」

「別斷氣，小狼。」

「艾芮兒。」盧卡斯叫住奧薩拉階梯另一頭遠處的妹妹，她轉頭了。「現在就要回去了？」

「我有事要回梅利迪安處理。」

「對，要接待中國企業代表團，我不能害妳錯過那場合。」

「我在派對上講得很清楚了。」

「我們是一家人。」

「喔，別這樣說，盧卡斯。」

盧卡斯困惑地皺眉。她看得出來，他是真心不懂她想說什麼。他堅信自己的一舉一動都是為了家族好，只考慮家族。

「如果我們角色對調，我就會做，毫不猶豫。」

「盧卡斯，你看待事情的方法比較單純。有人對我的工作感興趣，我得保養好膚質，得梳洗一下。」

「月球上沒有人是乾淨的。他們試圖殺害拉法呀。」

「不，你別想那麼做。」

「也許不是馬肯齊一族下的手，但總之有人出手了。我們是柯塔氦氣，我們很優秀，但只在某方面優秀，那就是採氦氣。地球的燈都是靠我們才點亮的。那是我們的強項，也是我們的弱點。AKA、太陽，他們無所不在，什麼都做，狡兔三窟。就連馬肯齊金屬都開始多角化經營——而且還想來搶我們核心事業的利潤。我們要是在商場上輸掉，就走投無路，一無所有了。月球不容許輸家存在。還有媽，她最近變了個人。」

艾芮兒不斷別開視線，打斷他強而有力的凝視。他小時候每次玩互瞪遊戲都贏。接下來他說了一句話，讓她再也無法閃避。

「就連妳肯定也注意到了。」盧卡斯說。艾芮兒上鉤了，她上次參加柯塔氦氣會議是幾個月前的事。

「我知道拉法會處理她的公開行程。」

「拉法，柯塔，我們的金童。果真接受他的領導，公司上下就等著吃土。幫幫我，艾芮兒。幫幫我，幫幫媽。」

「你是個混帳，盧卡斯。」

「我不是，我是這裡真正的繼承人。我得從那些中國人身上撈點東西，艾芮兒，不用多，一丁點就行。他們一定會有油水，會有我撿得了的碎屑。」

「交給我吧。」

盧卡斯鞠了個躬。他轉身背對妹妹，臉上咧出一抹微笑。

一顆燈亮是門上鎖，兩顆是出塢，三顆是啟程。電磁馬達抬起車體時，岩洞內部稍微震顫了片刻。電車離開了。博阿維斯塔和神之若望之間只有五公里，但看拉法擁抱、道別以及哭泣的模樣（對，哭泣），你會以為兩地處於不同次元。

盧卡斯觀察著哥哥的真情流露，心裡不太自在。他的嘴角抖了一下。拉法什麼都大，一向如此。大惡霸，大笑聲，個人魅力十足，身上彷彿打著一道金光。揮霍怒意，也放縱喜悅。盧卡斯在成長過程中，就像他的影子：壓抑，力求準確，像一把收在槍套內的泰瑟槍。盧卡斯的情感就跟他哥一樣深刻、豐沛。情感豐富和多愁善感是不一樣的——情感是腳本，多愁善感則是演出。盧卡斯．柯塔心中有容納情感的房間，但它是個密室，沒有窗戶，白而通風。白色房間，裡頭沒有陰影。

拉法抱著自己的弟弟。盧卡斯痛苦地喘著氣，認為這舉動毫無尊嚴又引人尷尬。

「她會回到你身邊的。」這是當事人預料範圍內的陳腔濫調。

「她不信任我。」

盧卡斯無法理解兄長情感失禁的原因。信任和愛情支撐不起一個王朝，所以才需要婚姻合約。

「露娜還在這，她會回到你身邊的。」盧卡斯說：「她會懂的。我自己也要把路卡辛侯留在這裡，直到危機解除。他會痛恨這項安排，但這是為了他好。給他一些磨練，不然他過得太順遂了。」盧卡斯拍拍拉法的背。別把事情看得那麼嚴重，熬過去吧，放過我吧。

「我要把羅伯森帶回來。」

盧卡斯把惱怒的嘆息吞了回去。又來了。拉法每次在商場、運動場、社會中、臥房內受挫，思緒就會縮回他長子身上，掛念長子持續承受的不公平待遇。瑞秋．馬肯齊把兒子接回馬肯齊家已是三年前的事了，她極端又刻意地毀約。這實質上等於挾持人質，律師們至今卻還在為此爭論不休。經過艾芮兒的斡旋，雙方訂立了堅若磐石的探望權協定，不過每次電車將羅伯森載回南后或坩堝時，拉法心頭上的疤就會撕裂、滲血。他一旦陷入這種情緒，就連盧卡斯也無法駁倒他。

「你做好該做的就是了。」盧卡斯在各方面都很尊敬母親，唯一的例外是看不慣她對拉法的盲目溺愛。金童拉法，他們家族的法定繼承人。他太情緒化、太開誠布公、太脆弱了，不夠格領導這家公司。地球燈火全靠他們的王朝維繫，而王朝的命運不能交由感性來決定。盧卡斯再度擁抱拉法，他的任務很明確：接掌柯塔氦氣。

從南后跳躍兩站就會抵達神之若望。拉法和他的保安衛隊在彈運車站的私人月台等人，先前他總是帶機器人警衛，今天則帶寡言的血肉之軀來：兩男一女，武器在手，高度戒備。

運輸艙進入升降管道了，副靈蘇格拉底告訴他。

綠燈，門開啟。一個男孩衝了出來，他的皮膚是棕色的，細密的頭髮編成辮子頭，手腳動個不停。他撲向拉法懷中，拉法便一把將他撈起，笑哈哈地拉著他打轉。

「喔，你你你，你這寶貝！」

一名女子緊接在男孩之後現身：高個子，紅髮，白皙皮膚，眼珠跟男孩一樣是綠色的。她萬分沉著地朝拉法闊步走近，賞了他一巴掌。保鑣們的手紛紛滑向高級西裝下方掩藏的刀柄。

「我們明明有電車，懂我意思吧。」

拉法爆出一陣光彩煥發的大笑。

「妳看起來美呆了。」拉法對妻子說。身為一名曾被塞進改裝貨車、當作礦砂運送的女人，她確實算是出水芙蓉了。妝髮毫無瑕疵，每根頭髮，所有打褶、疊合處都一絲不苟地下了工夫。她說得對，自從高速鐵路網啟用後，彈運就顯得落伍了。後者移動方式粗暴，但速度極快。彈運指的是彈道運輸系統。在無空氣的月球上，彈道可計算得相當精準。電磁質量投射器加速運輸艙，拋起它，重力再將它往下拉，終點端質量投射器的接收裝置接住運輸艙，使其減速直到靜止下來。其間會有二十分鐘的無重力期，必要時還得重複拋射。運輸艙可裝貨物，或人。人搭起來很難熬，但還撐得過去。速度很快，而且即使你有所憂慮也頂多害你寒毛直豎。拉法過去很喜歡在無重力狀態下享受性愛。

「我希望他趕上比賽，要是搭電車就會錯過了。」接著他對男孩說：「你想看球賽嗎？青年隊對老虎隊。傑登．陽認為他們會贏，但我說我們會把老虎隊打得滿地找牙，你說對吧？」

羅伯森．柯塔今年十一歲，他的身影，他的存在——漂亮的頭髮、臉龐、綠色大眼珠、因興奮而微啟的雙唇帶給拉法滿心喜悅，滿到他的心都發疼了。深沉的失落感同時襲來，令他暈眩。他蹲下來，讓自己的身高更接近孩子。「今天是球賽日，你覺得如何呀，嗯？」

「喔，小拉，我的老天啊。」瑞秋．馬肯齊知道，拉法自己也心知肚明。他們雙方帶來的保鑣，甚至羅伯森本人也知道手球賽不是重點。不過那三個字是一條管道，拉法隨時可以透過它去見兒子。儘管他得把兒子當成手球，甩到月球上空。拋，接，拋，接。

「如果妳想在孩子面前吵，就來吵吧。」拉法說。

「小羅伯寶貝，你能不能回運輸艙一下，等個幾分鐘就好。」瑞秋點頭，其中一名刃衛便跟著男孩離開了。途中，他回頭看了一眼父親，綠眼珠迷死人了。他將來會讓很多人心碎，不，他現在就讓父親心碎了。

「小羅伯是吧。」拉法的語氣充滿不屑。

「派對上的狀況與我無關。」

「『派對上的狀況』。妳說的狀況是：有人試圖讓裝了神經毒液的蒼蠅螫我，如果我真的被螫到，會先抽搐、大小便失禁數個小時，然後才窒息而死。」

「很棒，但不符合馬肯齊家的作風。我們會讓你看看我們的表情，然後再宰了你。你應該要提防阿沙默家才對，毒藥、刺殺蟲是他們愛玩的把戲。」

「我要他回來。」

「根據我們的清算結果……」

「去他媽的清算。」

「交給律師吧，小拉，你根本不知道自己在說什麼。」

「他跟妳在一起不安全，我要行使安全保障條款。請把羅伯森送到我身邊。」

「跟我在一起不安全？」瑞秋．馬肯齊的笑聲神似採礦機具在石頭上的鑽孔聲。「小拉，你瘋了嗎？我不在乎他們怎麼殺你，甚至不在乎他們會不會殺了你，但我對月球的生態瞭若指掌，我知道他們光殺你是不夠的。拉法，他們會斬草除根。讓你帶走羅伯森？他媽的，門都沒有。小羅伯要待在我身邊，我們馬肯齊一族會保護自家人。」她轉頭對警衛說：「準備進行下一次彈運，我們要前往坩堝。」

拉法發出咆哮，無法把怒意化為言語。唰，刀刃從電磁刀鞘甩了出來——保安對刃衛。

「我看啊，你弟說得還真對。」瑞秋．馬肯齊說：「你笨得跟屎一樣。你想跟我們開戰嗎？放下刀子，你們這些年輕人。」馬肯齊刃衛打開艙門，瑞秋．馬肯齊在門閫上的同時說：「我告訴你，你妹比你還要嚇人。她比較有種。」

運輸艙進入升降管道，副靈蘇格拉底說，**質量投射器啟動中**。

拉法猛捶水泥牆，關節處噴出血沫。

「我知道是妳！」他鬼叫：「幕後黑手是妳！妳想要他當柯塔氦氣的總裁！」

瑪莉娜．卡爾札正在回梅利迪安的路上，她買了最高層的靠窗座位。她猜想得沒錯，月球山脈與隕石坑都巨大又灰濛，一點也不壯麗。她看了娛樂頻道的肥皂劇。胡扯，但又說得通。劇情聚焦在一名菁英分子身邊的愛情、背叛、敵對，他是稀土礦工。整部劇愚蠢極了，類似情節不斷重複上演，演員演技很爛。她收看的原因很單純：她看得了。她發了訊息回家。**媽，凱西：有大、大、大消息，我找到工作了！正職工作，在柯塔氦氣上班，他們是專門融石頭的，五龍之一。我可以寄工錢回家了。**海蒂送出郵件，接著瑪莉娜叫出列車上的購物選單，幫副靈買了新的外型模組。可愛機器猴很可愛，但太顯眼了。劍神，蒸汽女巫。生化虎鯨，這就對了。她眨眼買下外型模組，海蒂的原始預設外觀開始重組，化為柔韌的黑色液態金屬。瑪莉娜發出狂喜的小尖叫。金錢帶給人自由。她再度望向窗外，視線落在線條柔和的灰色山脈與月面紋溝上，也落在胎痕與足跡織出的圖樣上，試著想像自己與卡林侯．柯塔及其塵工。柯塔家會挖一桶又一桶的月塵，篩濾、分類後精煉出氦–3，然後扔掉其餘的物質。黑手工。

去找卡林侯談談，盧卡斯．柯塔說，而瑪莉娜立刻狂奔過去。危機解除當下所許的諾言往往會遭到遺忘，不然就是說話者會立刻反悔。卡林侯端茶給她喝，請她坐到博阿維斯塔眾多圓頂涼亭下，向卡林侯以及華格納說明自己的來歷。

「好，妳是做什麼的？」

「我有學士後研究碩士學位，學的是製程管理架構中的計算演化生物學。」

卡林侯．柯塔心生疑惑時有個習慣性動作：下唇會下垮個一公釐，眉毛之間會浮現垂直的細紋。她認為那模樣很可愛。不過當華格納露出同樣的表情時，就代表他深入咀嚼她的話語。

「就是把製造學變得更像生物學。」華格納說。

「用最簡單的話說就是那樣。我研究的內容是：像月球這種太陽能充足的環境如何近似於地球上的光合成旱地生態系統，例如高草草原，而這相似性也許能產生新的製造業典範，獲得更高的效率。」

「真有趣。」華格納稍微歪頭，彷彿這些概念的重量改變了他的身體重心。**你的可愛之處就在這裡**，瑪莉娜心想。

「那妳有沒有在月球表面工作的經驗？」卡林侯插嘴。

「我才剛到這裡八個星期，除了梅利迪安內部，我什麼都沒見識過。」

柯塔兄弟都還穿著地表活動衣，反光珠飾循著他們的肌肉線條起伏。瑪莉娜吸入他們身上月塵的火藥味，以及循環體液的氣味。月球上的汗水。兩個男孩套著骯髒的加壓外衣，輕鬆而自在。這外衣在她心中灌滿哀痛和渴望，一如滑雪板裝備和護目鏡繃緊她的靈魂。她朋友滑過，在斯諾夸爾米和密遜嶺。他們是愛雪的孩子，曾經提議帶她上山，教她滑雪，但她當時有報告要交。不是寫不出來那種，但相當棘手，需要時間。於是，他們把行頭裝上車時，她待在公寓內。車子開走時，她寂寞地哭了出來。最後她完成了報告，但她也永遠成了錯過滑雪板的女孩。他們後來再也不曾向她提出邀約。每當她在商店看到護目鏡、手套和裝備，每當氣象主播報導某地降下初雪，盼望和失落便會刺痛她的心。平行宇宙中肯定有個滑雪板好手瑪莉娜，她活力充沛又開朗。沾染灰泥的地表活動衣、頭盔就像雪的呢喃般呼喚著她。機會又回來了，這次別當錯過月球的女人。

「我想在月球表面工作。我想上去，我可以學。」

「妳得學一整套運動技巧才行。」華格納說。

「我會教妳。」卡林侯說：「向神之若望的柯塔氦氣精煉設施打個報告。」

「我可以。」她接著默讀出一串指令，海蒂便開始尋找住宿處。

「要學葡萄牙文。」卡林侯喊出這句話當作道別語。保全人員正在護送一群群賓客與外燴承辦人員前往車站。「還有謝謝妳！」

瑪莉娜的背靠回窗邊席的椅墊上。她做了一個旁人幾乎察覺不到的動作，她的工作、公寓、徹底翻盤後的人生便顯影出來了——輕輕把眼幕眨到視野右下角後，她看到金色的氧氣量表。她的氧氣來自柯塔家的帳戶。列車駛入梅利迪安、氣閥門關上時，瑪莉娜就快喝完第二杯莫吉托調酒了。電扶梯把她送入喧囂、混沌的獵戶座中央區教堂。這裡所有的茶水攤，所有商店和暢貨中心，所有賣食物的路邊攤和自助服務機都提供了她**買得起**的五花八門的商品。就在這時，她想起了布雷克，他正在這座城市的屋頂處猛咳嗽，一口一口地把自己的肺咳出來。虎鯨造型的海蒂向藥局出價，訂好一系列的噬菌療程。儘管月球的檢疫工作嚴格，最近還是有多重耐藥結核病從地球入侵，不久後就找到了落腳處。它們像死命跟隨溼氣的白黴菌般依附在方樓高處，瀰漫在窮人之間。藥亭列印出二十顆白色藥錠，白色的小玩意兒。

搭快速電梯要價三比西，電扶梯一比西。她一路穿過西區八十、九十幾層樓的公寓屋頂、樓梯、巷弄。從一百一十層樓起就沒有任何運輸機器了，她一路跑向上城區，仍有地球人肌肉的腿邁出強健步伐，一跳就掠過整段樓梯，毫不疲倦。買尿人在這，卡珊夫人聖像在那，這裡依舊黯淡無光，也無慈悲。她經過露台了，之前她曾在這裡嫉妒飛天女。

房間是空的，所有東西都不見了。床墊，水瓶，布雷克的剩飯剩菜和各種細碎的玩意兒也都不在，沒有塑膠湯匙和塑膠盤的影子。空洞的房間內只剩最後一丁點黏液，和一丁點灰塵。皮屑是珍貴的有機物。

她一定是找錯房間了。

布雷克一定是搬走了。

事情當然不可能演變成這樣。

瑪莉娜倚靠門框，整個人呼吸困難，喘不過氣。海蒂調節了她的肺部功能，**呼吸吧**。她不該呼吸的，沒理由呼吸。布雷克不見了，她卻吸著不配擁有的空氣。

「發生什麼事了？」她對著拉上簾幕的門板和無玻璃的窗戶喊叫，擁擠的門窗後面都有一個小隔間。梯級和迴廊構成的上城區轉過身去，置她於不顧。「你在哪裡？」

我有影片，海蒂說。瑪莉娜的鏡片浮現了一個空盪盪的房間，裡頭堆滿屍體。查巴林和他們的機器人，拾荒回收者。她瞄到床墊底部有隻腿，腳踝外翻。查巴林圍向它，使它消失在畫面外。海蒂抓到的影片是街道攝影機錄的，因此角度非常差，放大後的畫面充滿雜訊。查巴林離開時，兩手都拿著沉甸甸的金屬罐。

「弄走，把它弄走！」她尖叫。就在她看到機器人拿真空塑膠布蓋住門窗時，海蒂切掉了影片。最後殘餘的所有皮屑、所有血液都被搜括走了。她無能為力，求助無門。布雷克死了，不過在月球上，死亡就等於擺脫債務。查巴林惡意地回收布雷克身上的所有器官，將它們化為堪用的有機物，藉此接受了他眼幕帳戶內的資源。

咳嗽咳到死，同時聽到查巴林的機器人在門邊發出吱喳聲——等待門內的咳嗽聲安靜下來。

「你們為什麼不做點什麼？」瑪莉娜對著門窗大吼。「你們總是有點事可做的，做點事耗不了你們多少資源。每個人都可以念幾句十行詩給他，念個幾句詩會害死你們嗎？你們這些人是怎樣？」空盪盪的門扉、轉過身去的背影、快速退遠的肩膀就是她得到的答案。他們是月球人。

電車否定他的權限，拒絕讓他上車，蔑視著他。

從來沒有誰蔑視過路卡辛侯．柯塔，因此他一度被這徹底的侮辱癱瘓了行動。他再度命令金吉開鎖。

連線遭拒，金吉說。

「什麼意思？拒絕我？」

以下是電車連線限制名單：露娜．柯塔，路卡辛侯．柯塔。

當父親說博阿維斯塔全面封鎖時，他還以為他在說笑。據說這麼做是要保護柯塔家的小孩。

「無視限制。」

我沒辦法無視。我可以通知保全人員，需要我通知他們嗎？

「不用了。」

路卡辛侯原本很喜歡在博阿維斯塔及神之若望瞎混，過他應過的生活，不急著回宇宙——不管他錯過什麼，研討班都會幫他補充。這就是研討班存在的意義。如今他父親卻把他關在這裡，他得想辦法出去才行。這狀況使他的幽閉空間恐懼症發作了。博阿維斯塔是石頭打造的腸道，而他受困於一頭野獸的腹中，緩慢地受胃液分解。他舉起握拳的手，想捶打蔑視他的金屬門。拳頭在半空中停住，因為他突然想到了更棒的點子，太好了。

卡林侯和華格納是從地表氣閥進來的，所以他可以從那裡出去。出去後，他想去哪就可以去哪，全都隨他。可以閃得遠遠的。去他媽的全面封鎖，去他媽的保護家人，去他媽的家人。不過奶奶也許不在他的咒罵範圍內。她老了，最近也變了個人似的，但她還是耍得了凶狠。另一個令路卡辛侯佩服之處是：大家在她面前就會自然地表現出敬意，自然得像在呼吸一樣。也許卡林侯是例外吧，不過路卡辛侯始終不知道該跟那位叔叔聊什麼，不知道該怎麼向對方表達：我認為你這樣沒什麼不好。多年來，他一直很怕卡林侯當自己是個賤人。其他同輩小孩不值得一提，剩下的其他人就去死吧。

他爸尤其該死。

緊急逃生衣內襯不是為第三代月球人設計的，路卡辛侯跟它角力了五分鐘才把自己塞進去。逃生衣外罩的加壓袋沒空間可塞他的衣物，但這也稱不上損失，到神之若望後他可以列印一套新的。他拆下月球夫人別針，放到加壓袋內。緊急逃生衣看起來像是科幻電影中的球根狀機器人羅比，顏色是醒目的橘，還會閃光。衣服內部空間不小，路卡辛侯都能自在挪動身體了。金吉把自己複製到逃生衣的系統內，啟動它。抵達地表後，他們就會脫離網路覆蓋範圍。夾鉗發出鏗一聲，接縫密封。加壓裝置發出嘶嘶聲，聲響隨後漸弱。

「就讓我們出去散個步吧。」路卡辛侯呼吸著，讓金吉將他領進外氣閥。他還記得自己上一次待在外氣閥時的狀況。全裸，膝碰膝。裸體的亞別娜・阿沙默就坐在他對面，減壓過程中，她胸部的完美曲線上有汗珠不斷蒸發。他會掌握那對乳房的。它們就在外頭的世界，他會找到它們。那是他應得的，她徹底惹火了他。

他沒去回想奔月終點內閥裡的狀況：層疊的身體，反覆的昏迷與醒轉。疼痛，眼前的紅、黑，疼痛。緊急加壓過程中，機械發出的尖叫。

外門甩開了。

金吉操縱著堅硬外衣的伺服電動機，使它半跑半跳地快速前進。保全人員將會發現外門開啟過，有人穿走一件緊急逃生衣，但第一時間不會知道穿走的人是誰、他將往何處去、移動速度有多快。他們最後還是會查出來，但到那時候，路卡辛侯早已完成壓力調節程序，脫下外衣，消失在神之若望的人群之中了。

你不夠聰明，老爸。

路卡辛侯跨出神之若望的氣閥，搭電梯進城。緊急逃生衣將會靠自己的電力慢跑折返博阿維斯塔，這玩意兒太珍貴了，不能任它倒在豐饒海。將來也許有誰得靠它保命。將奔月紀念別針別上壓力織布的過程就跟穿緊身內襯一樣煎熬，他也因此毀了它的完整性。但願將來沒人需要靠它保命，更希望自己以後不用靠它逃命。不，沒有以後了，路卡辛侯．柯塔只想在地表移動這麼一遍。

神之若望是建設未完的城市：岩石裸露，過梁低矮，大道和方樓都顯得擁擠而傾斜。安全門痙攣、抽動著，細微的陽光閃動。到處都是排泄物的氣味與體味，環境系統似乎都以最大功率吃緊地運行著。水有電池味。太多人了，太多匆忙來去的人了。總是擠到你面前，擋你的路。眾多手肘，大團呼出的氣息如幽靈般穿過飄浮的副靈群。這裡的標語、地名、傳單、塗鴉都是葡萄牙文。神之若望是採氦城，拓荒前線的小鎮。同時也是隸屬於柯塔家的都市，所以路卡辛侯不會在這裡待下來。

「如果你是我爸，你會怎麼做？」路卡辛侯問金吉。

我會凍結你的現金帳戶。

路卡辛侯於是前往車站，而非時裝列印商店。

穿內襯衣晃來晃去的人在神之若望相當常見，那甚至可說是不失禮節的裝扮。不過抵達梅迪利安主車站後就不是那麼一回事了。到他搭上手扶梯前往加格林大道為止，有二十個人轉頭盯著他看。非得脫掉這衣服才行……但他明明穿得很上相啊？他有沒有辦法說服大家相信這是最新的潮流？一九五〇年代就像是上個月的事，地表工人風。藍領正當紅。他走路開始有風了，讓胯下那包打頭陣，可神氣了。感覺真不賴，他幹了一件大事。博阿維斯塔關不住他，他的家人也留不住他。他靠自己的機伶和冷靜逃了出來，自由了，重返世界了。這不只是一件事，是**好幾件事**。路卡辛侯．柯塔豈止感覺不賴，簡直棒呆了。

當路卡辛侯點一根電子菸、一杯薄荷茶，並癱坐在咖啡椅時，服務生掩飾不了瞪大的雙眼。這是衣服的效果，還是裡頭的肌肉？路卡辛侯弓起背，好繃緊腹部肌肉，接著打開雙腳炫耀大腿線條。他享受別人的矚目。我是穿著內襯衣的富家公子。我把這玩意兒穿得很有型，但你差遣不了我。

路卡辛侯點燃電子菸，吸了一口。冰涼的四氫大麻酚在他喉嚨中繚繞，他感覺到自己的體內變鬆了，內在展露著微笑。他啜飲一口茶，要金吉叫出「頂尖男孩」的型錄。當他挑好一衣櫃分量的衣服時，整個人已經茫得很暢快了。金吉下單給列印商店，結果訂單遭到退回。

付款遭拒。

路卡辛侯從飄飄然的雲端墜落。墜落時間無比漫長，最後重重落地。

你的帳號被凍結了，金吉說。路卡辛侯的肚子裡開了一個噁心的大洞，裡頭長滿旋轉的尖牙。他環顧四周，想知道有沒有人發現他大受打擊、倒抽一口氣。機車往來路上，掀起颼颼聲，樹下的群眾沿著加格林大道推進。沒人知道他瞬間從五龍一分子變成了乞丐。沒錢，他沒錢了。他不曾嚐過沒錢的滋味，不知道沒錢該如何是好。

路卡辛侯的手指伸向亞別娜．阿沙默穿到他耳朵上的尖牙。**當你需要阿沙默族的幫助……我是**

指真的亟需援手，沒有其他指望，落單、赤裸裸地暴露在危險中，處境變得跟卡喬相同時……他轉動尖牙，享受著它牽動結痂帶來的微小疼痛。不，他還沒絕望到那地步。他是路卡辛侯．柯塔，他有魅力，俊俏又性感。他可以充分利用這些特質。

他眼幕上的四個數字都大到極點，無比亮眼。它們就代表全世界：空氣，水，碳排放，資料傳輸。一般人不可能讓四大元素遭到阻斷，他們要工作才有錢支付空氣和資料傳輸費用。柯塔家的人都安排好了，不需要為這些傷神。他可以呼吸，有水喝，有網路連線，有碳排放權限。以這事實為前提，思考下一步吧。他不能去公寓，他爸的保安八成已經在那裡了。他有朋友，有愛人，有能去的地方。他需要衣服，需要找個地方落腳。

他得阻斷自己的通訊網。對，這次有必要。他爸可以透過網路追蹤他，所以金吉得走人。想到這裡，路卡辛侯的肚子和卵蛋都因恐懼而收縮。下線，中斷網路連線。他猶豫著，遲遲無法輕聲說出關閉金吉的指令。斷線就代表社交面的死亡，不對，那是活路。他父親可能已經透過那筆失敗的交易成功定位他了，簽約保全也許就在路上了。

他得支付電子菸和茶的帳單。

不，他不需要付帳單，可以直接走人，就跟在博阿維斯塔或神之若望時沒兩樣。服務生能拿他怎樣？拿刀捅他？聚眾圍堵他？他畢竟仍是柯塔家的成員。動一個柯塔人的寒毛，所有柯塔人都會來砍你。月球上沒有犯罪，沒有偷竊，沒有謀殺。只有合約與協商。

路卡辛侯悠哉地從椅子上起身，漫步在加格林大道上。儘管身穿螢光粉紅內襯衣，他還是混進推擠的人群、車輛、機器人當中，消失無蹤了。多走幾步後就來到了樹下。別回頭，絕對不要回頭。途中，他刪除了先前發布給金吉的所有指令，也刪去了它記錄的所有行程，關閉伺服器連線、多種附加功能，最後只剩空洞的外型模組懸浮在他左肩上。你的副靈若沒出現在他人的擴增視覺中，他們就會對你起疑。

獵戶座方樓的圍牆立於他左右兩側，排排層疊，上頭亮著燈光和霓虹燈——拉丁文、希里爾文、中文招牌。中斷與金吉的連線就等於從世界的表面移除一層擴增廣告，不過這裡還是有許多實體螢幕俯瞰著他，為他播映可愛風動畫。如今他一個人在梅利迪安，指紋連一塊錢都不值，像個窮酸鬼似的。不過他有朋友在上頭，在牆壁上的燈光海之間。因此他並不像窮酸鬼，去他媽的窮人。他該動起來了。

艾芮兒抵達中國貿易代表團接待會場時，全月球的人都已經愛上她了。月球開發法人在圓廳的第八十樓租了一個開放式的觀景台，位於水瓶座方樓五大景的中央。狹長的景致延伸數公里長，垂直設置的花園垂下簾幕般的爬藤，蓋住開闊的拱門。再過去有燈光飄浮於虛空。

艾芮兒身穿賽爾．查普曼的雞尾酒會禮服，所有人的視線都飄向她，每個男人都想繞著她公轉。她聽到一些耳語，看到一些頭同時點啊點的。他人的矚目就像氧氣。她吸了一口長長的鈦金屬電子菸，走向派對會場。

出身五龍的賓客也在：金霓的姚．阿沙默，興致缺缺又害羞的阿列克謝．沃隆佐夫，手中捧著寵物安格拉貂（是美麗的活物）的維瑞提．馬肯齊引來歆羨的眼神，維倫．陽則在中國人最遠的地方轉悠。

中國使節團成員全是男人，目前動作仍笨拙而誇張，完全不想費心調整身體習慣去配合月球重力。他們沒打算在這裡待太久。他們鞠躬，微笑，與艾芮兒握手，但完全不知道她是誰，只覺得她似乎是個名流。艾芮兒很享受激動情緒所引起的下腹部的小搔癢感，那帶有性意味。她是身穿賽爾·查普曼洋裝的間諜。

月球開發法人的顯要也在。公司經理，財務主管。還有律師跟法官。

長井理惠子法官在房間另一端向她點點頭，接著又向月之鷹點頭。**我向鷹提過妳的事了**，她透過副靈說，**而他同意**。艾芮兒舉起手中雞尾酒作為回應。**歡迎加入白兔閣**。

月之鷹，強納森·阿猶德，月球開發法人總裁。外人眼中的國王、教宗、霸主，實際上則是有名無實、羽毛鮮豔的籠中鳥。他的副靈就是月之鷹，除了他之外，沒人可用這外型模組。與他並肩而立的人是他的歐科伴侶阿德里安·馬肯齊，後者總不忘讓自己的顏色比燦爛的月之鷹黯淡一階。

「家喻戶曉的艾芮兒·柯塔。」月之鷹說。他的體型在地球人當中算是高大，拉哥斯出身的伊博人，個頭跟月球第二代差不多。「我可以信任妳吧？妳不會在這找人決鬥吧？」

「穿這樣打？」艾芮兒挑逗地說，不過她還是把空雞尾酒杯倒過來拿了，代表她願與整個派對為敵。月之鷹不懂那動作有什麼含義，不過他的澳洲人丈夫接到球了。他露出淺笑。

「我在名流股市中買了妳的股票。」月之鷹低聲說，他瞥了自己的丈夫一眼：「我們會玩這種小小的競賽，有助維持理性。他輸得可慘了。」

「就算在月球上，女孩子還是得靠脫衣服來吸睛呢。」

月之鷹捧腹大笑，聲如洪鐘。房間裡的人定在原地，接著幽默感的餘波傳遞到派對的每個角落去。要人在笑，所以大家也跟著笑。

「對極了，天啊，說得真對，是吧？」他開玩笑地拍了阿德里安·馬肯齊的肋骨一下。阿德里安皺起眉頭，把憤恨吞下肚。傳言指出，月之鷹在阿德里安·馬肯齊的操控下，準備把他的辦公室變得更具政治性、更強大、更有總裁性格，而阿德里安在同一時間把這辦公室推往馬肯齊金屬的口袋深處。「你們家的人真擅長引起大眾矚目。妳穿著內衣完成了一場聲勢浩大的『法庭決鬥』，妳的姪子則在奔月過程中拯救了阿沙默家的男孩。然後是妳兄弟的事，嗯。驚人，相當驚人。」

「我們的資安漏洞似乎被鑽了一次又一次呢，越來越大洞了。」她朝燈光呼出一團盤旋的菸。

強納森・阿猶德拉下一側眼皮，打趣地說：「我有鷹眼。」他帶著艾芮兒穿過木槿形成的簾幕，來到戶外陽台，然後瞥一眼阿德里安・馬肯齊，要他留在室內。陽台很高，從建築物底層升上來的氣流擾動著這裡的空氣，燈具移動，模擬出日落。悠長金光，淡紫色陰影，另外還有靛藍色從遙遠下方的樓層往上爬。燈光使整個區域活了過來，閃耀於塵土之中。強納森・阿猶德的悄悄話聲調低沉又宜人：「很高興妳能加入我的顧問小組。」

「這是我的榮幸。」

「我個人認為，柯塔家抖落靴子上的灰塵、在政治圈取得適當地位的時機已經來臨了。政治不是什麼髒字。然而，你們面臨的刺殺行動令我們感到憂心，這感覺就像倒退回到六〇年代，太可怕了。決鬥、世仇、刺殺——我們早已拋下那些往前走了。當然了，月之鷹無權干涉，但我們可以給你們一些建議和警告。如果妳那幾個好鬥的兄弟做出不當行為、阻撓了柯塔家的發達，那就太可惜了。」

月之鷹低頭，艾芮兒・柯塔縮攏手指。謁見結束了。強納森・阿猶德撥開木槿簾，綻放的花朵撒落花粉在他的阿格巴達袍上。阿德里安・馬肯齊勾起他的手。

艾芮兒在原地逗留了一會兒，倚靠著石頭扶手。無人機、私人直升機的燈光來來去去，特快車閃爍著，電梯與纜車有如鑲嵌珠寶的算盤——她沉浸在這些光線中，有如魚在水中呼吸。吸入燈具釋出的光之氣泡。

她抽了一口長長的電子菸，回想剛剛那段短暫的對話。有兩大重點：月球開發法人知道有人試圖刺殺她兄長，也知道拉法有什麼看法——他一口咬定這代表馬肯齊找柯塔翻舊帳。月之鷹還任由副靈聆聽這段對話，留下記錄。她應該要轉播給博阿維斯塔才是，讓大家知道月之鷹有何承諾與威脅。我們不僅是氦氣之王，也夠格躋身月球之王，但我們得拿出王者風範，不該表現得像先鋒旗手探險隊。月之鷹賦予她一項任務，那就是牽制魯莽的兄長們。

派對召喚著她。今晚她將會毫無忌憚地賣弄風情，不過在那之前還有最後一項工作要做。柯塔家的工作，先鋒旗手探險隊任務。有個男人整晚都在她視野邊緣徘徊，她向他撇了一下頭。男人走到室外的陽台來，在她身旁站了一會兒，觀察眼前的熙來攘往。

「安秀英。」他說，沒看她一眼也沒做任何確認。

就這樣走了。他是月球開發法人的中階公僕，穿著薪水支付不起的西裝，請了一個薪水支付不起的尼卡赫婚約律師，完成他與心愛的陽家男孩的婚事。他敦厚、脆弱的心全都獻給了那男孩。

「盧卡斯。」艾芮兒對碧賈浮低語，她哥立刻就上線了。他等這通電話等了整晚。

「安秀英。」艾芮兒說。

「謝啦。」

「盧卡斯，別再叫我幫任何忙了。」艾芮兒說，然後中斷通訊。她挺直腰桿，卸下糾纏她一整天的緊張和僵硬。自信是最誘人的項鍊，叫「權勢」的性感珠寶也跟它很搭。非常搭。

門邊有動靜，鬧烘烘的。一道粉紅色人影被機器人與冷酷的人類保全擋在外頭。有些需求，有些怨恨，有些盼望，有事想請願。中國人開始往那方向看了。

「柯塔小姐？」艾芮兒沒注意到助手過來了，她的聲音突然就在耳畔響起。助手就該這樣低調來去。對方那套蘇西・培瑞特洋裝的胸口別著老鷹別針，指出她所屬的陣營。「妳認識盧卡斯・柯塔二世嗎？」

「我姪子。」

「他想見妳。勞煩妳多走幾步路，出去找他。他的服裝不適合進門。」

粉紅色人影認出她了。那是什麼？內襯衣？不過她很確定那英俊傻大個的身分，沒人會認錯他。那愛神的顴骨和叫人心花怒放的咧嘴大笑專屬於他，不可能跟別人搞混。

「姑姑，」他用葡萄牙文說：「我從博阿維斯塔逃出來了，我可以待在妳家嗎？」

艾芮兒的小廚房平常沒在用，此刻擺著蛋糕和薄荷茶等她享用。

「我做了蛋糕給妳，」路卡辛侯說：「表達我的感謝。謝謝妳給我吊床。」艾芮兒的公寓非常小，是一人房。她在中國代表團接風宴的門口直接指示他過來。他抵達公寓時，3D列印機的底槽裡已放著一張吊床。而她回家時，他已倚躺在上頭，睡得不省人事。嘴開開的，四肢放鬆地癱成大字形。他上方有張理查德・阿維頓拍的朵薇瑪正面肖像照，尺寸跟牆壁差不多大。那就是她家唯一的裝飾了：蒼白的臉孔，柔和的黑眼珠和嘴巴，兩個鼻孔。

「妳不會告訴我爸吧？」路卡辛侯說。

「盧卡斯會查出你的行蹤。」艾芮兒說，並取了一片蛋糕。檸檬口味，輕如呼出來的氣息。「搞不好他已經知道了。他也會來問我。」

「妳會怎麼回答？」

「我哥欠我人情。」盧卡斯今天整晚都會醒著，打電話催債，向盟友討錢，指揮他在地球上的代理人（有活人也有程式）。他將會動用所有資源來影響安秀英，不過最重要的是，他會讓慎重、堅韌的情報機關完全投入此案，直到他獲得想要的東西。艾芮兒幾乎可憐起那個悲慘的男人了。盧卡斯將會突然採取高壓手腕，使出他無法逃避的賤招。「所以我愛說什麼就說什麼。」至少這次是如此。不過她也不是完全清白。她在白兔閣得到了一個席次，而且已經洩漏了機密情報——當著月之鷹本人的面。盧卡斯從來就不贊成她離開家族過自己的生活、找一份工作。如今她對家族做出了小小的背叛行徑，面對兄長也就理虧了。他不會現在就要她補償，沒這麼快。但在某天，在他最需要援助的那一天，他就會開口。他總是為了家族好，只考慮家族。「這蛋糕的做法，」艾芮兒又吃了一口：「是從哪學來的？」

「所有人學任何東西都是透過同一個地方啊，網路。」路卡辛侯把蛋糕滑到艾芮兒面前，讓她細看。「我很會做蛋糕。」

「確實很會。」

「還滿難搞的，因為妳廚房裡沒什麼東西。事實上只有水和琴酒。」

「你叫了其他東西？」

「對，訂了原料，一些無法列印的東西，例如蛋。」

「那你也很愛整齊呢。」

他咧嘴笑了，坦率、老實地表現出自己的喜悅。

「艾芮兒，我可以留在這裡嗎？」

艾芮兒想像他定居於公寓內的生活。開朗、有趣、行動難以預測的孩子置身在這嚴肅的白色空間之中，俐落的牆面之間，與冰箱裡客製化釀造的琴酒及純水為伴，面對早已辭世的一九五〇年代模特兒——她閉著眼，咬著下唇。可愛又和善的存在。

「你爸沒欠我那麼多。」

他聳聳肩。

「好吧，我明白。」

「你打算去哪？」

「朋友那裡。女孩，男孩，研討班夥伴。」

「等等。」艾芮兒溜回房間，從包包中拿出紙來。「你會需要這個。」

路卡辛侯盯著手中成束的灰色紙片，皺起眉頭。

「這是？」

「錢。」

「哇。」

「現金，你爸凍結了你的支票帳戶。」

「我從來沒有……哇，味道真妙，感覺熱熱的，像胡椒。這是什麼做的？」

「紙。」

「那實在太……」

「棉花纖維，我不知道你聽了有沒有頭緒就是了。對，這不是月球開發法人認可的錢幣，但你可以用它滿足需求，甚至滿足欲望。」

「妳是怎麼弄到這個的？」

「在結帳這方面，我的客戶可是很有想像力的。可別一次就花光了。」

「我該怎麼用它？」

「你會數數，對吧？」

「我做了蛋糕給你，我當然會。我還會加法和減法。」

「我想也是。這些分別是一百、五十、十和五元鈔票，就這樣用。」

「謝啦，艾芮兒。」

他再度露出暖心的大微笑。艾芮兒覺得自己再度回到了十七歲，脫離母親羽翼的保護，眨著眼面對偌大世界的光明。當時遠端月面大學才剛在梅利迪安開設第一個學術研討班，而艾芮兒・柯塔是第一個報名者。遠端月面地狹人稠，像是古怪的養兔場。神之若望是個骯髒的礦業前哨基地，博阿維斯塔沒比山洞好到哪裡去。相較之下，梅利迪安繽紛、魅力十足、充滿狂熱，而且是月球上最有法律思維的地方。她當時總是搭彈運，其他移動方式都太慢了，她要以最快的速度遠離柯塔氦氣。她逃家，找到地方落腳。盧卡斯不會讓他兒子重演這套劇本。路卡辛侯的未來攤在他眼前，桌遊似的：博阿維斯塔的家族會議會有他的位子，他也會得到一份家族企業的工作，而且是為他的才能及局限量身打造的工作。哪裡有地方容得下他滿懷愛意烤出的蛋糕？那裡同樣能容得下他父親對音樂的喜好才是。柯塔氦氣的需求抹除了那份喜好。

你要珍愛這次小小的逃亡啊，孩子。

「還有件事要提醒你：我花了許多碳排放點數列印這些衣服，起碼穿穿吧。」

路卡辛侯咧嘴笑了。他真棒，艾芮兒心想。肌肉，金屬鉚釘，舞者身段。而且蛋糕非常好吃。

手球！球賽之夜！手球！神之若望青年隊對上太陽老虎隊，男子賽事。

盧斯球場就像是古羅馬競技場，座位層層設置，角度陡峭，還有開鑿岩石而成的包廂。一疊再疊，最高層幾乎等於從高處垂直俯瞰球場。廉價座位區再上去只有燈具，以及狀似可愛漫畫人物的飛船形機器人，它們的肚子播放著廣告。球迷坐得很密，如果場上球員把注意力挪到座位區片刻，就會看到一排又一排往上延伸的臉牆。他會覺得自己像是決鬥場中的劍士。球員尚未進場。攝影機飛掠球迷堆成的土堤，將他們的臉傳送到每個人的隱形鏡片上。下方球場的雜耍藝人使出高超的花招，啦啦隊員昂首闊步、動作展現力與美，個個都是體操技能驚人的俊男美女。每場比賽都會看到這些節目，但它們已是約定俗成的一部分。音樂與燈光，肥碩如諸神的小型飛船正在變換隊形。眾人發出奚落或吹著口哨——月球開發法人當然提高了比賽場地內的氧氣費率，但球迷下賭注還是毫不手軟。

神之若望的居民住在隧道和兔子洞內，但他們有全月球最好的手球場。

拉法．柯塔打開董事包廂的玻璃牆，送安秀英到露台上。他的右手包覆在治療手套中。他很笨，笨又急性子，笨又易怒又情緒化。羅伯森應該要跟他在一起才對。跟他一起坐在這包廂內，俯瞰成排的觀眾——兒子，這是你的球隊，你的球員。他出錯招了。瑞秋．馬肯齊邁出完美無瑕、高貴動人的步伐，從彈運艙現身的那一刻，他就錯了。他還記得自己過去愛慕她什麼地方，全都記得。她的身段，傲氣，智慧，還有激情。這是王朝級的婚姻，柯塔家與馬肯齊家的停戰協定，兩人的兒子使一切成為定論。羅伯森位居婚約的核心條款，也使他們兩人撕破臉，宛如一顆砸碎冰面的石頭。受洗儀式（其中一次是天主教的，然後是奧里莎式的）那天，馬肯齊家的人當著他的面不斷圍著小嬰兒柔聲嘀咕，簡直像一群拾荒的鴿子。吸血鬼，寄生蟲。瑞秋每帶他去拜訪家人一次（停留時間一次比一次長），他對他們抱持的不信任感和恐懼就會增長一些，掏空他的骨髓。治療手套內的傷口隨著心跳脈動著。

不過今晚是球賽之夜。球賽之夜！而且他有地球來的訪客。球場上有球賽，同時還有另一場角力。今晚在這球場內真正重要的一場角力。

關掉你的心靈吧，拉法。

安秀英走上露台時，一度受到聲音、情景、觀眾激動情緒的震懾，以致腳步踉蹌。拉法向頂層觀眾招手，球迷以歡呼回應。教父在此。拉法發現傑登．溫．陽在隔壁包廂，便衝過去打招呼，戳他好友兼勁敵的肋骨，讓他的客人自己沉浸在球賽之夜的氣氛中。這地球人雙手緊握欄杆，嘈雜和重力令他感到暈眩。

這時，運動場播報員開始朗讀球員名單了。球迷可以請副靈立刻將清單叫出來，但那樣就無法和其他人形成一個共同體，無法共享時間和情緒了。播報員每念出一個名字，觀眾便以喧嘩的音牆回應。獲得最狂熱回響的球員是穆罕默德．巴斯拉，最近才從ＣＳＫ聖加大利那簽過來的左翼後衛。

「真是太刺激了，柯塔先生。」安秀英說。

「這樣就刺激？等著看他們開打吧。」

喇叭聲響起了！客隊跑上場，遠方的支持者在他們那頭球場瘋狂叫囂，揮動旗幟，按鳴汽笛。隔壁包廂的傑登．陽朝空氣揮拳，吼到聲嘶力竭。他的太陽老虎隊隊員互傳了幾次球，練習跳躍、擊球、肩頂。守門員在小網子的後方掛了個小聖像。這就是手球成為月球最佳團隊運動的原因：這裡重力雖小，但球門還是很難攻破，

音樂響起了！〈孩子歸來〉，是青年隊的主題曲。男孩來了，男孩，男孩！球迷站了起來，他們的嗓音聚合成大於噪音的振動，密閉的盧斯球場隨之晃動。拉法．柯塔沐浴在那聲響中，憤怒與哀痛都被滌淨了。他愛死這一刻了，連贏球的瞬間都比不上。他只要在這一刻攤開雙手，魔力就會爆發。

看到我呈現什麼給你們了嗎？不過我是個自私鬼，這場面也是給我的。我就跟你們一樣，是個球迷。

球隊開始在場上暖身了。安秀英倚著欄杆探出身子，拉法看得到他隱形眼鏡上的動靜——他的副靈正在拉近畫面，鎖定穆罕默德．巴斯拉的背。他的名字，球號，贊助商商標。

「這是他第一次穿這套球衣上場，」拉法說：「剛談好的贊助，金鳳控股。」每個神之若望青年隊隊員的背上都印著那名字。

安秀英從欄杆旁退開，手發抖著。蒼白的臉上泛著汗水的光澤。

盧卡斯就站在他身後。他的上衣新得不得了，摺痕鮮明，胸前口袋的手帕端正得一絲不苟。

「柯塔先生，我感覺不太舒服，不確定有沒有辦法撐完全場。」

「安先生，聽到你這麼說真遺憾，這球賽可稱得上是奇景啊。我們選的制服商標害你不太舒服嗎？金鳳是家有趣的公司，我發現要摸透他們實際業務是件非常困難的事。根據我的調查，它們唯一的存在目的似乎是將公共建設基金轉入私囊，中間透過一系列註冊在避稅天堂的空殼公司——當中有許多都設立在月球，而且洗錢模式複雜到連我都難以破解。如果你不想看球賽，那就別看了。老虎隊會贏的，拉法的球員在這整個球季的狀況都很差。我們也許可以來談談你跟金鳳控股之間的關係。你要知道，我大可揭發你們的犯罪事實。貴國政府似乎每隔一段時間就會大肆取締貪汙，現在就是在掃蕩期吧。刑罰相當嚴峻。我也可以幫你保密，讓拉法把這些球衣撤換掉。由你決定。我們也可以談談中國能源投資企業將來的氦－3需求量，柯塔氦氣顯然有能力供給。球賽長達一小時，我相信夠我們簽好合約了。」

一隻手落在安秀英的肩膀上，領他走回包廂。門關上前，盧卡斯向兄長點頭致意。

瑞秋說得對，拉法心想，你比我聰明。接著哨音響起，球高拋，比賽開始了！

球賽長達一小時，外加幾次暫停時間。老虎隊贏了，三十一比十五，擊潰青年隊。傑登．陽欣喜若狂，拉法．柯塔陷入沮喪。盧卡斯預測球賽結果從來不曾失準。

私人電車將會載送一名乘客過來。博阿維斯塔的保全人員都已接獲通知，準備展開低調的維安作業。無論如何都不能搜對方身，因為她是亞德里安娜．柯塔的私人賓客。

列車駛入博阿維斯塔車站，女人踩上圓滑的石頭月台。即使用月球標準看，她仍算是高大，膚色和眼珠顏色都很深，瘦如刀刃，身穿寬鬆的白衣：打褶繁多的洋裝，搭配鬆垮的頭巾。其他顏色：女用羊毛披肩的金綠與藍，層層掛在她脖子上的沉重飾珠，兩隻耳朵和每根手指上的金環。寬鬆的衣著凸顯出她的高大與纖瘦。女人沒有配戴副靈，看上去就像四肢有所殘缺。警衛紛紛挺直腰桿。超凡的氣場環繞著她，沒人敢妄想搜她的身。

「修女。」博阿維斯塔管家尼爾遜．努恩斯說，而女人以最小幅度點了點頭，向他打招呼。女人在柯塔家的花園停下腳步，望向天空板，在偽造的陽光下眨了眨眼。她將所有奧里莎像的巨大石面收進眼底，念出每一尊的名字。

「修女？」

她點頭，繼續前進。

亞德里安娜在聖塞巴斯蒂昂亭內等待著來客。那亭子就像是石柱與圓頂拼裝成的糖果屋，矗立在傾斜熔岩管的最高處。圓柱間有流水。兩張椅子，一張桌子。裝在俄羅斯茶炊中的薄荷茶。身穿居家長褲和柔軟絲質上衣的亞德里安娜．柯塔起身了。

「洛亞修女。」

「柯塔女士，我捎來姊妹們最深情的問候，以及聖人、奧里莎的祝福。」

「謝謝妳，修女。喝茶嗎？」亞德里安娜．柯塔倒了一杯茶。「真希望這世界種得了咖啡豆，我上一次喝小果咖啡已經是將近五十年前了。」

女人坐下，但沒碰杯子。

「我聽說妳家最近的棘手狀況了，真令人遺憾。」她說。

「我們熬過來了。」亞德里安娜啜飲薄荷茶，皺起眉頭。「味道真糟。我一天到晚得操他們的心，永無寧日。拉法不會放棄羅伯森，卡林侯急著想回氦氣田，艾芮兒已經回梅利迪安了。路卡辛侯逃家。盧卡斯凍結了那孩子的帳戶，但制不住他。盧卡斯沒注意到那孩子有多像他這老爸。」

洛亞修女從她胸前的飾珠瀑布中撈出一個十字架，拿到唇邊，親吻上頭受難的男人。

「願聖人及奧里莎保佑妳。華格納呢？」

亞德里安娜．柯塔略過她的問題不管，提出另一疑問。

「妳呢？妳的事搞定了嗎？」

「聖人與罪人都得繳呼吸稅。」洛亞修女說：「天主教還是反對我們的存在。另一方面，我們卻有世界上最成功的聖母升天日慶典。對我們來說，你們的贊助始終是一大賜福。要找到想法與我們相同的人很困難，近幾個世紀出不了幾個。」

「你們為人群付出，我為科技付出。我們的長程目標最終會有交集，而讓它們現在就產生交集是最好的。當它們在數百、數千年後再度相交時，將會認得彼此。能把眼光放得長遠的人少得可憐，他們不會以千百年為單位思考。我們都在建立各自的王朝。」

一個孩子受到她們說話聲的吸引，奔入小溪，濺起水花。是露娜，赤腳穿著紅色的休閒服。

「妳是誰？」她對白衣女子說。

「這是洛亞修女，來自現主姊妹會。」亞德里安娜說：「她在跟我喝茶。」

「她沒在喝茶。」露娜斷言。

「妳肩膀上那是什麼，蛾嗎？」洛亞說。露娜點點頭，儘管對方臉上掛著微笑，她還是有點怕這位白衣女子。「它有趨光性，很單純，所以要轉移它的注意力很簡單。它很脆弱，但它是葉瑪亞女神的女兒。這隻蛾有很強的直覺，愛會吸引它，其他人也愛它。」

「妳沒有副靈。」露娜說。

「我們不用副靈。它們會使我們內心混濁，阻礙我們的溝通。」

「可是妳看得到我的。」

「我們都會戴隱形眼鏡，小天使。」洛亞修女從頭巾的隙縫中取出一樣東西，放到露娜手中：是3D列印的塑膠小還願物，額頭上有星星的美人魚。「這是我們的水體夫人，她會當妳的朋友，引導妳走向光明。」

露娜捏了捏掌中的女神，沿著傾瀉而下的溪水溜走了。

「妳真好心。」亞德里安娜說：「所有孫子當中，我最愛露娜。我好為他們擔憂。三代之內，哈瓦仕鞋就會變回哈瓦仕鞋。修女，妳聽過那俗語嗎？第一代穿窮人鞋發跡，第二代打造財富，第三代揮金如土，又得回頭穿窮人的鞋。修女，我得有遠程計畫才行。」

「妳為什麼要叫我來這裡，女士？」

「我想要告解。」

洛亞修女平靜的表情上顯露驚訝。

「恕我直言，女士，在我看來，妳對原罪並沒有什麼想法。」

「姊妹會也不是強調原罪的宗教。我老了，修女，我七十九歲了。就生物學的角度來看並不是真的老，但我已經比月球世界上大多數的事物都還要年邁了。我不是最早抵達這裡的人，但我也是稀少體驗的擁有者之一。我白手起家——一個平空冒出來的女孩子建立了這一切，在天上。我想講述這個故事，想全部說出來，好的壞的全都交代。妳真的認為我提供的資金是捐款嗎？」

「柯塔女士，恬淡不等於天真。」

「妳每週來這裡一次，讓我向妳告解。我的家人會盤查妳——盧卡斯得保護我，但妳不能把我說的內容透露給他們，除非……」亞德里安娜．柯塔打住。

「妳快死了，對吧？」

「對，這件事當然是我的祕密，只有海倫．迪．布拉加知情。她跟我一起經歷了一切。」

「惡化得很嚴重嗎？」

「是，不過疼痛已受到控制。我知道這對妳而言是個負擔。要告訴拉法、艾芮兒、盧卡斯多少事實由妳自己決定，盧卡斯尤其是關鍵。不過他會不斷、不斷、不斷追究，妳得編一個完美的謊言出來。如果我的孩子知道我就快死了，他們會開始自相殘殺，柯塔氦氣會完蛋。」

「柯塔女士，我想為妳祈禱。」

「妳愛怎麼做就怎麼做吧，那我要開始了。」

3

他們說：妳不會變成美人，不會光芒四射，不會走狗屎運，所以不要以為世界會像桃子一樣理所當然地掉進妳手中，得來全不費工夫。妳得努力去掙。別人靠容貌、微笑獲得的事物，妳得動用所有的力氣和才能去爭取。「其他個」……已經五十年沒人那樣叫我了。月世界當中，只有妳聽過那名字。我感覺自己咬牙切齒，都是那名字害的。我都在這裡待了五十年，那名字還是跟著我！那名字！

我的姓氏，我要從我的姓氏談起。柯塔，這不是葡萄牙文，是西班牙文的「割」。這也不是典型的西班牙姓氏。這聲音曾在世界各地流轉，從一個國家移動到另一個國家，從一種語言飄到另一種語言，接著成為字彙、成為姓名，最後才被打到巴西的海岸上。

你若申請登月，月球開發法人就會堅持要你做DNA測試。他們不希望有意定居月球的人在後半輩子冒出慢性遺傳疾病的症狀，也不希望這些症狀出現在後代子孫身上。我的DNA來自世界各地：舊世界，新世界；非洲，東地中海，西地中海，南美圖皮，日本，挪威。我是體內裝著一整顆行星的女人。

亞德里安娜．柯塔。亞德里安娜之名取自我的姑婆，亞德里安娜。她在我心中留下最深刻的記憶是：她會彈電子琴。她住在一棟小公寓內，房間中央有一台大大的電子琴，那是她唯一擁有的貴重品，有防盜功能——沒人能把它搬出公寓。她彈琴時，我們會繞著琴跳舞。我家有七個小孩，拜倫、愛默森、愛麗絲、亞德里安娜、路易斯、艾登、卡歐，我的排行在中間，這是最爛的位置，但有時做了壞事也可藉此開脫，兄弟姊妹就是我的保護色。我家總是樂聲悠揚。我媽不會演奏任何樂器，但她喜歡唱歌，我們在家中也總是會聽到某處傳來的電台廣播。我是聽各種古典樂長大的，也把這些音樂帶來月球。在地表工作時，我會在頭盔裡播放它們。只有盧卡斯遺傳了我對音樂的愛好，可惜他不會唱歌。

亞德里安娜．艾利娜．迪．柯塔。我媽叫瑪莉亞．賽西莉亞．艾利娜，是天主教社福團體的保健員，育兒，但不避孕。我這樣說真不厚道。她在獨木舟村工作，退休那天全貧民窟的人都露面了。我父親某天在焊車時燙傷了手，跑去請我媽處置，結果一不小心又把自己的手焊到她身上了。她是個移動速度緩慢的胖女人，髖部僵硬。生下艾登後便放棄工作，極少離開公寓。她不指望自己逮住每個孩子，所以會吼我們。聲如洪鐘，而且一定會傳到她的說話對象耳中。她是個大好人，爸爸愛死她了。她血液循環不好，心臟虛弱。為什麼保健員總是最不健康呢？

我還是很想念她。地球上的人當中，我最想念她。

亞德里安娜．茂．迪．費洛．艾利娜．迪．柯塔。茂．迪．費洛，鐵之手。很驚人的名字對吧？我們都是鐵手，就跟父親、叔叔們一樣。這是我祖父迪奧哥的綽號。他是巴西美景市人，在我出生前就死了。十四歲就開始在鐵礦工作，一直幹到被解雇為止。解雇原因是：他威脅到自己和其他人的安全。他鏟了數以千萬噸計的土，而我鏟得更多，多他千倍、萬倍。跟「鐵手」之名最匹配的人，是我。採礦，金屬。我爸是車商，學會開車前就已經懂得拆卸、重新安裝引擎了。米納斯吉拉斯州陷入經濟衰退後，他便來到里約，在汽車拼裝廠找到一份工作，內容是：帶兩輛報廢車進來，切掉其中一輛車的前半，另一輛車的後半，焊接起來，得到一輛新車！他從來就不喜歡這項工作，因為他，我爸，是個老實人。電視若播報貪腐或收賄的新聞，他就會對著螢幕吼叫。在一〇、二〇年代的巴西，她成天吼個不停。奧林匹克體育場的貪汙醜聞！工人連搭巴士的錢都付不起！之後他開始賣車，做這行會比造假車誠實嗎？我做不出這麼細膩的道德判斷。不過他發展得很快，成了代理商，接著又賭了一票：買下賓士特許經銷權。那是繼娶媽以來，他做過最棒的決定。他似乎有經商的天份。他帶著我們全家搬到巴拉達蒂茹卡區。喔！當時我從未看過那樣的景象，一整層公寓都歸我們住，我只需要跟一個姊姊共用一個房間！只要我們把頭探出窗戶，環顧四周……有了，海就在下方的公寓夾縫間！

亞德里安娜・瑪莉亞・多・瑟歐・茂・迪・費洛・艾利娜・迪・柯塔。天國的瑪莉亞，我們的星空夫人。我媽替救世主耶穌收容所工作，而且送我們所有人去聽講經、參加彌撒，但她完全稱不上是個好天主教徒。我們生病時，她會點蠟燭、放聖牌到我們枕頭底下，但她同時也會向神聖之母買草藥、神像、禱文。她稱之為雙重保險，拜越多神越好。我們成長的過程中，兩大精神世界在我們身上產生交會——天主教聖人，以及奧里莎。因此父母以天主教聖人之名為我命名，但這聖人同時也是葉瑪亞。我還記得媽帶我們到巴拉海灘參加雷韋隆派對的事，她每年都會為了這派對前往海灘一次。她很怕海。聖誕節過後，我們花了一整個週末的時間製作服裝——藍白雙色，神聖的顏色。媽用鐵絲和老舊的絲襪做出美妙的頭飾，爸則在小工廠後方幫它們噴上顏色。汽車噴漆對我來說，就是新年的味道。媽會穿上一身白，走在海灘上時，大家都非常敬重她。我為她感到驕傲，她就像一艘大船。每年會有上百萬人到里約那邊參加雷韋隆派對，但巴拉這邊的派對並不寒酸。這是我們自己的節慶。大家都會在自己的陽台掛出棕櫚葉，行駛在瑟南別提達大道上的車輛都播放著音樂。閒晃的人太多了，駕駛只能把車速放得很慢，因此小孩走在路上也很安全。這裡有ＤＪ，有許多食物。還有各種葉瑪亞愛的事物：大麻，鮮花（而且是白花），紙船，蠟燭。我們走到水邊，大海就踩在我們的腳趾上。連媽都下來了，碎浪淹至她的腳踝，沙從她的腳趾間流逝。我們的頭髮上別著花，手持蠟燭，等待月球邊緣從海上探出的那一刻。來了——月球的微小外緣，薄如剪下的指甲。它彷彿是溢到地平線上方的。好大，無比巨大。接著我的注意力轉移了，我發現它不是在世界的外圍升起，而是從水中成形的。海浪沸騰、碎裂，白色波濤聚攏成月。我說不出話，所有人都說不出話。我們靜立原地，沉默的上萬群眾。葉瑪亞之路，月球夫人透過它抵達我們的世界。我還記得自己：不過這條路不是單行道，我可以透過它登月。接著我們將花朵拋入水中，海浪將之抽走。我們讓乘載小蠟燭的紙船追隨花朵而去，大部分的船都在駛向葉瑪亞的途中沉沒了，但我永遠不會忘記其中幾艘沿著月亮輪廓起伏的模樣。

媽從來就不信有人上去過，沒有登月那回事。那根本無法想像。月球是人，不是石頭材質的衛星。人類不可能走在其他人的皮膚上，又不是跳蚤。多年後，我離開地球前帶她去海灘一趟，她還是不相信月球上頭現在有人在走動。那時她已經不太能走了。我租了一輛車，只為了開幾百公尺載她到海灘去。爸失去了銷售代理權，我們不再是賣車人了。公寓還保得住，因為爸早早就把借款付清了。公寓內又塞滿了我們一家人：拜倫、愛默森、愛麗絲、路易斯、艾登、卡歐。亞德里安娜。群鳥都歸巢了。

媽當時的身材已巨大如月亮，不過來參加雷韋隆派對的人都還是很尊敬她，瑟南別提達大道上車輛也會對著她鳴喇叭。她偉大而神聖。我牽著她的手走入水中，在我們眼前，月亮彷彿從海中成形。我說，**我很快就會到那裡了**。她笑了，不相信我的話。不過接著她又說：嗯，我到時候站到陽台上就能對妳揮手了，很簡單。

亞德里安娜．瑪莉亞．多．瑟歐．茂．迪．費洛．艾利娜．迪．柯塔。「其他個」，「那個小女孩」。「樸素女」。這就是我最後一個名字，形塑我人生最徹底的名字。平凡人。不是大美人，不是最開朗也不是最外向的人。奶奶發復活節紅包時不會挑我當第一個。平凡的亞德里安娜。我的腳很好看，但我的軀幹太短，鼻子和耳朵太大，小眼睛瞇成一條縫，膚色太深。爸媽認為自己幫了我一個忙，他們不希望我有什麼幻想。他們說：妳不會變成美人，不會光芒四射，不會走狗屎運，所以不要以為世界會像桃子一樣理所當然地掉進妳手中，得來全不費工夫。妳得努力去掙。別人靠容貌、微笑獲得的事物，妳得動用所有的力氣和才能去爭取。「其他個」……已經五十年沒人那樣叫我了。月世界當中，只有妳聽過那名字。我感覺自己咬牙切齒，都是那名字害的。我都在這裡待了五十年，那名字還是跟著我！那名字！

好，我天生不優雅也不受偏愛。好，我的鼻子太大，皮膚太黑。我得讓自己獨樹一幟。什麼都做，什麼也敢做。我知道自己一定不會被抓到。在學校課堂上，我總是第一個舉手發言。我是男孩子說話時也不會閉嘴的女生，我駭進學校電腦系統竄改考試成績。協助我的人是個天真的宅男。我要求所有女孩都崇拜的足球明星諾頓寶貝將手滑進我裙子正面，他也照做了，所有人都大吃一驚。我讓環繞在我身邊的美人當我的保護色。我從來沒被選進女子足球隊。那就算了吧，反正我找到了屬於自己的運動，巴西柔術。我媽從來就不同意我練那個，不過我爸愛看有線頻道的綜合格鬥，所以找了個道場送我過去。我個頭小，鬼祟又卑鄙，有辦法把年紀大我一倍的男孩摔出去。當時我讀中學。喔，我真是壞透了。我比美人胚子還受男孩的歡迎，因為他們知道我什麼都肯做。我確實會做，但做的事情沒有美女同學想的那麼多。傳說確立也就夠了。她們孤立我，不讓我參加她們的小圈和派對，那是她們慘重的損失。她們想了各種計畫和招數來羞辱我，但沒人設得出像樣的局來毀滅我的社交生活。她們上傳我的影像到臉書上，我就駭進她們的電腦，丟出十倍的東西。她們寫程式的能力全加起來也贏不了我。她們不敢對我施加身體性的暴力，不敢朝我潑電池酸液。我快手快腳，性格冷酷，還能把她們當洋娃娃亂拋。中學就是戰場。不管哪個時代都是如此吧？去到哪裡也都一樣吧？

順帶一提，大多數的男孩都還算是好人。成天把肛門掛在嘴邊，不過男孩子就是那樣的生物。口交就能讓他們心滿意足。他們就跟女孩子一樣怕我。

很可恥對不對？我這種年紀的人還在談肛交和口交。

爸得知我要去學工程時非常開心。精煉工程，真正的米納斯吉拉斯州之女就會學這個，真正的鐵手。我媽嚇壞了。工程學是男人的學問，我要是學了就永遠嫁不掉，永遠不會有小孩。我會直接用手指抓食物吃，指甲下方會藏汙納垢，再也不會有男人看我一眼。而且我得搬到聖保羅，那個糟到不能再糟的城市。

我喜歡聖保羅，喜歡它駭人的醜陋。喜歡它的匿名性、陳腐、摩天樓形成的無盡遠景，它的拒絕妥協。相較於月球，它美得像天使。月球上沒有美可言。聖保羅就像我，沒什麼好看的，但能量、理念、憤怒、口水四濺。

我在這裡認識了一群好友，大都是男性，最早結識的也是男性。當時讀精煉工程的女人還很少見，我對男性的理解也比女性深。男人單純，直來直往。我發現自己能把男性當朋友看待，發現女性間的友誼跟男性間的友誼有很大的不同。原來我也可以把女孩子當成喜歡的對象，愛戀的對象。我是個投機者，明目張膽，懂得耍把戲。我不時會想起年輕時代的自己，想起她的放肆和莽撞，我好迷戀她。她從來不錯失任何機會。搬到校內不久，我就把自己漆成國旗，油漆範圍從頭延伸到腳趾，然後在聖保羅的街道裸體騎腳踏車。大家都望向我，但沒把我看進眼裡。我裸體，而且隱形，那狀態實在太棒了。喔，我當時的身體真健康，大可靠它做更多事啊！

我現在要告訴妳龍太的事，那是我從記憶深處打撈上來的名字——妳知道打撈是什麼嗎？有時候我會忘記一個事實：舊世界字句和觀念指涉的事物並不存在於新世界，新世代無從參照。比方說「動物的微笑」，我的孫子聽了只會皺眉頭。露娜從來沒見過牛、豬，甚至沒見過活生生、咯咯叫的雞。

龍太。他的模樣我不太記得了，但我記得他的聲音。他有南方口音，來自庫里奇巴。我認為他是我的初戀。喔，妳笑了。我不和他調情，不戲弄他、誘惑他，也不和他玩性愛遊戲，可見這一定是愛情。我和他是參加柔術隊相識的。體育團隊裡的人滿腦子都在想性、性、性，每個人隨時都在胡搞。我們一起參加一場比賽：我當時打女子輕量級，紫帶；他打重量級，黑帶五段。我記得他的體重級別、別什麼腰帶，但不記得他的臉。

我有比賽的時候，爸就會從展示間借走最閃亮的賓士車，開到主場賽事會場。得開很久才會到，但他很享受。比賽結束後，他會載我穿過花園區，然後去高級的館子吃飯。走下那輛大車的感覺就像化身為百萬富翁。

後來有一次，他又開車過來，但我沒坐進去，和他一起離開。我想和龍太去喝啤酒，然後再去參加一個派對。這天我們不會開上卡帕聶馬伯爵街了，也不會再查看汽車螢幕上的選單——爸為此悲傷，我到現在都還記得他當時的表情。我想我也讓他覺得自己像個百萬富翁吧。後來他還是回來看比賽，直到我前往歐魯普雷圖讀學士後研究學程。要他開車過去實在太遠了，而且我也已經對格鬥術失去興趣。年復一年在地墊上摔來跌去，一段一段往上升，換腰帶。

那時，龍太也過世兩年了。我們交往過一年。他在主教堂廣場中槍死亡時，我並不在場。報告寫著寫著，他的死訊就傳來了。我一直都不是政治狂熱者。我是工程師，而他學文學，搞運動。他曾說，我沒採取什麼立場，自然而然就成了一個資本主義者，因為我從來不曾思考過政治。我講究實際，而他滿腦子理論。我從來就沒辦法跟他爭辯，因為他已經把一切都摸得很透徹了，拋出的論點一個接一個，彷彿是殖民軍壓境。一排士兵倒下，下一排又會上前，開火。世界秩序敗壞到極點，社會不公、種族和性別歧視、不平等和爛性別政治荼毒著所有人。我原本以為那是巴西的自然狀態，但就連那樣想的我也看得出：盤旋在聖保羅大學上空的直升機每天都在增加。那等於是超級富裕階層的大轎車，他們都住在高塔頂端，雙腳從未踩過土地。這些改變就像微隕石，像是數以百計的微小衝擊。巴士和地鐵票價又漲了。我的朋友開始在腳踏車上標標籤，因為失竊率上升了。商店添購可完全覆蓋門窗的百葉窗，因為睡在門口的人變多了。街頭監視攝影機變多了，因為露宿街頭者日益增加。還有監視無人機，這裡明明是聖保羅啊！在歐洲某些國家或灣岸看到那玩意兒或許很正常，但巴西人不會玩那套。有無人機的地方一定有警察，有警察的地方一定有暴力事件。麵包價格日日飆漲。如果世界上有件事能把人民逼上街頭，那就是麵包價格的變動了。

龍太非常熱中於社會運動，跑到主教堂廣場寫標語、占領空地。他認為我沒良心。我會把其他人放在心上，但我不認識的人並不在此限。我不在乎中國公司買下一個又一個州，把居民趕走。我不在乎鄉下來的難民，連貧民窟的人都看不起他們。我只有能力在乎我認識的人。我的家人，朋友，我未來的家人。家族優先，家人永遠在第一位。

我為他擔心受怕。我不時會看YouTube，知道抗爭層級正在升高。大家先是吼叫，接著開始丟石頭、汽油彈。警方的反應也越來越激烈，抗暴盾牌、催淚瓦斯、鳴槍。我說我不喜歡他過去那裡，我說他有可能遭到逮捕、坐牢，ＣＰＦ身分碼可能遭撤銷，到時候就無法借貸或找到像樣的工作了。

我說他關心陌生人勝過關心他的人，勝過我。我們分開了一陣子，但還是有性關係。世上不存在分手能分得一乾二淨的人。

起先我不知道發生了什麼事，十幾條訊息一起冒了出來。天啊。警察開槍了。有人中槍了。開槍了。龍太受傷了。龍太沒事。龍太中槍了。訊息不斷傳來，一個疊一個。有人傳來非常晃動的影像：一具屍體被拖入商店內，接著有警笛，救護車也來了。從頭晃到尾，抖啊抖的，拍到的所有事物都是失焦的。遠處傳來槍響。妳有沒有聽過槍響？我猜沒聽過。月球上沒槍。我聽到那些槍聲又小又卑鄙。所有情報轟炸著我，但我看不出哪些是事實。我試著打電話給他，結果他手機沒訊號。接著傳言開始融合了：龍太中槍，送醫。哪間醫院？你能想像我有多無助嗎？我打電話給所有我印象中認識龍太的人，連「認識他社運圈朋友」的朋友也聯絡了。敘利亞黎巴嫩醫院。我偷了一輛腳踏車，我只需要幾秒鐘就駭進了追蹤晶片。像個瘋女人，我狂飆在聖保羅的車陣中。他們不肯讓我見他。我在急診室內等待，這裡到處是警察和新聞台的攝影機。我不發一語，坐在房間後方，不然警察一定會問我話，接著是記者。我豎耳傾聽，但就是沒聽到他們談起他的傷勢。接著他的家人來了，我沒見過他們，甚至不知道他有家人。但我一看就知道他們是親屬。我等了又等，試圖偷聽他們的說話內容。接著有人說，他在急診室內死了。家屬崩潰，醫院工作人員不讓警察靠近，記者拍了許多好的新聞畫面。我什麼也做不了，什麼也挽回不了，死神扣留著一切。我騎著偷來的腳踏車溜走。

龍太，還有另外五人身亡。他不是第一個中槍的人，因此大家不記得他的名字，沒人拿油漆罐在牆壁和樹叢上噴出「勿忘松下龍太」的字樣。大家都不記得第二個登月的太空人叫什麼名字。我還記得自己的反應是震驚、麻木、恐懼，不過最主要還是憤怒。我氣他太不在乎我，才讓自己暴露在危險之中。我氣他以如此愚蠢的方法死去。我記得憤怒，不過我已經不記得作嘔的感覺了。不記得作嘔引起的肌肉收縮、眼球後方的壓力、心一再死去的感覺。我已經老了，在聖保羅大學攻讀工程學已經是好久好久以前的事情了。憤怒有半衰期嗎？

真想知道他要是活了下來，現在會怎麼看待我？我有錢、有權，一句話就能關掉地球上的每一盞燈，讓那顆行星陷入黑暗與寒冬之中。我不是萬中選一的上流人士，根本是萬萬中選一，離開地球的菁英。

一個星期內，我們就遺忘了第二烈士松下龍太。新的暴動發生了，新的死者也出現了。政府承諾要將暴動一一擊破。然後是第一波的系列衝突，每次衝突都讓國勢、經濟環境更走下坡，直到它觸底，直到一切毀滅，再也無可挽回。

我當時不知道龍太是階級戰爭的初期導火線之一。那階級戰爭的規模很大，而且是最後一場：中產階級遭到掏空。金融化的經濟體系不需要工人，機械化則將中產階級推向經濟底層。如果機器人的生產成果尚可，成本又便宜，那它就會取代你。機器要求你和它們競標工作，甚至還提供競標用的軟體給你，要你跟機器搶工作，跟其他人類搶工作。如果你出價比機器便宜，工作就是你的。很公平。我們過去總是把機器人末日想像成殺手無人機艦隊橫行、尺寸大如整棟公寓的戰爭機器啟動、紅眼終結者大開殺戒，而不是想像成特棒超市和艾爾可加油站內的成排機器收銀員、線上銀行、自助計程車、醫院內的自動病症分類系統。機器人一個一個出現，取代了我們。

而我們現在就活在人類史上最仰賴機器的社會中。我就是靠那些赤貧化地球的機器人賺進大把大把的鈔票，打造出一個王朝。

我爸不記得北美洲人登陸月球的事，不過他說老茂・迪・費洛記得。當時茂・迪・費洛在美景市的酒吧內喝酒，電視在播映足球賽，他堅持要老闆轉台看月球登陸實況，差點跟人打起來。這是歷史，他說，我們這時代的人看不到比這更偉大的場面了。那是假的，酒吧內的其他人吼道，在好萊塢的攝影棚裡拍的。不過他還是站到電視前面，盯著裡頭的黑暗與形影，嚇阻任何試圖轉台的人。而我自己記得馬肯齊家族讓機器人登月的情景。那時我也在酒吧，跟我的讀書會成員在一塊。當時我已經回到故鄉米納斯吉拉斯州，去了礦業研究所「採礦工程學院」讀學士後研究。待在歐魯普雷圖，跟周遭的人一比，我顯得怪異。不對，不是怪異，是獨特。那裡的男人對待我都客氣過了頭，且熱中交際。我不會讓他們忽視我，所以當晚我和他們一起在酒吧內喝啤酒。老闆不斷地快速切換運動頻道，接著在新聞頻道暫停。我看到月球，看到機械，看到胎痕。我對酒保大吼：喂喂喂，別轉！酒吧內只有我盯著螢幕，見證歷史。澳洲的馬肯齊礦業成功地將機器人送上月球，探勘資訊科技業所需的稀有金屬。我好想對讀書會的人大喊：你們為什麼不看看這個？你們為什麼看不到我眼中的景象？你們還自稱工程師？盯著那螢幕的過程中，我突然頓悟了，腦海中閃過一片光芒。那感覺就像上氣不接下氣，像心臟每跳三、四拍就會漏拍。不可能之事不僅化為可能之事，還變成了可成就之事。我辦得到。接著電視開始播報下一則新聞——馬肯齊的事只是細枝末節，沒人對太空和科學感興趣。肥皂劇明星和模特兒的一舉一動才是新聞。我走出酒吧，來到啤酒花園。蒙塵的樹下有一堵牆，我坐在那裡仰望夜色。我看到月亮了，我對自己說：現在上頭有東西，在撈錢。

我父親來看我了，搭巴士來的。我立刻就知道他有壞消息要報告。歐魯普雷圖離家很遠，但我爸應該會開車過來，自己打造出一趟冒險之旅才是。他失去經銷權了。現在已經沒人要買高端的賓士，就連巴拉人也不買。他始終很謹慎：公寓貸款已付清，我的學費也有著落，只要我別每週都買啤酒塞滿冰箱。不過他的生意沒得做了，而他這年紀的人已不可能在機器碼主導的經濟體系中重新學習生存技能，更不可能找到其他工作。他感到遺憾，但也自傲——能做的，他已經全做了，而且都做到最好了。是市場有負於他。

接著我們的結核夫人來了，打亂了他所有的計畫。小男孩卡歐，么弟，卡金侯，我們都叫他狗窩裡的小狗崽。他從來不曾搬出家門，彷彿永遠十三歲似的。就業市場崩壞，婚姻失敗，家庭因外力瓦解——柯塔老媽的七個孩子全都搬回家了，只有我例外。我是學習者，是經營者。後來卡歐吸入了完全抗藥性的結核桿菌，它們來自公車、教室、人群。當時有三種結核桿菌，MDR、XDR、TDR。多重抗藥性、廣泛耐藥性、完全抗藥性結核桿菌，多重抗藥性桿菌對第一線抗生素有抗藥性，廣泛耐藥性對第二線藥物（基本上就是醫療用的有毒化學物質）也有抗藥性，完全抗藥性……妳猜得到那是什麼意思。我們稱之為白夫人，她飄入卡歐的肺裡，在裡頭成長。

媽拿塑膠布封起家裡其中一個房間，改裝為療養院，爸裝了一台空調。他們沒錢送他去醫院，沒錢買藥。從黑市買來實驗中的治療配方（我國的噬菌、化學他媽的無牌藥物）。我回家，隔著塑膠布看卡歐，因為進去看他太不安全了。媽會把我們兄弟姊妹從麥當勞偷來的餐點放到托盤上，滑到厚厚兩層塑膠布後方。卡歐用兩層塑膠袋裝垃圾。我看著他，看著累壞的爸，看著對聖人和奧里莎說話的媽。我看著我的兄弟姊妹和他們的兒女透過所有可能的門路積攢小錢：這裡賣賣廢料，那裡賣賣批的貨，搞動物賭博。卡歐肯定會死，但我還是無法埋怨家人，無法埋怨他們滿懷希望地存下每一分錢。他們無法贊助我念完學士後研究，但我有個辦法可以籌到學費。馬肯齊家族登陸月球的幾週內，專業期刊和網站上就開始出現廣告了。

我申請了月球的工作。

我的研究所指導教授協助我申請貸款。我寫了一篇論文指出：月壤中的稀土元素可透過曝曬蒸餾的方式精煉，於是被視為月球開發的重要資產。我和馬肯齊簽了合約。我的貸款申請也過了，拿到了錢。

那週我回家一趟。搭飛機回去，因為我付得起。我走下巴拉海灘，看著奧斯卡．尼邁耶鋪設的卵石間冒出的雜草。矮樹已在公寓屋頂和無玻璃的窗邊扎根，瑟南別提達大道上有成排的小棚子和遮風避雨處，每棟公寓上都爬滿絞殺植物般的水管和電線。每個圓環都有成堆的水槽和太陽能板。足球場，奧林匹克公園——觀眾席連根拔起，上次颶風掀走的半片屋頂到現在還沒修好。這座城市正在衰敗，這顆行星也是。

公寓內擠滿人，但他們給了我自己的房間。卡歐還是住在他的塑膠洞穴內，他現在有氧氣可吸了。卡歐和我，在我們各自的房間內——垂死的王子，返家的公主。電視日日夜夜開著，許多人日日夜夜來去。丈夫，妻子，他們的親戚、家人，原本不是家人的家人。我媽只能搖擺著她巨大的身軀，以吼叫趕走所有人。當晚，我走上陽台，望著月亮。葉瑪亞，我的女神。她並不是從海中成形，而是在世界的遙遠彼方。世界轉向她，轉向她，並讓我承受她的凝望。海洋中的所有潮水都受到她吸引，而我也在其中。喔，我也在其中。

我喜歡為登月做的一切訓練。我跑步，游泳，做重訓和交叉捲腹。我精瘦，意志堅定，非常、非常強健。我迷戀自己的肌肉，簡直愛上了自己。我不只是鐵手，還是鐵娘子。

南美訓練中心在圭亞那，靠近歐洲太空總署火箭發射台。外出跑步時，我總是會聽到軌道轉換載具引擎發動時的怒吼。它撼動我，奪走我的聽力。它撼動地球與天國。接著我會看到向上飄、微微彎曲的煙柱，還有煙柱頂端那小如黑針的太空船。奔騰，向上，遠離世界。我看了就會哭，每次都哭。

登月訓練的癥結在於：你無法為月球生活受訓，訓練內容是跟火箭發射有關。月球對我曼妙的身體毫無需索，只會慢慢地吞噬它。把我轉變成它的一部分。

我不是唯一的女人，但也差不多了。庫魯太空中心就像吞服類固醇的採礦工程學院，而月球將會像是太空中的大學足球隊，人多勢眾的那種。我意識到月球並非安全之地。如果你太蠢、太粗心、太懶的話，它會有數千種殺死你的方法可動用。不過真正危險的是身邊的人。月球不是一個世界，而是一艘潛水艇。艇外就是死亡。我將和這些人一起關在艇內，這裡沒有法律，沒有正義，只有管理。月球是拓荒前線，但，跨過線去是一片空無。無處可逃。

我花了三個月才做好登月準備。離心機訓練，無重力訓練（搭一輛老舊的空中巴士A319飛到南大西洋上空），每次下墜我必吐。還有太空衣訓練——相較於我們現在的地表活動衣，那些太空衣巨大又叮咚響個沒完。妳可以穿那盔甲試著鎖螺絲看看！我可擅長了，機密動作技能是我的強項。然後還有低氣壓訓練，零氣壓訓練。低G力環境下加工製造，真空環境下加工製造，機器人學與3D列印程式語言。三個月！三年都不夠，可以學三輩子了。

就在火箭發射的三週前，我回家了。爸在屋頂辦了個派對，他只要有機會就會投向巴西烤肉的懷抱。每個人都說我看起來超辣。那派對非常棒，充滿喜悅，但也哀愁四溢。他們是在守靈，他們知道我再也不會回去了。

卡歐在火箭發射三天前過世。我並不失落或悲傷，我想的是：你為什麼不能等等？等個一週，甚至五天？碩大的月亮，每天亮度都增長些許的晨星（逐漸逼近地球的地月循環軌道太空船），很快就要駛出第六機庫、開上跑道的黑鳥都使我的情緒昂揚，為什麼你還要拋出事件給我品味？

起先是憤怒，接著我感到罪惡。我想請喪假，結果遭拒。發射日就快到了，我不能冒感染結核的風險。任何一隻小蟲都會咬穿循環軌道太空船和設施內的密閉空間。月球是個寬敞的無塵室，我們每天都會做病毒感染、寄生蟲、昆蟲檢測。月球上沒有害蟲。

於是，他們在我搭加壓巴士前往太空船的途中火化了卡歐的遺體，好殺死白夫人。我們在機庫內預演過十幾次登船程序，但烏黑、赤裸裸閃耀於太陽下的軌道轉換載具映入眼簾時，所有人還是把臉湊到黑玻璃窗邊了。大家強烈感受到自身的力量、人類的能耐。許多男人哭了，他們很容易感動。

我們拉好安全帶，太空衣和頭盔都就位了。這裡沒有窗戶，沒有螢幕。我們練習過二十次了，但我還是摸找一陣才扣上安全帶，確認安全檢查表上的細項。我並沒有做好準備。面對這樣的玩意兒，沒人做得好準備。我的心思不斷飄向我前方與後方的氫氣槽、腳下的氧氣槽，無法自制。恐懼使我全身僵硬，接著我發現還有比恐懼更深邃的境地——我不冷靜、不優雅，也不順服、無助，而是堅定、果決。

接著軌道轉換載具開始滑行了，在跑道上鏘、鏘、鏘地響，因為它的輪胎會在改變航向時變得較為扁平。五十年了，我還是記得很清楚。我感覺到載具轉上跑道，暫停，接著引擎啟動。喔，天啊！那能量！你一定不會有類似的感受，就算搭彈運也一樣。你全身上下都會發出叫喊。恐懼另一頭有決心，這時我還發現決心再過去是刺激，純粹的刺激。這是我生命中最性感的行動。

引擎熄火，我們都稍微吃了一驚：火箭分離艙脫離了，我們進入無重力狀態。我感覺到我的胃開始解體，酸酸的膽汁淹上喉頭。頭盔裡的嘔吐物不只是髒而已，還可能溺死你。接著我感覺到一股離心力拉扯我的胃底部，我知道繫鏈已經和太空艙連結了，它準備將我們甩到循環太空船的轉乘軌道上。G力達到顛峰，血液湧向我的腳趾。我們再度進入無重力狀態。下一次我感受到的重量將會是太空船的離心臂。

機體一晃，一斜，砰砰、咚咚巨響，然後是伺服電動機的咻咻聲。我們駛進太空船了，安全帶解開了。我手一推，從座位中脫身，飄向敞開的氣閥。它看起來非常小，就連我進去都顯得狹窄。不過我還是通過了。我們所有人，二十四個人都通過了。

我在氣閥內待了一段時間，緊抓住支柱，對抗暈眩，望著掛在小窗戶外的太空船，以及後方的巨大藍色星球。它太巨大了，所以地月循環軌道太空船的動作並不明顯。但我感覺得到，感覺得到它迅速退遠。我在月之道路上。我，亞德里安娜．瑪莉亞．多．瑟歐．茂．迪．費洛．艾利娜．迪．柯塔。

4

我現在在地表活動新手訓練隊，月球漫步。我有好多事情要學。月球有上千種方法可以殺死人類——這是第一條規則，也是最大的原則。我得學習移動的方法、解讀標誌與訊號、開啟與結束通訊、分析太空衣上的情報，全都要掌握。要是忽略哪一個小點，我就可能被煮熟或凍死，窒息或暴露在大量的輻射中。

他給亞德里安娜兩個吻，分別吻在兩邊臉頰。一件小禮物包裹在列印出來的和紙中，材質柔軟得像是織品。

「這是什麼？」

盧卡斯拜訪母親時喜歡帶件禮物。他非常殷勤：每週至少會搭一次電車前往博阿維斯塔，和母親在聖塔芭芭拉亭碰面。

「打開來看看。」盧卡斯．柯塔說。

她小心解開包裝紙。禮物散發出的香氣洩了自己的底。她聞香，臉上閃過恍然大悟的喜色，而他都看在眼裡。他喜歡她的情緒管理。

「喔，盧卡斯，你不該送這個的，很貴啊。」

亞德里安娜．柯塔打開小罐子，將咖啡的完整香氣吸入體內。悠久的歲月和幾萬公里外的景象在她面前展開。

「可惜不是巴西咖啡。」咖啡比黃金還貴。黃金在月球相當便宜，美觀與否左右其價格。咖啡比生物鹼、海洛因都還要貴。3D列印機可以合成毒品，但製造出來的咖啡都跟狗屎一樣難喝。盧卡斯自己不喜歡咖啡——太苦了，而且不誠實。嘗起來的味道跟氣味永遠不同。

「我會留著。」亞德里安娜蓋上蓋子，將整個罐子按在心窩上片刻。「特別的東西。等喝它的時機到了，我會知道的。謝謝你，盧卡斯。你打電話給亞曼達了嗎？」

「我想這次我可能就認了吧。」

亞德里安娜沒說什麼，甚至沒瞧他一眼。盧卡斯和亞曼達．陽的婚姻已經有名無實好幾年了。

「路卡辛侯呢？」

「我鎖了他的帳戶，我想艾芮兒大概給了他一些現金，髒錢。大家會怎麼看待我們家族？」

「他愛怎樣隨他去吧。」

「那孩子搞到某個程度就得扛責任了。」

「他十七歲了。我十七歲時已經跟著搭得上線的男男女女到處亂跑了，他需要撒點野。你當然可以截斷金援，讓他靠自己的機智生存下去是好事。靠逃生衣溜走這招顯示了他的進取心。」

「機智？老天沒賞他多少，他遺傳了他媽。」

「盧卡斯！」

她的斥責令盧卡斯身子一抖。

「亞曼達仍然是我們的家人，我們不會說家人的壞話。你也沒有權利看艾芮兒不爽，她在白兔閣的椅子都還沒坐熱呢，你這樣會危害她的處境。」

「我們和中國人簽約了，我們打敗馬肯齊了。」

「盧卡斯，我非常享受你的運籌帷幄。手球隊球衣是好招，我們都欠你人情。但有時候，某些議題比家族地位還來得重要。」

「我不那麼想，媽。我從來就不那麼想。」

「盧卡斯，你是你爸的兒子，真正的兒子。」

盧卡斯接受這讚美，儘管它像咖啡一樣，是苦澀的。他從來就不認識自己的父親，他只想當母親的兒子。

「媽，我可以偷偷說件事嗎？」

「盧卡斯，當然可以。」

「我很擔心拉法。」

「真希望瑞秋沒把羅伯森帶到坩堝去。刺殺行動才發生沒多久就動身，別人會搬出陰謀論。」

「拉法很篤定凶手就是馬肯齊家。」

亞德里安娜噘嘴，沮喪地搖搖頭。

「喔，盧卡斯，別這麼說。」

「在他看來，一切的一切都被馬肯齊家動了手腳。這是拉法親口跟我說的。妳也知道他是什麼調調：大好人拉法，風趣拉法，派對男孩拉法。他接下來還會不小心在誰面前鬼扯？妳有沒有看到他為公司帶來的風險？」

「羅伯特．馬肯齊沒跟中國人談成生意，他一定會要我們付出代價。」

「當然了，如果立場互換，我們也會採取一樣的行動。不過拉法又會把他們的行動視為羅伯特．馬肯齊跟他之間的私人恩怨。」

「盧卡斯，你想要什麼？」

「媽，我希望公司有冷靜一點的大頭，就這樣。」

「意思是盧卡斯．柯塔的大頭嗎？」

「拉法是副會長，我對這點沒什麼意見，我不希望剝奪他絲毫的權威性，但也許可以把他某些職責分派出去。」

「繼續說。」

「他是柯塔氦氣的門面，那就讓他繼續當門面，當橡皮圖章。讓他主持會議，在檯面上活動，坐在會議桌的大位。不過呢，我們要萬分巧妙地抽走他的決策權。」

「盧卡斯，你到底想要什麼？」

「媽，我想要採取對公司最好的行動，對家族最好的行動。」

盧卡斯．柯塔親吻母親，向她道別。兩個吻分別落在兩邊臉頰，獻給家族。

距離坩堝剩下二十公里時，羅伯森．柯塔─馬肯齊的副靈在他耳邊播放音樂，喚醒了他。男孩衝向列車前段的觀景罩，雙手按上玻璃。對十一歲小朋友來說，馬肯齊首都初次映入眼中的畫面是永不褪色的。這輛有軌機動車是馬肯齊金屬的私有車輛，此刻奔馳在赤道一的東側慢速軌道上。赤道一是六組三公尺寬的軌道，在地球反射光的照射下顯得純淨、炫目，它繞過月世界的肩膀，環月世界一周。對向一輛由金鐘出發的快速列車彷彿騰空冒出，化為一團光影後就消失了。瑞秋認為列車前端的景象令人神經衰弱，但男孩很愛看。

「看，是甘號列車。」羅伯森說。這時機動車正和慢速上行軌道的貨運列車交會，它又長又笨重。男孩很快就忘了它，因為東方地平線上升起了第二太陽。那光點明亮又刺目，為保護人類眼睛，列車上的玻璃全都調暗了。點擴張成一顆球，海市蜃樓般懸掛在世界的邊緣，距離似乎不再拉近，亮度也似乎不再升高。

五分鐘內就會到坩堝了，副靈宣告。

瑞秋．柯塔的手伸到眼前遮光。那花招她已經看過許多次了：光點舞動、閃爍，最後一瞬間分解出細節。每次都震懾人心。光線盈滿觀景罩，接著機動車便駛入坩堝的陰影中。

坩堝橫跨在赤道一的內側四軌道上，其轉向架奔馳在兩條外側軌道上。老式的鐵軌，不是磁浮式的。起居艙在鐵軌上方二十公尺處，窗戶與光線密布，並朝下方鐵軌投以恆久的陰影。再上去則是選礦機、平地機、精煉廠，最高處則有拋物面鏡，使陽光聚焦於轉化爐中。坩堝是一輛十公里長的列車，橫跨赤道一之上。特急客運列車、貨運列車、修復車都會從它下方駛過，使它顯得像一座巨大橋梁的上層部。它不斷前進，速度維持在時速十公里，一天繞行月球一圈。它的拋物面鏡與精煉廠永遠頂著正午的太陽。陽族把瑪拉柏特環形山頂的玻璃尖塔稱為恆光閣，而馬肯齊一族蔑視其矯揉做作。他們才定居在永恆的光芒之中。光沐浴他們，浸泡他們，帶給他們財富。過濾他們，也漂白他們。馬肯齊一族生來就沒有影子，他們在體內收容黑暗。

機動車通過坩堝的開口，駛入陰影與聚光燈中。若隱若現的強光化為貨運列車，它正利用阿基米德式螺旋抽取機傾倒出月壤。機動車放慢速度，開始和坩堝的人工智慧交換協定。這是羅伯森最喜歡的一刻。抓鉤扣住機動車，將之抬離軌道，收入馬肯齊金屬列車停放平台的其中一格。艙口連通，氣壓均等化。

歡迎回家，羅伯森．馬肯齊。

光刃從屋頂的狹縫插入室內，明亮得像是固體。朝坩堝心臟地帶前進的路上，有光之尖柵充當衛兵。拋物面鏡將陽光聚焦到精煉廠中，隨之產生的碎光灑入室內。瑞秋已穿過這門廳數千次，每次都還是會感覺到頭上數萬噸熔解金屬的重量與熱度。它代表危險、財富、安全。熔解金屬是坩堝唯一能抵禦嚴酷輻射的盾牌，生活在這裡的人隨時會意識到它的存在。它就像破裂顱骨頂端的鐵片，顫巍巍地保持著平衡。這系統有天可能會失靈，鐵片可能會掉下來，但那不會是今天。她此生都不會見到那天。

羅伯森跑在她前頭，他在通往其他車廂的氣閥內就已經看見哈德利．馬肯齊了。兩人只差八歲，但哈德利是他的舅舅，他最喜歡的舅舅。哈德利是馬肯齊家族元老羅伯特晚年與婕德．陽結婚生下的孩子。羅伯森該稱之為舅舅，但兩人的感情更像是兄弟。羅伯特．馬肯齊只生兒子，這老怪物至今仍會開玩笑說：**月中人是男人**。透過選擇性墮胎、胚胎定位、染色體工程，他的笑話成真了。哈德利將羅伯森拋向空中，小男孩高高飛起，大笑，接著又被哈德利．馬肯齊的強壯臂膀接住。

「看來妳跟巴西人分出勝負了。」哈德利說，並親吻外甥的兩邊面頰。

「我真的認為那傢伙才是幼稚鬼。」瑞秋．馬肯齊說。

「想到小羅伯原本有可能在那裡成長，我就恨。」哈德利說。他是個矮個子，堅韌，意志力強大，鍛鍊出一身結實的肌肉與肌腱。馬肯齊家的刃衛，長時間待在日光浴室內，臉上因而布滿雀斑，斑點交疊，宛如人形獵豹。他不時會搔抓自己的皮膚。花太多時間接受日光燈照、獲取維他命D了。

「那對孩子來說，不是一個學習如何正確生活的地方。」

來自羅伯特．馬肯齊的訊息，瑞秋的副靈「卡門尼」宣告。哈德利和羅伯森的表情顯示他們也收到了同樣的訊息。「瑞秋吾愛，妳安全將羅伯森帶回家真是太好了，我很開心。來見見我吧。」那嗓音輕柔，仍帶有地球上西澳口音，缺乏真實感。他已經很久沒用這樣的語氣說話了，比大廳內這三人存活在世的時間還久。

「我帶你們上去找他。」哈德利說。

一個小太空艙將瑞秋、羅伯森、哈德利載往坩堝的頂端，十公里外。對瑞秋來說，磁浮系統似乎強化了整個坩堝的顫動。輕柔但恆久不斷的，軌道上的搖晃，家的心跳。瑞秋．馬肯齊小時候很愛閱讀，她在螢幕文字構成的世界中航海，與危險的海盜和吹牛冒險家為伍。而石海遼闊的現實世界中，家的晃動是她所能設想的，最接近航海的體驗。

太空艙突兀地減速，頓住。氣閥開了。瑞秋吸入綠意與腐敗物，溼氣與葉綠素。這節車廂是個巨大的玻璃溫室。在陽光持續照射的低重力環境中，蕨類植物會長到驚人的高度，綠葉形成的拱頂抵著溫室的彎曲肋骨。斑點似的光芒，虎斑似的光芒——太陽一動也不動，天頂近在咫尺，所有蕨類都向高空生長。茂密的植物中有鳥鳴和亮麗的羽毛，某生物的鳴叫迴盪著。這裡是天國的花園，但羅伯森還是緊張地牽著母親的手。羅伯特．馬肯齊就住在這裡。

一條小徑蜿蜒於池塘及和緩流淌的溪流間。

「瑞秋，親愛的！」

婕德．陽—馬肯齊以兩個吻問候繼女，接著也吻了羅伯森的臉頰。她很高，手指細長，就跟周圍的蕨類植物一樣優雅、纖細。她看起來就跟十九年前嫁給羅伯特．馬肯齊那天一樣年輕，一點也沒變老。羅伯特．馬肯齊的子嗣都不會被她的外表欺騙。她堅韌，帶刺，棘手，頭腦靈光。「他等不及要見你們了。」

羅伯森緊握住母親的手。

「他原本心情一直很糟，因為柯塔家的人偷走了中國的出口生意。」婕德往身後一瞥，發現羅伯森抬頭看著母親。「不過你們會讓他寬心的。」

羅伯特．馬肯齊在交織的蕨類植物所形塑的觀景台等待著。長尾鸚鵡和鸚哥的鳥囀、尖嘯接連不斷，彷彿瘋狂地傳遞著流言蜚語。機器蝴蝶慵懶地擺動寬闊聚合物翅膀，放出虹光。

有傳言說，羅伯特．馬肯齊坐的椅子讓他延命至今，但旁人只需要看一眼就會得知真相：是他眼底悶燒的意志力支撐著他的生命。他要權力，要占有，要掌握，拒絕讓他人奪走任何事物，就連他生命的殘渣都不行。羅伯特．馬肯齊睥睨死亡。聳立在他頭頂的生命維持系統像是皇冠、光環，管線脈動著，幫浦嘶鳴、旋轉，馬達嗡嗡響。他的手背布滿緩慢癒合的血腫，那都是針和插管曾經刺穿的部位。旁人頂多瞄一眼他喉嚨上的管線，目光無法停留更久。蕨類植物的氣味和潔淨流水的清新都掩蓋不了那惡臭。結腸造口的腐敗令瑞秋．馬肯齊反胃。

「親愛的。」

瑞秋彎腰親吻那凹陷的臉頰。如果她遲疑或內心反感，羅伯特．馬肯齊都會注意到。

「羅伯森。」他張開雙臂想給孩子一個擁抱。羅伯森走上前去，讓雙臂包夾他。醜陋的老木乃伊親吻他，而且是親吻雙頰。羅伯特．馬肯齊四十八歲那年拋下西澳，選擇了月球島海，將家族和未來都託付給了月球。他那時年紀已經太老了，不該上月球。光是升到月球軌道上就會要他的命，更不用說低重力對他骨頭、血管、肺部的緩慢齧咬，還有穩定降下的輻射雨淞。但就交給孩子和機器人去處理吧。羅伯特．馬肯齊登月，奠定百萬人社會的基礎。這座維生椅上的活物有權自稱是月中人。他今年一百零三歲了，十幾個醫療人工智慧監控、維持著他的身體運作，不過身體的燃料仍是他淡藍色眼珠中的意志力。

「你是個好孩子，羅伯森。」羅伯特．馬肯齊的氣息噴在男孩的耳朵上。「好孩子。能把你帶回歸屬之地真是太好了，你遠離了那些柯塔賊。」蒼白如爪的手晃動著男孩的身體。「歡迎回家。」羅伯森掙脫那虛弱的爪子。「他們不會再把你偷回去了。」

「我丈夫在想……」婕德．陽站在他身後，手搭在老人的肩膀上。那雙手細皮嫩肉，塗了指甲油，但那小巧的重量彷彿令羅伯特．馬肯齊凹陷了。「何不讓羅伯森結婚呢？我們沒什麼反對的理由吧。」

嗨，媽，嗨，凱西。孩子們或許也看到了，嗨。我安靜了好一陣子，而我有我的藉口。是這樣的：我先前匆忙寄了一封信，裡頭說的都是真的，我現在在為五龍工作。柯塔氦氣，氦－3礦業。

我在柯塔氦氣工作——重說這一次是為了讓你們佩服。最表面的意義是，我不用再為氧氣或水或碳或網路傳輸煩惱了，所以我現在才能寄這個給你們。我真的不知道要怎麼讓你們體會「不需為四大元素煩惱」的感動。這就像中了樂透，只不過不是拿到一千萬，而是有權利不斷呼吸。

我拿到這份工作的緣由不能透露太多，攸關資安。五龍就像黑幫一樣，隨時拿刀抵在彼此的脖子上。不過我可以告訴你們，我的工作是由卡林侯．柯塔監督。凱西妹妹，妳應該要移民過來才對，這顆大石頭上有好多火辣的肉體。

我現在在地表活動新手訓練隊，月球漫步。我有好多事情要學。月球有上千種方法可以殺死人類——這是第一條規則，也是最大的原則。我得學習移動的方法、解讀標誌與訊號、開啟與結束通訊、分析太空衣上的情報，全都要掌握。要是忽略哪一個小點，我就可能被煮熟或凍死，窒息或暴露在大量的輻射中。我們花了整整三天待在沙地。月球上的沙子有十五種，我得記住每一種的物理特質：磨蝕狀況、通靜電後的特質、黏著度。就像福爾摩斯在記五十種菸灰那樣？我們有充電時間，月球導覽——月光菜鳥會誤判地平線的位置，把所有東西的位置都想得比實際還遠。他們甚至還沒帶我們上地表呢。還有地表活動衣，我知道那玩意兒原本就做得很貼身，但他們真的沒拿錯尺寸給我嗎？我花了十分鐘才穿上。絕對不會想在減壓過程中穿。要是穿錯，接縫就會夾得你瘀青。注意了，如果環境開始減壓，瘀青絕對是最不需要擔心的部分。

我八成把你們嚇個半死了，但你們會習慣的。沒有人能一直活在持續不斷的恐懼中，你一旦發懶個一次，月球也不會手下留情。卡林侯說，每次訓練新手時通常會有一個人死亡。我現在一直很小心謹慎，不想成為那個人。

我們隊上有：歐列、荷西、薩迪亞、桑迪卡、派遜斯、我。我是唯一一個北美人，他們會盯著我看。他們會討論我的事情，但他們之間的唯一通用語言是地語，而英語本來就是我的母語。他們不喜歡我。卡林侯幾乎可說是和我一對一進行作業，這使我顯得與眾不同，特別。於是訓練講師認為我是被派來柯塔家的間諜，而班上同學認為我是老師養的狗。最不討厭我的人是派遜斯，她出身波札那，但就跟其他同學一樣，待過世界各地的大學和企業。月光菜鳥肯定是人類歷史上教育程度最高的移民。派遜斯願意跟我交談，也會分茶給我喝。荷西想要我死。如果他想得出不被問罪的手法，大概就會行動吧。有些話我不得不說，但我開口還是會被他打斷。他恨我是因為我身為女性，還是身為北美人？我想不透。也許兩者皆是吧，混球。待在新手訓練隊的心理狀態就像待在大學足球隊，所有意見都以直言不諱的方式表達，大家呼出的每一口氣都有睪丸素的味道。這不只是因為我們待的是精煉工業，也因為每個人都年輕、聰明、有野心、非常非常積極。另外，這裡也是人類史上性解放程度最高的社會。月球地語沒有異男或同志這種字彙，所有人都分散落在性吸引力光譜的某個位置。

我告訴你們，真正困難的部分是學葡萄牙文。那到底是什麼語言？你得模仿頭痛個沒完的人講話才道地，所有發音聽起來都跟拼字毫無關聯。文法起碼還有邏輯，但發音……有葡萄牙本地發音，巴西里約發音，最後還有月球方言版的巴西里約發音，也就是柯塔氦氣成員的發音方式。我暗示副靈海蒂翻譯他們所有的發言，包括他們對我露出的臉色。好啦，我讀葡萄牙文的時間到了，也就是說，Adeus, eu te amo, e eu vou falar com você de novo em breve!「再見了，親愛的，我很快就會再跟你們聯絡！」

盧卡斯．柯塔繞著葉柱向下走，動作輕盈、微細，宛如夢境。清水涓滴、流淌、灌注、淘洗著連結層層種植槽的溝渠和管線。他繞行著中央鏡柱，鏡子反射陽光到一疊疊作物上。抬頭仰望，你會看見綠意無限向上延伸，最後與圓筒田頂端的、小如硬幣的耀眼太陽合一。奧布阿西共有五座類似的豎井田，萵苣、沙拉用葉菜緊緊交疊，連甲蟲都爬不進去。不過月球其實沒有甲蟲——沒有蚜蟲、沒有啃菜葉的毛毛蟲、沒有害蟲，蟲爬不進去只是譬喻性的說法。馬鈴薯株大如樹，豆藤會沿著支架往上爬個一百公尺。這裡還有根莖類植物的葉片，莧菜和阿開木形成的翠綠田埂，山藥和甜薯，瓜與葫蘆，還有尺寸大如梅利迪安摩托的南瓜。全都是靠潺潺灌注的養分添加水種大的，混合栽種，由自給自足的微生態環境維持其共生。奧布阿西從來不曾有農損，一年收成四次。此刻，盧卡斯俯瞰下方。遙遠低處的魚缸上架有檢修通道，上頭有兩道小如昆蟲的人影。鴨子呱呱叫，青蛙打著嗝。其中一道人影是他自己。

「音質非凡。」他說，眨眼關掉隱形鏡片上的影像。

「謝謝你這麼說。」柯比．阿沙默說。他是個巨漢，高大，身體又寬。盧卡斯．柯塔是他身旁的蒼白影子。他抬起手，蒼蠅便停到上頭。

「可以嗎？」

一動念，蒼蠅便從柯比．阿沙默的手上飛到盧卡斯手上。盧卡斯將蒼蠅舉到與視線等高處。

「你可以趁我們睡覺時把我們殺光，我喜歡。」盧卡斯．柯塔將蒼蠅拋向空中，看著它沿光明、綠意、潮溼葉綠素的深井攀升，最後消失在視野外。「我買。」

「單位壽命是三天。」柯比．阿沙默說。

「我需要三十隻。」

「我們可以送十隻過來，其他就用列印的。」

「成交。」

托基尼奧收下柯比．阿沙默副靈的開價，傳送到盧卡斯的隱形眼鏡上。令人相當不爽的數字。

「授權付款。」盧卡斯下令。

「我們會在車站交貨。」柯比．阿沙默說，那張無防備的大臉又有了劇烈的表情變化。「我無意冒犯，柯塔先生，但你用這招監視兒子不會太過頭了嗎？」

盧卡斯．柯塔放聲大笑，笑聲低沉、宏亮，像是和諧的音樂。柯比．阿沙默嚇了一跳，奧布阿西農場五號筒田中的鴨子和青蛙都陷入了沉默。

「誰說是要用在我兒子身上？」

赫特．裴瑞拉任蒼蠅在他手上移動，帶鉤的小腳搔抓著他長皺紋的深色皮膚。不管他怎麼轉動手，阿沙默家的蒼蠅都會移動到最高點去。

盧卡斯說：「我要二十四小時警戒。」

「當然好，先生。保護對象是？」

「我兄弟。」

「卡林侯？」

「拉法爾。」

「好的，先生。」

「我要掌握他的一舉一動，何時上床、放屁、撥款給別人，我都要知道。不准讓我媽知道這件事。只有你知、我知，不准透露給第三者。」

「好的，先生。」

「托基尼奧會寄通訊協定給你。我要你親自操縱它，不准讓其他人經手。我要你每天寫報告，加密後寄給托基尼奧。」

赫特．裴瑞拉的不悅神色，盧卡斯都看見了。他原本是巴西海軍軍官，國防軍私有化時遭到開除。失去大海的寵愛後來到月球，開設了私人保全公司，就像許多退役軍人那樣。亞德里安娜試圖從馬肯齊金屬的胸腔中挖出一根肋骨——成立柯塔氦氣的那陣子，他們過著腥風血雨的日子。搶占礦地、為恢復名譽而決鬥、派系爭鬥，暗中使刀可以更快、更符合經濟效益地解決法律爭端。當時大家緊緊相依，呼吸彼此的空氣。赫特．裴瑞拉擋下許多揮向亞德里安娜．柯塔的刀子，他的忠誠、英勇和榮耀毋須質疑，但那跟現在的狀況是兩碼子事。柯塔氦氣現在以盧卡斯為中心運轉。不過赫特臉上的憎恨跟往事無關，甚至也跟監視蒼蠅無關。他恨自己在奔月派對上的失誤成了牛軛、轡繩，盧卡斯此後可以要求他做任何事。

「赫特，還有……」

「先生請說。」

「別搞砸了。」

乾涸精液形成的群島橫踞在路卡辛侯．柯塔左側臀部的完美凹陷處。他輕輕抬起格里戈里．沃隆佐夫的手，溜出對方的懷抱。他伸伸懶腰，繃緊肌肉，關節劈啪響。這個沃隆佐夫家的男孩很猛，而且需索無度。他連續五次在夢鄉邊境蹣跚前行時感受到的鬍碴戳刺自己的臉頰，還聽到對方輕聲說：嘿，嘿。堅硬的陰莖抵著自己大腿內側，脈動著。

路卡辛侯始終知道格里戈里很哈他，而且是哈得要命——讀書會的阿芙亞這麼說過。當時他們在玩女孩子的交心遊戲，沒人告訴你規則，但要是打破規則就會受到嚴厲懲罰的那種。可惜他並不是完美的性愛對象。他可以連續幹活好幾個小時。誰會知道每週專題討論會坐他對面的人，內心蘊含著此等熱情？這是他跟男孩子享受過的，最棒、最驚人、最了不起的性愛，但他現在不想再吃了對吧？不想了。

路卡辛侯．柯塔領受了這麼多，該回報什麼呢？蛋糕。他爸凍結了他的帳戶，所以他給得起的東西很少了。格里戈里打呼期間，他搜找冰箱。幾乎就跟艾芮兒的冰箱一樣空，不過要烤個一爐無麵粉布朗尼還不成問題，兩爐也可以。路卡辛侯在打下一張床的主意，他無法在這裡待第二晚。無福消受。他加了一點格里戈里存放的四氫大麻醇到麵糰裡。他們昨晚一起抽它，臥倒在沙發上，四肢交疊，交換煙霧與吻。他又回頭瞥了一眼床上躺成大字、宛如星星的格里戈里。他的毛髮好濃密。大家都愛說沃隆佐夫一族的閒話，說他們毛多又怪，受太空所害。路卡辛侯聽過那些傳說：沃隆佐夫家元老是瓦列里，曾投資中亞私人火箭發射中心的獨裁者。天知道中亞到底在哪。他們建造了太空軌道纜索、不斷在月球與地球之間畫8字的兩艘地月循環軌道太空船、彈道運輸系統、鐵路系統。太空改變了他們的生理結構。他們生來就很奇妙，無重力狀態中誕生的，古怪、細長的活物。大家已經好幾年沒見過循環軌道太空船的船員了，他們從來不下船。他們就像裝飾用的蝴蝶標本，碰上重力就會粉碎。不過最怪的還是瓦列里本人，他還活著，變成了一頭巨大的怪物，膨脹的身軀占據了一艘循環太空船的中心。他到底是在「聖彼得與保羅號」還是「亞歷山大涅夫斯基號」內呢？傳言並無共識。由此可見這是事實，編出來的故事總是有太多確切的細節。

路卡辛侯的手在炊具控制面板上一揮，玻璃變透明了，他湊近去看布朗尼，然後焦慮地望一眼格里戈里。那野獸可不能現在醒來，還要幾分鐘。之後還得拿出來放涼。路卡辛侯的肌膚還沒感受到格里戈里的毛髮與肌肉觸感，就先感受到他的影子了。

「嘿。」

「嘿。」

「你在做什麼？」

「烤蛋糕。」

「烤啥？」

「布朗尼。這可棒了，裡面有肉末洋芋泥。」

「你總是這樣烤東西嗎？」

「怎樣烤？」

「沒穿衣服。」

「我跟蛋糕的連結會更強烈。」

「我認為你這樣很辣。」

路卡辛侯的心盪到谷底了。格里戈里湊過來，緊抵著他，下體開始變硬。這男孩是白色液體凝固成的嗎？路卡辛侯拿起一塊冷卻中的布朗尼，轉身塞到格里戈里雙唇間。

「真棒。」

接著他們又回到了床上。

瑪莉娜現在有陽台了。小小的，但頗有成癮性。日復一日結束累到骨子裡的小隊訓練，返回家中，新學到的、效忠柯塔氦氣所需的技術總是令她的身體疼痛不堪。這時她就會前往陽台。

柯塔氦氣指派給她的公寓位於聖塔芭芭拉方樓西二十三樓，因此陽台到地面街道的距離不如上城區到加格林大道那麼高，不過它是外推式的。暈眩吸引著她，還有聲響。神之若望的街道行人都說葡萄牙語，氣氛跟梅利迪安相當不同。喊叫與招呼，青少年渴望引人注意的呼聲，康達科娃大道上騎著大輪胎三輪車的幼童發出喧鬧。各種不同的人聲。機車馬達的隆隆聲，電梯、電扶梯、移動走道、空氣輸送機，各種不同噪音。天際線的光比梅利迪安更亮、更黃。霓虹燈簇擁著老巴西的藍、綠、金色。所有店名、字句都是葡萄牙文。神之若望很特別，刺激，也是座小巧的都市，八萬人居住在三座方樓中，彼此鄰近的方樓之間有八小時的時差：早晨、午後、夜晚。就許多方面來看，神之若望都是個老派的都市，是從穿過豐饒海表層的熔岩管內鑿出來的。聖塔芭芭拉方樓的直徑是三百公尺，瑪莉娜覺得有些擁擠。屋頂顯得又低又沉重，使她的幽閉空間恐懼症稍微發作。不過這裡的天空不夠寬敞，不見飛天人的蹤影，她謝天謝地。她痛恨那些健壯、自大的飛行員。

「O bloqueio de ar não é completamente despressurizado」，她說，意思是「氣閥尚未完成減壓」。她開始會試著在公寓附近講葡萄牙文，還調整了副靈海蒂的設定，現在她不會對地語產生反應。

Daqui a pouco sair para a superfície da lua，海蒂回應，Seu sotaque é péssimo，意思是「很快就要前往月球表面了。妳的口音很糟」。她的副靈不只比她精通葡萄牙文，說起話來還有完美的柯塔氦氣口音。

海蒂打斷了她的課程。

Carlinhos Crota está na porta，她說，意思是「卡林侯．柯塔在門口」。

頭髮很好，臉很好，順順衣服，檢查牙齒，把沒整裡的床鋪收回牆內。二十秒內，瑪莉娜就做好見主管的準備了。

「喔。」

卡林侯穿著一條短褲、內套鞋，手肘、手腕、膝蓋、腳踝纏著彩色的繐帶。就這樣。他用葡萄牙文打招呼，瑪莉娜幾乎沒把那些話聽進去。他是一片美景，散發出蜂蜜和椰子油的氣味。美妙，也令人膽怯。

「穿好衣服，」他用地語說：「妳要跟我外出一趟。」

「我穿好了。」

「不，妳還沒。」

Senhor Corta está acessando a sua impressora，海蒂說，意思是「柯塔先生與妳的3D列印機連線了」。列印機印出一條短褲（很短）、一件運動內衣（布料很少）和內套鞋。他的指示很顯而易見。

瑪莉娜進廁所更衣，努力將運動內衣往下拉，將褲子往上拉。她覺得自己比裸體還赤裸。她的主管在她房間內，但她不知道他此刻在做什麼，來這裡有什麼目的，也不知道他或它的真面目。

「給妳。」卡林侯從列印機撈起一把綠色的繐帶。「綠色是我的奧里莎——奧貢的顏色。」他示範將繐帶綁到關節的方式，告訴她要讓它垂多長。內套鞋彷彿吸吮著她的腳趾。「妳會跑步對吧？」

瑪莉娜跟著他走下樓層梯。樓梯窄、梯級淺，很難慢跑。路人貼上牆壁，點頭向他們打招呼。她和卡林侯肩並肩跑在三樓，路徑跟中央大道平行，但高度比那裡高了三樓。腳踏車與機車呼嘯而過，瑪莉娜聞到烤玉米、熱油、炸蔬菜球的氣味。從天然岩石上鑿出的五人座酒吧傳出音樂節奏，天際線逐漸黯淡，轉變為紅色、紫色。卡林侯左轉跑進一條橫向聯絡通道，人造燈光打到瑪莉娜身上，她似乎聽到前方T字路口通往的主要隧道那裡傳來吟誦聲，接著看到一群跑者的身影從隧道口前閃過，他們的副靈像是一團飄浮的唱詩班。赤裸的肌膚上有油、汗水、人體彩繪顏料的反光，綁在手肘、膝蓋、手腕、喉嚨的流蘇和繐帶隨風飄揚。唱歌，他們在唱歌。瑪莉娜驚訝到差點停下腳步。

「來吧，我們趕上。」卡林侯說，並將他每跨一步的距離增加半公尺，瑪莉娜在他身後飛奔。她不是跑者，但仍有地球人的肌肉結構，因此輕輕鬆鬆就趕上了他。卡林侯轉進一條岔路當中，那是寬敞的工作人員通道，微微右彎。瑪莉娜對神之若望的這一帶很不熟。那群跑者就在前方了，大家跑得很近，主群體就在這裡。在月球的重力環境下，他們直衝、猛撲的模樣像是瞪羚。所有動作聚合成翻騰的浪潮。除了吟唱之外，瑪莉娜還聽到鼓聲、口哨聲、指鈸的鏗鏘聲。卡林侯趕上跑者群的尾端了，瑪莉娜落後他兩步。跑者退開讓他們加入，瑪莉娜輕易就跟上了他們的步調。

「再加速。」卡林侯呼喚，並往前衝。瑪莉娜加速跟著他一起進入跑者群的中央地帶，節拍吞噬了她，他們的心跳節奏、腳步節奏與她的合一。吟唱聲召喚她加入。她聽不懂半個字，但還是想跟他們一起吟唱。她感覺到自我的擴張，她的五感、個人空間和其他的人疊合在一起，但在此同時也精神煥發地意識到自身肉體的存在。肺部、神經、骨骼、大腦是一個整體。她毫不費力、完美地移動著，所有感官都發出最高音。她聽著自己膝蓋和腳跟的鼓擊，聞著卡林侯肌膚的汗味，流蘇對她肌膚的撩撥充滿情色感。她可以區辨每一顆懸浮在空中的灰塵微粒。她認得隊伍前頭某人肩膀上的刺青。彷彿受到她目光碰觸似的，與她同訓練小隊的薩迪亞轉過頭來，向她使了個眼色。未經稀釋的一波喜悅沖刷她全身上下。

那些語言，她現在明白意思了。是葡萄牙語，她還不完全理解的語言，而且還是她不懂的方言。不過那些話語的意義很明晰：**聖喬治，鐵王吾夫，聖人英勇揮擊。聖喬治有水，但以血沐浴。聖喬治有兩把短彎刀，一把斬草，一把留記號。他披火袍，穿血衣。他有三棟房舍，豪宅，富宅，戰屋。**她的喉嚨和嘴唇都沾了那些字句，她不知道它們是從哪冒出來的。

「瑪莉娜，再加速。」卡林侯第三度說，然後和她一起穿過擁擠的肉體和副靈，來到隊伍前頭。瑪莉娜前方什麼也沒有，隧道朝無盡遠方彎曲，清涼的空氣在她皮膚上打旋。她可以這樣永遠奔跑下去。身與心，靈魂和知覺合而為一，變得比其構成元素還要浩大、可感。

「瑪莉娜。」那聲音已經呼喚她一段時間了：「退下來。」他們脫離最前方位置，任由隊伍從身旁超前。「右轉。」

離開跑者、前往十字隧道帶來肉體上的痛苦，不過心靈上的痛苦更是排山倒海。瑪莉娜停下腳步，雙手撐在大腿上，低頭，發出失落的咆哮。人聲、鼓聲、跑者的合鳴消失在遠方，她感覺像是被逐出了精靈棲息地。不過隨著心跳一拍一拍落下，她漸漸想起自己的身分，也想起了他的身分。

「抱歉，喔，天啊。」

「妳最好繼續動一下，不然關節會鎖死。」

在她的哄騙下，身體開始了痛苦的慢跑。十字隧道通往第三聖塔芭芭拉方樓，天際線是黑的，街燈之光在低處積成的水窪以及上萬道窗戶透出的光線使方樓發亮。瑪莉娜開始感覺冷了。

「我跑了……」

「整整兩圈，十六公里。」

「我沒注意到……」

「妳不會注意到的，這就是重點。」

「這些人跑了多久……」

「沒人知道，我出生以來他們就一直都在了。永不停歇就是重點所在，有些跑者加入，有些脫隊。我們會繞著聖人像跑，這就是我的教堂。我可以在這裡獲得療癒，可以從世界上消失一段時間，可以不用再當卡林侯．柯塔。」

如今，那十六公里路的消耗朝瑪莉娜的大小腿使了一記回馬槍。她只在接受登月前訓練時不情不願地練過一陣子跑步，但這次經驗完全不同。她靈魂的一部分將永遠留在那裡，奔跑於永恆的讚美之輪中。她等不及要回去了。

「謝謝你。」她說，其他話語只會剝奪此刻的光彩。「那我們現在要做什麼？」

「現在，」卡林侯．柯塔說：「我們要去淋浴。」

安妮麗絲．馬肯齊走下臥房的螺旋梯，就迎面撞上了蒼蠅的內部。那是擴大、強化、加註版的爆裂軀幹影像，翅膀摺疊成螺旋葉片，眼睛裂解成複眼鏡片，腳、肉漿、口器、奈米晶片，蛋白質處理器在她頭部周圍迴旋。華格納坐在中央，背對她，裸體——他集中精神時就愛這樣。他召喚、忽略、放大、交疊他們共享視野中的畫面。耀眼，炫目，此時是凌晨四點半。

「安妮。」

她不認為自己發出了任何聲響，但華格納還是從公寓背景的嘶嘶、嗡嗡、嘎吱聲中辨識出她。最初的徵兆是知覺敏銳度提升，心神不寧，無窮的精力。他的失眠來到了新境界。

「華格納，這是……」

「看看這個。」

華格納倚向椅背，手環上安妮麗絲的臀部，另一隻手轉動著房間四周的肢解蒼蠅之影像。

「這是什麼？」安妮麗絲問。

試圖刺殺我兄弟的蒼蠅。」

「我要在你妄下定論前說一聲：不是我幹的，也不是我族人幹的。」

「喔，我很確定。」華格納伸手從爆開的蒼蠅內挑出一團蛋白質迴路，抹去其他部分。「看到了嗎？」他手一扭，影像放大到充斥整個房間。那像是蛋白質形成的腦部皺褶。

「你知道我完全不懂這些。」安妮麗絲研究習俗後設邏輯學，在古波斯室內樂團中演奏西塔琴。

「赫特．裴瑞拉不知道該從哪看出端倪，甚至連研發單位的人都不曉得。我花了一段時間才找到，不過看到它的瞬間就知道是它了。我炸開它，答對了，我是說，它的分子上寫滿解答，感覺就像標籤上寫滿潦草字句，只是你得知道找出標籤的門路，也得知道讀取的方式。」

「華格納。」

「我說話很快嗎？」

「對，很快，我想又開始了。」

「不可能，太早了。」

「來得越來越快了。」

「不可能！」華格納爆出一句：「它就像遵照時鐘運行，日升日落，不可能改變。這就是天文學。」

「華格納……」

「抱歉，抱歉。」他親吻她腹部的凹陷處，感覺得到她蜂蜜色肌膚下方的肌肉繃緊了。他好愛這個，因為它無關科技、程式、數學，只關乎物理學與化學。不過他也感覺得到自己的變化，它就像地平線下的太陽。他原本以為是自己的迷戀、奉獻心驅動著他的心情，但他後來發現是自己的變化影響著他的迷戀。地球滿盈時，它可以連續工作好幾天，燃燒靈魂。「我得去梅利迪安一趟。」

他感覺到安妮麗絲逐漸退遠。

「你知道我討厭你去那裡。」

「製造這個處理器的女人在那裡。」

「你過去從來不用找藉口。」

他再度用力親吻她的肚子，而她的手滑到後腦勺，手指交織於頭髮之間。她聞起來像香草，像加過柔軟精的床單。華格納深呼吸，然後抽身。

「我還有一些工作要做。」

「去睡吧，華格納。」安妮麗絲說。

「我等等會上去。」

「你不會的。答應我，一直待在這裡，不要到早上就消失了。」

「好。」

「你沒向我保證。」

安妮麗絲離開後，華格納張開雙手，再緩慢扣上，刺殺蠅爆裂開的所有組件便聚攏在一塊。他令所有組件悠然繞行自己，尋找透露製造者身分的蛛絲馬跡，但他已無法集中精神。在他的聽覺……他所有知覺的邊緣，迴盪著寧靜海另一頭傳來的夥伴的呼喚。

艾芮兒．柯塔為出席白兔閣準備的衣服是復刻版的一九五五年巧克力色迪奧上衣，附香蒂莉蕾絲蓋肩袖，深V，有褶邊。搭配小圓帽加棕色絲質玫瑰，長度及前臂一半的手套，再加上包包和鞋子就齊全了。配件彼此搭配，但沒有中規中矩到令人生厭，專業但不呆板。接待人員帶艾芮兒上樓前往會議中心。旅館高雅，服務周到，但稱不上是梅利迪安最昂貴或最豪華的旅館。艾芮兒遵照指示，在電梯內關掉副靈碧賈浮。當你爬到政治和社會階層的某個高度時，常保連線就會非常不利。長井理惠子在大廳內向艾芮兒打招呼，那裡還有其他顧問正在套交情，喝喝茶，拿托盤上的甜豆沙包吃。總共有十四名成員，包括即將離職者。許多人穿著華美的洋裝，裸露肩膀。艾芮兒感覺他們彷彿是准許她加入一個祕密又邪惡的性愛派對，不端莊又有點可恥。

理惠子為她介紹其他成員。嘉悅．陽，太陽企業的發展部部長；史蒂芬妮．梅爾．羅布斯，來自南后的教育學家；莫妮克．杜賈丹教授，來自遠端大學的天文物理學系；道．蘇．赫拉，她家族和阿沙默家通婚，同時有商業合作關係，是彼此的盟友；科托科的亞塔．阿芙亞．阿沙默，她一直很想管好那隻活潑過了頭的寵物貓鼬；穿著時尚的廚師馬林．歐姆史泰，艾芮兒忽視他的風采，而他說：**每個人都這樣對他**。他已經在白兔閣內待四年。VTO的彼得．沃隆佐夫；馬列納．列斯尼克，來自最大規模的醫療保險公司薩那非爾人壽。穆罕默德．泰耶伯酋長，南后中央清真寺的宗教法律闡釋官，學者兼法律學家，讓他成名的裁示是：正在適應月球生活的伊斯蘭教徒可省去每年一次的麥加朝聖。即將離職的奈爾斯．哈納罕，以及接替他的詩人V．P．辛。六女，五男，一個中性人，全都很成功、專業、富裕。

「我是維迪亞．拉歐。」一位上了年紀的矮小中性人和艾芮兒握手，活力十足。「很高興見到妳，柯塔小姐。你們家的人早該進入白兔閣，這事拖太久了。」

「我才榮幸呢。」艾芮兒說，不過她已經在掃視房間、尋找社交優勢了，聰明得像貓鼬。

「太久了。」維迪亞．拉歐又說了一次。「我原本是遠端月面的數學博士，只是過去十年都在懷塔克里．戈達德工作。」

艾芮兒的注意力飄回中性人身上。

「拉歐遠期合約。」

維迪亞．拉歐開心地拍拍手。

「謝謝妳的關注，這是我的榮幸。」

「我一直知道拉歐遠期合約的存在，但並沒有真正搞懂它。我哥定期會買進。」

「我還以為盧卡斯．柯塔算盤打得很精，不會把錢賭在遠期合約上。」

「你沒說錯，出手的人是拉法。盧卡斯只准他投自己的錢下去，立場堅定。」拉法向盧卡斯解釋過拉歐遠期合約好幾次——太多次了。那是金融商品，期貨合約的變體，靠地球、月亮間的一點二六秒通訊延遲來獲利。不管是什麼樣的訊號，在光速傳輸下還是得花那麼長的時間穿越三十八萬四千公里的距離。長到足以讓地、月之間存在價差空間，靠價差賺錢的投資客有利可圖。拉歐遠期合約是以預定價格買進或賣出的短期合約，交易透過月球交易所進行。如果月球價格跌，你就獲利；月球價格漲，你就賠錢。就跟所有期貨交易一樣，拉歐遠期合約基本上是個猜謎遊戲，但算是好的那種，裁決者是光速的鐵律。艾芮兒．柯塔只理解到這部分，再過去就是巫毒的領域了。電子市場上的人工智慧以毫秒為單位進行交易，對它們來說，一點二六秒就像是億萬年。高達數十億元的遠期合約、數以萬億計的現金在地月之間流通。艾芮兒聽說沃隆佐夫家考慮在地月之間的第一拉格朗日點打造自動交易平台，創立次級的期貨市場。通訊延遲為零點七五秒。「盧卡斯認為人不該投資自己不完全了解的東西。」

「盧卡斯．柯塔是個聰明人。」維迪亞．拉歐微笑著說。會議中心的門開了，裡頭擺放著矮桌、座深極深的人工培養皮革沙發，有品味的畫作。

「大家是不是該開始移動腳步了？」

「我們不等月之鷹嗎？」艾芮兒問。

「喔，今天這場會議沒邀他。」維迪亞．拉歐說：「馬林是會議聯絡人。」並朝名廚點點頭。

「只是一次非正式的會議。」理惠子法官在門邊說。艾芮兒跟隨維迪亞．拉歐走入房間時，理惠子和奈爾斯．哈納罕仍待在外頭。接著旅館工作人員關上門，白兔閣會議開始了。

「嘿。」

卡喬．阿沙默面壁躺著，醫療機器人在他四周飛掠、衝刺。他一聽到路卡辛侯的聲音便翻身，驚訝地坐起來。

「嘿！」他手一揮，驅走那些醫療機器人，接著和路卡辛侯窩到房間角落，以防電子訊號帶來什麼麻煩。路卡辛侯如今成了「網外小子」，要進入醫療中心並非易事，不過格里戈里·沃隆佐夫幫他搞定了。他始終是研討班上最懂程式的一員。

「你穿這是什麼？」

路卡辛侯炫耀他的內襯衣。艾芮兒列印給他的衣服是頂級品牌商品，流行款式，但他試穿了一次後就塞進背包裡了。他現在喜歡自己穿內襯衣的模樣，它讓他化身為精瘦的叛亂分子，群眾的目光焦點。從行人身旁晃過去，就可以勾走他們的視線。這感覺很棒，搞不好能引領風潮。

他親吻卡喬的嘴唇，展現男孩的率直。

「還好嗎？」

「無聊、無聊、無聊死了。」

「但你身體還好吧？」

卡喬往後靠，雙手收到頭後方。

「還是咳得很嚴重，一小塊肺都快咳出來似的，不過至少我的屁股可以直接碰到床板了。」他抬起左腳，上頭覆蓋著地表活動衣靴似的腳套，有管線連接它以及床的底座。「他們要培養一根新的腳趾給我，列印了骨頭和幹細胞。大概再一個月就會好了。」

「我帶了一樣東西給你。」

路卡辛侯從包包中拿出密封包，打開。醫療機器人的偵測器感應到巧克力、糖、四氫大麻酚，急忙飄過來。卡喬以手肘撐起上半身，接下布朗尼嗅聞。

「裡面有什麼？」

「樂子。」

「聽說你跟格里戈里．沃隆佐夫最近就找了樂子。」

「你聽誰說的？」

「阿芙亞。」

「這次她說對了。」

卡喬坐起身，表情困惑。

「金吉呢？」

「我沒配戴它。」

沒配戴副靈感覺就像沒穿衣服，或少了一層皮膚。

「阿芙亞還說你逃家了，你爸切斷金援。」

「這也說對了。」

「哇。」卡喬仔細打量路卡辛侯，彷彿在尋找原罪，或他身上的寄生蟲。「那個，你能呼吸對吧？」

「他永遠不會做得那麼絕，奶奶會恨他一輩子。她愛我。水也沒問題，不過他凍結了我的碳和網路傳輸帳號。」

「錢怎麼辦？」

路卡辛侯把鈔票當扇子似地攤開。

「我有個好利用的姑姑。」

「我從來沒看過這個，可以聞聞看嗎？」卡喬把鈔票拿到鼻子下方撥一撥，打了個冷顫。「剛想到有很多手摸過這些。」

路卡辛侯坐到床上。「卡喬，你還得在這裡待多久？」

「你要做什麼？」

「我只是想，如果你沒要住你的房間……」

「你要住我房間？」

「我救了你一命。」路卡辛侯立刻後悔打出王牌。這招是無敵的，太低級了。

「你是為了這個來的嗎？就只是想躲到我住的地方？」

「不，才不是……」路卡辛侯說到一半打住了，不管說什麼都不會有說服力。他遞一塊布朗尼給對方：「這些是為你做的，真的。」

「在腳趾長回來之前，我不該吃任何零食。」卡喬說，並接下一個布朗尼，咬了一口。態度軟化了。「喔，天啊，這真是太棒了。」他把布朗尼吃完。「你真的很會做蛋糕。」半秒後，卡喬．阿沙默說：「你可以住我公寓五天。我已經修改好門鎖設定了，偵測到你的虹膜就會開。」

路卡辛侯翻上床，寵物雪貂般縮到他腳邊，自己也吃了一塊布朗尼。醫療機器人發出嗡嗡聲，一擁而上，偵測到病患的意識越來越飄忽。兩個青少年就在津津有味的咀嚼和咯咯笑聲中度過甜蜜時光。

高聳的雙開門開啟了，會議成員從沙發上起身，紛紛離去，對話與對話相扣。白兔閣會議結束了。

「好啦，柯塔小姐。初嘗月球政治的感想是什麼？」銀行員維迪亞．拉歐溜到艾芮兒身邊。

「意外地陳腐。」

「把注意力放在陳腐的事務上，我們才有辦法活下來。」維迪亞．拉歐說。耐不住性子的廚師馬林．歐姆史泰趕向電梯，啟動副靈，準備安排時間向強納森．阿猶德報告會議內容。「當然了，政治不是非這麼陳腐不可。」他碰了一下艾芮兒的手臂，邀請她留步，共謀。「顧問團內也是有小顧問團的。」

「我才剛到達現在這位置，屁股還沒坐熱呢。」艾芮兒說。

「提名妳並沒有受到所有人歡迎。」銀行員說，並點頭示意艾芮兒和自己一起坐下。人工培養皮革的觸感總是令艾芮兒發毛，她忘不了它的由來：人類肌膚。

「要是說出反對者的名字就不太好了。」艾芮兒暗示。

「當然了，有些成員為任命妳一事起了激烈爭執，我也是其中一員。我對妳很感興趣，追蹤妳的工作表現好一陣子了。妳是優秀非凡的年輕女子，閃耀的未來等著妳。」

「我愛慕虛榮，自然不會臉紅。」艾芮兒說：「我也希望能有那樣的未來。」

「喔，親愛的，我們不是在討論盼望。」維迪亞．拉歐說，目光炯炯有神。「這是根據高準確度預測模型推算出來的。拉歐遠期合約只是我最微不足道的成就。所有投資銀行最渴望擁有的，是預測未來的能力。預測哪個價格會維持長久，哪個價格短期內就會有變化，這會給我們強大的優勢。」

「你剛說『我們』。」

「我確實說了，對吧？過去七年來，我一直在研發可模擬市場運作的演算法。實質上，我等於是利用量子電腦創造了一個影子市場，透過它就能有憑有據地預測真實市場的表現。準確度非常驚人，但我們後來發現其實用性比我們想的還低──根據那些情報行動，就等於是自掀底牌，接著市場就會採取反制行動，破壞懷塔克里．戈達德原本可享有的優勢。」

「巫毒經濟學，」艾芮兒說：「黑魔法。」她猛甩手，喀，電子菸完全伸長、扣緊了。點火，吸菸，呼出繚繞的霧氣。

「我們後來發現了更實用的應用方式。」維迪亞．拉歐說，並往前湊，逼艾芮兒和自己四目相交。「預言。當然了，那是宗教的故弄玄虛。我指的是：讓精密電腦演算模型推導出高度符合經驗法則的推論，我們再根據那些推論進行預測。月球經濟與社會的模型。我們有三套獨立的系統，分別跑自己的模型。太陽企業打造了三個量子大型電腦，而我研發了演算法。我們稱它們為三皇：伏羲、神農氏、黃帝。三者很少有一致的預測，得從它們的推算結果找出模式才行。不過它們把握十足地發表了針對某人的一致性預測，那人就是妳。」

艾芮兒表面上的舉止看起來冷靜又優雅，臉上掛著出庭時的表情，但她其實感覺到一股冰冷的電流從心臟竄向她的大腦底部。

「我不確定被量子電腦密謀選為救世主該不該開心。」

「那完全不帶偏見。我們當然會建立五龍的模型，在那當中，妳是經濟、政治社會的重要形塑者，以柯塔家要員之姿嶄露頭角。不是要員之一，而是最重要的角色。」

「拉法是副會長。」

「而盧卡斯是王座後方的掌權者，妳知道他打算接管公司。他們都很有才華，但太容易預測了。」

「而你們預測到我的不可預測性。」艾芮兒又朝空中呼出煙霧，表現出悠哉的酷樣。實際上懷著激昂的戒心。

「三皇的意見完全一致，這是前所未有的狀況。我要老實告訴妳，艾芮兒，我們想在妳的潛力上押注。」

「你不是在談懷塔克里．戈達德。」

「我是在談一項行動，一個鬼魂，一門哲學，一種歧異。」

「如果你搬出正義對抗邪惡那套，我們就不用再談了。」不過那矮小中性人那番話其實令她非常在意，好奇心總是與虛榮共謀。

「令堂打造了月球。」理惠子法官說。艾芮兒並沒有發現她重新回到大廳。「但月球開發法人和五龍留下的政治遺產，基本上就是封建制度。豪門與君主政體，分配封地與施恩，壟斷水、氧氣、碳排放的配額，家臣與奴隸都受贊助企業的契約約束。這就像是幕府時期的日本或中世紀法國。」

理惠子坐到維迪亞．拉歐身旁，艾芮兒開始覺得自己變成了一面標靶。

「三皇都認為這模式無法維繫。」維迪亞．拉歐說：「五龍已登上各自的權力顛峰──上一季的衍生性商品收益超過了五龍各自的第三季收益。懷塔克里．戈達德這類的金融實體正在崛起。」

艾芮兒緊盯著維迪亞．拉歐的雙眼，直到這銀行員別開視線。展現柯塔式的傲慢。

「德國漢堡的女人連接車輛和街上的充電座，迦納阿克拉的女孩透過學校的觸控板幫副靈晶片充電，胡志明市的男孩操作他的ＤＪ設備，洛杉磯的男人坐上開往舊金山的高鐵。他們的插頭都接向柯塔氦氣。」

「真是辯才無礙啊，柯塔小姐。」

「我說葡萄牙語更是咄咄逼人。」

「肯定是。不過事實還是不會改變，未來將是金融的天下。我們是一個資源貧瘠、能源富足的經濟體，經濟的未來顯然要仰賴無重量的數位商品。」

「無重量的商品落在肩膀上時可是異常沉重啊，還是說你們沒從五崩盤學到教訓？」

「三皇……」

「我們是一個獨立的運動組織。」長井理惠子插嘴。

「你們當然是了。」艾芮兒・柯塔露出貓般的微笑，慢慢吸了一口發光的電子菸。

「我們有自己的結社，月人社。」

「繼續說。」

「語言比刀刃還要強。」

「而你們要我加入。」

「月人社從五龍和社會各階層吸收成員。」

「我們比白兔閣還要民主。」維迪亞・拉歐說。

「我是柯塔家的人，我們不玩民主那套。」

維迪亞・拉歐垮下臉來，無法掩飾自己內心的厭惡。長井理惠子微笑。

「你們想邀請我加入你們的結社。」艾芮兒說。

維迪亞・拉歐往椅背一靠，真心為她的發言感到意外。

「親愛的柯塔小姐，我們並不打算邀請妳，是想要**買下**妳。」

路卡辛侯有床躺，錢包裡也有錢，現在腦袋切換到派對模式了。柯塔家的男孩要找到派對混並不困難。他跟著一串朋友的朋友前往曉婷・陽位於水瓶座中央區三十樓的公寓。他人還未到，風聲就在這裡傳開了。**你背著你爸溜走？我是說，你沒網路、沒碳點數、沒比西幣？你睡哪？**

卡喬・阿沙默家，他正在醫院培養新腳趾。**畢竟我救了他一命。**接著大家就會開門見山地拋出下一個問題：**你穿這到底是什麼玩意兒？**

曉婷．陽請了新的藥物DJ班雅娜．雷米勒，她列印並混合客製化的亢奮感、情緒、愛意，調入一大堆電子菸的菸油當中。路卡辛侯在會場穿梭遊蕩，容光煥發地撐起那件粉紅色緊身衣，吸入他人的心領神會、宗教式的敬畏——這比任何性愛都還要令人愉悅，是狂喜，是金黃的薩烏達德式哀愁。二十分鐘後，他深深愛上了一個矮小、寬臀、真的很含苞待放的女孩。她是天使、女神、愛情聖女，他願意每天坐下來盯著她看，光是坐著看。接著化學物質的效用消散了，他們坐在那裡大眼瞪小眼。他又倒了一些菸油到電子菸內。夜晚將近時，有個男孩和女孩拿麥克筆在他的內襯衣上畫出他們幻覺中的生物。

沒人和他一起回卡喬的住處。

派對的隔夜，獵戶座方樓出現了兩個穿內襯衣的女孩，一件是螢光綠，另一件是反光橘。就在他端詳兩人，想判斷她們當中是不是有人去過陽的派對時，一個頂著金髮泡泡頭的白人女孩出現在他面前，並問：**我可以看看你的錢嗎？**

他街頭魔術師似地亮出鈔票，攤成扇形。

這就是比西？

五張十元，二十張五十元，一張一百元。

人群聚集在他四周，鈔票被一雙雙手傳來傳去，感受其紋理和皺褶。

我要是直接拿走會怎樣？

我要是把它撕成兩半會怎樣？

我要是放把火燒了它會怎樣？

錢就死了，路卡辛侯說，**這玩意兒沒有保險**。

有個男孩拿了一張五元比西鈔票，然後拿鉛筆在上頭塗鴉。他是集中精神時，舌頭就會吐出一丁點的那種小鬼。他並不習慣寫字。

那這樣呢？

他把五改成了五百萬。

不會有什麼改變，路卡辛侯說。男孩還留下了另一段訊息，寫在紙鈔邊緣，潦草到路卡辛侯幾乎無法辨識。那是天蠍座α星方樓的一個地點，還有時間。

天蠍座α星方樓和獵戶座方樓之間有八小時的時差，因此路卡辛侯剩下的時間只剛好夠他把內襯衣塞入洗衣機、小睡片刻、沖澡、用現金叫碳水化合物外送，之後他就抵達了西九七的頂樓，置身於日落後的黑暗中，騎著夜光自行車的車手從他身旁呼嘯而過。有些電梯、電扶梯不收皺過頭的現金，他就得爬長長一段路。他人在下坡區，都市自行車賽的賽道繞行五公里險峻的都市建築，蜿蜒於坡道和樓梯間。自行車躍向駭人的高處，降落在狹窄的巷道內，前進再前進，奔馳於黑暗中，接受夜視鏡、以噴漆噴在牆上的夜光箭頭、天蠍座α星西區街燈的嚮導，車手吹哨警告行人與夜間的遊蕩者。一隻女孩的手將路卡辛侯拖入一道門內，同一時刻，哨音憑空竄出，兩輛腳踏車呼嘯而過，在他的視網膜留下螢光殘影。

喔，我的天啊，是你嗎？

是我，路卡辛侯說。他已經變成名人了。賽道最高處聚集了一些攤販，他向其中一攤買了洋蔥扁豆飯給她吃，但這不是因為她餓了，而是因為她想看他用錢。

你得自己在腦中把數字加起來？

並不難。

他們一起看著光奔流於巷弄內，翻上屋頂又降到走道上。蹲向擴建區塊、繞過轉角的過程中，光也在他們的視野間進進出出。遙遠下方的布達林大道上，小小的螢光螺旋繞行著彼此——是終點線上的自行車。抵達終點的快慢不重要，贏家是誰不重要，甚至比賽本身都不重要，重要的是奇觀，膽識，悖離常軌，是美好之物從天而降，落入安全、陳腐的月球生活之中。

今晚，穿內襯衣的人又增加了許多，其中兩人拿下坡人塗腳踏車用的螢光漆裝飾彼此。路卡辛侯的存在算是為下坡增添了不少風采。兩名女孩穿過人群，來到路卡辛侯身邊。她們打扮得像十九世紀歐洲男性：燕尾服，翼領，單片眼鏡。貼額鬈髮，殺氣十足的妝，戴手套的手持著枴杖。副靈是小龍，一綠一紅。其中一人輕聲對路卡辛侯耳邊念出一個時間和地點，他感覺到她的牙齒輕齧自己耳朵上的金屬尖牙。令人欣喜的小痛楚。亞別娜．阿沙默在奔月派對上舔了他的血。

拉了他一把，並和他一起吃洋蔥扁豆飯的女孩叫琵拉。她沒有家人，跟路卡辛侯回到卡喬的公寓後，立刻就在賓客吊床上睡著了。天色還亮著。路卡辛侯睡到當地早晨，然後做了現烤馬芬蛋糕當作道別禮。

剩下的蛋糕就帶到新派對去。新派對的地點位於天蠍座α星方樓，這座城市的早晨側，學術研討大樓內，占用了七個房間。前一晚的兩個女孩迎接他到場，她們仍打扮得像十九世紀的貴族男孩。

喔，烘焙商品，其中一個女孩說。

不過這已經過時了，另一個人說，手指沿著路卡辛侯的內襯衣往上滑，並在他的下巴底部停留片刻。她的嘴唇豐滿，紅豔。**我們得對你動些手腳**。

接下來整晚的時間，她們都在幫路卡辛侯．柯塔打理造型。女孩扒光路卡辛侯時，他咯咯笑個沒完。愛好虛榮的他很享受自己的裸露。

看吧，人不是由行為定義的。

你雙性戀的調調太強了，好不超凡，好普通。

是由你的身分做出定義。

「你是什麼」，不是「你是誰」。

他們在他身上抹胭脂、化妝品，改變他的髮型，在他身上噴了暫時性的刺青，玩弄他的穿孔，不斷幫他更衣、脫衣。各種復古與非復古的衣服，時裝系學生設計的衣服，各種性別傾向與無傾向者穿的衣服。

這就是你。

一九八〇年代的金黃色金屬纖維洋裝，附腰帶，羊腿袖，翹肩。褲襪與紅色高跟鞋。

絕對適合你。

眾人點頭、稱好、柔聲低語。起先路卡辛侯以為自己來到了一個華服派對：迷你裙撐和短裙，與鏡子和鳥籠交纏成的髮型，各種帽子與跟鞋，刷破襪與皮褲，高衩緊身連衣褲和膝蓋護墊。所有人都以上百種手法妝點自己，完全沒有任何差錯。這時他想通了，這是一種次文化：裡頭的成員都代表一種更次級的文化。

有個男孩在包包裡放了一面鏡子，當作本季流行飾品。路卡辛侯端詳鏡中的自己。真是絕美。他不是女孩，也打扮得不像跨性別。他就只是一個穿著洋裝的年輕男子。他的鬈髮後梳，上膠，化為一片珊瑚礁。略施胭脂，他的顴骨就變成了稜角分明的凶器，眼睛帶有謀殺犯的黑暗意志。穿跟鞋移動起來像忍者。他不是女孩，也不完全是個男孩。

我想他還挺喜歡的，高帽、單片眼鏡女說。

我想他知道自己是什麼樣的人了，翼領、枴杖女說。

其中一個女孩逮住他：**嘿，你是路卡辛侯．柯塔，衣服不錯呢，讓我看看現金吧。是說，你想不想去參加一個派對？**

在哪？

她給了一個住址。獨自回到卡喬公寓後，路卡辛侯才意識到地點在忒——阿沙默一族的首都，亞別娜．阿沙默也許會在那裡。他想要的，他真正、真正想要的，始終是那個在他耳朵上穿出尖牙的女孩，就只有她。

「這房間真怪。」音樂家說。

盧卡斯坐在沙發上。房間裡唯一的一件家具是一把椅子，面向沙發擺著。

「這裡的音響效果完美，是為我設計的，不過對你來說也會是生涯中音響效果最棒的地方。」

「我該在哪裡……」

盧卡斯指著房間中央的椅子。

「您的聲音。」音樂家說。

「對。」盧卡斯沉靜、不費力地說，他的字句便充盈了整個房間。他懷疑地球和月球上都沒有音響室可以匹敵這裡，當初是請瑞典聲學工程師飛上來監工的。他愛死它的周全了。聲學奇蹟隱藏在微溝槽牆面的內部、吸音效果十足的黑色地板以及重塑的天花板後方。盧卡斯相信，這音響室是他唯一的罪惡活動據點。音樂家打開琴盒時，他按捺著激動的情緒。這是一項實驗，他從來沒請人進來現場演奏。

「如果你不介意的話，麻煩收起來。」盧卡斯朝地上敞開的琴盒點點頭。「這會干擾波形。」琴盒移走了，音樂家拿起吉他，前傾身體，彈了一個輕柔的和弦。音符柔和又清晰，對盧卡斯來說，它們彷彿在呼吸。

「很棒。」

「你應該要過來這裡聽看看，」盧卡斯說：「不過這樣就沒人彈吉他了。」

音樂家調好音，手放到木頭琴身上。

「你想聽什麼？」

「我要你彈派對上那首歌，我媽的愛曲。」

「〈三月水〉。」

「彈給我聽。」

他的手浮在指板上方，一個和弦配所有字句。這男孩的嗓音不是盧卡斯聽過最強而有力或最細膩的那種，他發出最宜人的低語，彷彿只為自己而唱。不過它撫過整首歌，將對話變成歌手和吉他之間的枕邊談話。嗓音和弦音組成切分音，拍子消失其中，留下對話：和弦和歌詞的對話。盧卡斯的呼吸很淺，所有知覺都與吉他弦完全同調，帶有和諧的活力，共鳴不已，注意力都放在樂手和歌上頭了。薩烏達德式哀愁的靈魂在此，神聖的謎團在此。這房間是他的教堂，他的神殿。他渴求的一切。

音樂家荷西演奏完了，盧卡斯振作精神。

「〈我來自巴伊亞〉？」那是吉貝托．吉爾的老歌，有非常困難的下行和弦行進，以及令人心碎的轉折。荷西點點頭。〈聖喬治之月〉，〈一切將不同以往〉、〈丁香與肉桂〉，全都是他媽從綠色巴西帶來月球的老歌。他童年時代的歌曲，歌詞提到的海灣、山丘、日落他都沒見過，將來也無法親睹。它們是美的種子，強壯而哀傷，落入月亮這座灰色地獄。盧卡斯·柯塔年輕時就發現自己住在地獄中。改造地獄是困難的，甚至光是在地獄中倖存下來都很難。方法只有一個，就是統治它。

盧卡斯感覺到一顆淚珠滾落臉頰。

〈窮盡我生命〉結束了。盧卡斯安靜地坐著，一動也不動，讓心情平復下來。

「謝謝你，」盧卡斯說：「你的演奏非常美。」他一動念，一筆錢就寄送給荷西的副靈了。

「這比我們談好的還多。」

「音樂家會因為收太多錢就找人理論嗎？」

荷西拿琴盒過來，準備收起吉他。盧卡斯看他慎重、滿懷愛意地捧著樂器，擦掉琴弦上的汗水，吹掉指板末端下方的灰塵。他的動作就像將嬰孩放入搖籃。

「這房間對我來說好過頭了。」荷西說。

「這房間是為你存在的。」盧卡斯說：「請你再過來一次，下星期，拜託了。」

「報酬那麼好的話，你吹個口哨我就會過來。」

「別勾引我。」

情愫浮現了，在他閃現的微笑中，在他們迅速交會的視線中。

「遇到欣賞經典音樂的人，感覺很好。」荷西說。

「遇到了解它們的人，感覺很好。」盧卡斯說。荷西拿起琴盒，托基尼奧為他打開音響室門。就連悶住的腳步聲、琴盒的嘎吱響，聽起來都是完美的。

光之箭落在對戰的人影四周。刀廳此刻是豎滿光柱的隧道，陽光明亮，漫著灰塵。兩男子相對，一高一矮，時衝刺、時舞動，虛晃一招與實際追擊交錯，赤腳移動於暗沉的地板上，前一刻受著光，下一秒便隱入影中。美得像芭蕾舞一般。瑞秋・馬肯齊在門邊的小觀賽區欣賞這一幕。羅伯森敏捷又英勇，但他只是一個十一歲的孩子，而哈德利・馬肯齊已經是個男人了。

月球上沒有法律，只有合意與否的問題。而拋射性武器是眾人一致同意禁用的武器。子彈與加壓環境、精密機械水火不容。大家使用的暴力工具是：刀、棍棒、勒繩、微小機械和慢性毒液，也就是阿沙默家愛好的生物刺客。戰爭規模小，而且近在眼前。瑞秋討厭看羅伯森進刀廳，更恨他對戰鬥技巧（哈德利教他的）的熱愛，以及他的進步。她最恨的部分是：這一切都是有必要的。五龍心神不寧地踞守在他們的寶藏之上。哈德利是馬肯齊家的鬥士。流言傳遍整個坩堝上下，說羅伯特・馬肯齊這麼安排，是為了抑制婕德・陽的野心，確保遺產繼承者全都是純正的馬肯齊家人。沒有人比哈德利更適合教羅伯森使刀了，但瑞秋希望兩人之間有其他關係，有更好的情感連結。運動（例如他父親對手球的狂熱）會是更健康、有益身心的選項，而且能發洩羅伯森的精力。

看看他，右手持刀，顯得瘦小但生氣勃勃。作戰褲掛在他苗條的臀部上，薄薄的胸膛起伏著，但長形房間內的一切他都看在眼裡。羅伯森怒斥一聲，朝敵人護膝蹬腳，接著刀一劈，左上走至右下。瞄準眼睛，然後是喉嚨。哈德利閃過他的踢擊，跨入刀刃攻擊範圍的內側，扭他的手臂。羅伯森叫出聲來，刀子脫手，在落地前被哈德利接住。再扭一輪，腳一絆，羅伯森就躺平在地了。哈德利雙手各拿一支刀，重重劈向羅伯森的喉嚨。

「不！」

刀刃停下來了，距離羅伯森的棕色肌膚只有一毫米。哈德利眉間的汗水滴入羅伯森眼中。他咧嘴笑了，可見根本沒聽到瑞秋的慘叫。她遏止不了他。他們兩人眼中只有彼此，其他事物都不存在。暴力的親密性。

「小羅伯，規則是什麼？如果你拿刀……」

「就要靠它殺戮。」

「這次我讓你活下來——就只有這次。你學到的教訓是什麼？」

「絕對不能失去刀子。」

「絕對不能放棄，以其人之道，還治其人之身。」

瑞秋沒聽到鄧肯進門的聲音。她父親已經六十出頭了，但活力和體態都像是四十歲的人。穿著簡單大方的灰色西裝，拘謹，單排釦，剪裁完美無瑕但不俗豔。他的副靈艾斯佩蘭斯是一顆普通的銀球，唯一的裝飾是表面暈開的漣漪。鄧肯．馬肯齊奉行的極簡和樸素中，完全沒有強調他是馬肯齊金屬總裁的成分。因為他舉手投足的氣度已做出宣告。

「他表現好嗎？」鄧肯．馬肯齊問。

「他可以切碎你。」哈德利說。

鄧肯．馬肯齊露出一個刻薄、扭曲的微笑。

「瑞秋，帶他過來。」他說：「我要他見一個人。」

「他先去沖個五分鐘澡。」瑞秋說。

「瑞秋，帶他過來。」鄧肯．馬肯齊複述了一次。羅伯森望向母親，而她點點頭。哈德利舉刀：這是鬥士的行禮。

瑞秋・馬肯齊始終是布萊斯叔叔的眼中釘。羅伯特很駭人，但財務長布萊斯・馬肯齊更是頭怪物。他身形龐大，在月球第二代中也算高，月球重力環境允許他不斷增長一堆又一堆肉。他是一座臃腫的人肉山，顫巍巍地架在異常小巧的雙腳上。不胖，是巨大。挪動身子的方式就跟常見的巨漢如出一轍，輕快又靈巧。

布萊斯・馬肯齊上下打量羅伯森，像在欣賞一座雕像或在對一筆帳目。「這男孩真美。」

年輕的養子端了薄荷茶過來。布萊斯・馬肯齊習慣的手法是這樣的：挑青春期的男孩子來領養，日後再安插他們到公司上班。當中有許多人會迎娶婚配的歐科伴侶進家族，或被迎娶到其他家族去，有些人也會成為父親。布萊斯跟前任愛侶關係密切，也會慷慨地提供支持。從來沒鬧出什麼醜聞，因為他太盡責了。端茶的男孩是目前伺候他的三名愛人之一。兩人的手指在茶杯上方相觸，視線交會，微笑。瑞秋想像他壓在布萊斯身上的模樣。

「羅伯森，來見你的新丈夫。」鄧肯說。瑞秋瞪大眼睛。「熊弘琳。」他是個成年人，體格健壯，約二十九、三十歲。

「你的男孩之一。」瑞秋說。布萊斯柔軟、豐滿的嘴唇噘起，表達反感。

「瑞秋。」鄧肯說。熊聳聳肩，忽視她的汙衊，不過他扭曲的嘴唇顯露出受打擊的情緒。

「尼卡赫婚約在這裡。」布萊斯在桌上攤開列印出來的合約，同一瞬間，合約也寄到了副靈卡門尼那裡。法律相關的次要人工智慧跳了出來，條列合約的重點。

「你在開玩笑。」瑞秋・馬肯齊說。

「這是標準格式，沒有需要擔憂、意外的部分。」布萊斯說。

「你問過羅伯森的性傾向嗎？」瑞秋有話直說。

「這是爸的意思。」鄧肯・馬肯齊說。

「您怎麼說？」瑞秋問父親，心想：剛剛要是沒想像端茶男孩騎在布萊斯裸露的巨大身軀上該有多好。一個想像牽出另一個駭人的幻想場景，她嚇得以雙手掩嘴。

「布萊斯說的沒錯，這是標準格式。」

「我需要一、兩天的時間。」

「怎麼可能？有什麼好考慮的？」布萊斯說。瑞秋毫無權力，羅伯特・馬肯齊的意志統御著坩堝，而她人就在他的權力核心。她沒人可指望。婕德・陽永遠會和丈夫站在同一陣線。熊這人善良也好、殘酷也罷，這段婚姻注定會使羅伯森成為馬肯齊家的人質。

鄧肯取下筆蓋，卡門尼叫出虛擬合約上的數位簽名板。

「布萊斯，我永遠不會原諒你。」

「我記住了，瑞秋。」

只要拿筆迅速、果斷地戳兩下，就能把布萊斯的眼珠子挖出來。但她還是簽名了，卡門尼蓋下數位印。事成了。

「羅伯森，孩子，去你新丈夫那裡吧。」鄧肯說。

熊站著，攤開雙手歡迎他。瑞秋蹲下，將羅伯森擁入懷中。

「我愛你，小羅伯，我永遠愛你。我絕對不會讓你受傷害，相信我。」

她牽著孩子走向房間另一頭。走三步，就天地變色了：把兒子交給他丈夫。瑞秋湊近熊，對他耳語，聲音大到所有人都聽得見。

「你要是傷害他，要是碰他一下，我就會殺了你，以及你這一生所有愛過的人。明白了吧？」瑞秋對熊說，但眼睛盯著布萊斯。布萊斯潮溼、豐厚的嘴唇再度透露不悅。

「馬肯齊女士，我會照顧他的。」

他的手搭上羅伯森肩膀。瑞秋好想折斷他所有手指，一次折一根。實際上她只拍掉他的手。

「我警告過你了。」

有人觸碰她的手，是她父親。

「跟我來，瑞秋。」

辦公室門開了，兩名鄧肯的保全進入房間。

「爸，你以為我會做什麼？」

「跟我來，瑞秋。」

瑞秋．馬肯齊親吻她兒子，接著別過頭去。動作非常快，不讓任何人看到她臉上的表情。她永遠、永遠不會再讓她叔叔、父親、祖父看見他們在她心扉上遺留的釘子痕跡。

「媽，怎麼了？」門在她身後關上，但她還是聽得見兒子的哭喊。「發生什麼事了？我好怕！我好怕！」

絕對不能放棄，她爸說。以其人之道，還治其人之身。

為月球探測車和巴士設計的氣閥非常寬敞，但內氣閥門在身後關上時，瑪莉娜還是感覺到幽閉空間恐懼症緊揑住她的心臟。上鎖密室減壓期間，瑪莉娜觀察四周。瑣碎的觀察可以舒緩她對密閉空間的恐懼，讓自己迷失在知覺當中。沙子在她靴下沙沙作響，空氣抽離房間時的嘶聲漸弱，智慧型織布調整成真空模式，地表活動衣揪住她身體的力道也越來越緊。副靈群懸浮在她小隊成員的肩膀上，看起來真詭異。它們應該也要穿虛擬地表活動衣才對。

荷西、薩迪亞、桑迪卡、派遜斯。歐列死了，物理學殺死了他。他誤把重量當成質量，速度當成動量。月光菜鳥會犯的錯。他以為自己可以單手擋下貨板，結果衝力將他那隻手的骨頭推入胸膛，刺穿心臟。

歐列，在上城區人稱布雷克。瑪莉娜只在月球上生活一小段時間，但死在這裡的友人已跟死在地球的友人一樣多。歐列的死加深了她和隊友之間的嫌隙，荷西不再跟她交談了。她知道隊友把這件事怪在她頭上。她代表厄運，是預告風暴的烏鴉，是業障磁鐵。一個新月球單字開始出現在她耳畔：阿帕吐，紛爭之靈。月球是魔法與迷信之母。

瑪莉娜無法將「長跑」逐出腦海，不明白那幾個小時是怎麼消失了，那麼多公里是怎麼跑回的。不明白自己為何會在那麼不理性的活動中迷失自我。那不過是腦內啡和腎上腺素罷了。但躺在床上時，她還是會感受到腳的節奏，聽到鼓聲般的心跳。她等不及要回去了，下次要在身上漆圖樣。

紅燈轉動。**氣閥減壓完成**，海蒂說。它和所有副靈同時消失，接著切換成小隊成員姓名，綠字懸浮在每個人頭上。綠色代表所有系統正常。黃色代表警告：空氣供給、水、電池有問題，環境警訊。紅色代表危險，閃動的紅字代表極度危險，有立即死亡的可能。白色代表死亡。

「通訊測試。」卡林侯說。瑪莉娜念出自己的名字，以及當日指定的繞口令，證明自己沒有氧氣中毒、陷入昏迷。「收到。」她連忙補上一句，要記的事情太多了。「外氣閥開了。」卡林侯說，他的地表活動衣上貼滿貼紙、商標和聖像，不過背部中央是奧貢，也就是聖喬治，他個人的奧里莎。外氣閥旁的牆上有一張月球夫人聖像，她那半張骷髏臉已被戴手套的手觸摸數千次，磨到快消失了。碰觸她是為了祈求好運，斥退死亡。「這是月球夫人，她比沙漠還要乾燥，比叢林還要燠熱，比一千公里深的南極冰層還要冰。她是所有人幻想的地獄界的總合，她有上千種殺死你的方法。要是對她不敬，她就會下手。不會深思，不會憐憫。」

月光菜鳥排成一列，一個接一個觸摸月球夫人。沙漠，叢林，南極——卡林侯從來不曾體驗過這些字句指涉的事物，瑪莉娜心想。他像是誦唱古老的真言，塵工的祈禱文。瑪莉娜的手指拂過月球夫人聖像。

瑪莉娜的靴底感受到外氣閥門隆隆開啟的震動。灰門與灰地板間的灰色狹縫放大了，外頭是各種醜陋的機器：巨大的月球探測車，輔助機器人，通訊塔，獸角般向上挑起出弧度的彈運軌道。棄置的機器，毀壞的機器，維修中的機器。還有一台高聳到甚至無法塞進巨大氣閥門的精煉機，上頭纏著一條條黃色的維修閃燈——一株燈光與燈標構成的聖誕樹。一排排太陽能板緩慢地追隨太陽移動，遙遠的山丘。月球表面是一座垃圾山。

「我們去走走吧。」卡林侯．柯塔說，並帶領他的小隊走上斜坡。瑪莉娜跨上月球表面。中間沒有過渡階段，並不需要從內門移動到更宏大的外門，甚至也不會對赤裸的地表和裸露的天空有什麼感覺。肉眼就看得出不遠處地平線的弧度。卡林侯帶著小隊繞行繩燈標示出的，一公里長的圓形步道。上百名月光菜鳥走過這段路，鞋印層層疊疊。到處都有鞋印，還有胎痕，闊步、爬上爬下的機器人留下的細長足印。月壤像一張羊皮紙，寫滿所有旅程留下的痕跡。醜陋極了。所有手上有望遠鏡的孩子都望著金東，並放大畫面倍率，瑪莉娜也不例外。金東是一隻精神抖擻的大雞巴，長達一百公里，是時間太多的公共建設工人在雨海以鞋印和胎痕畫出來的。十五年前開始，後續任務製造出的痕跡就使它變得模糊、坑坑疤疤的了。還有什麼部分能保有當年歡欣鼓舞的紈袴子弟精神呢？她懷疑完全沒有。

瑪莉娜抬頭，停止製造腳印。

地球的半球矗立在豐饒海上方。她從來沒看過比這更藍、更真切的事物。大西洋主宰著那半球。她認出非洲的西邊肢體，還有巴西的凸角。她得以追蹤海上風暴的動向，知道它們將被吸入加勒比海這碗中，在裡頭翻騰，化為野獸、怪物，然後沿著墨西哥灣暖流的弧線旋向看不見的歐洲。有個颶風覆蓋著地球日夜交界線的東段。瑪莉娜把它的螺旋結構看得清清楚楚，包括風眼。藍與白，沒有綠色的蹤跡，但瑪莉娜沒看過生命力比這旺盛的景象。她曾在VTO地月循環太空船的上觀景罩俯瞰地球，為眼前展開的壯闊景象陷入沉思。流雲，旋轉的行星，日升線落在世界邊緣。循環前半圈時，她看著地球漸漸縮小。後半圈，她看著月亮漸漸滿盈。瑪莉娜先前不曾從月球遙望地球。地球行星，蹲踞在天空，比瑪莉娜想像的還要大得多，遙遠得可怕。明亮，陰慘，嚴峻，到不了，觸不及。瑪莉娜發送的訊息要花一又四分之一秒才會飛抵下方她家人那裡。滿盈的地球發送的訊息：家在這裡，而妳人在萬里之外。

「妳要在這裡待一整天嗎？」瑪莉娜的私人頻道爆出卡林侯的嗓音以及雜訊，她才震驚又尷尬地發現所有人都回到外氣閥了，只有她蠢蛋似地站在那裡仰望地球。

又一個差別：在地月循環太空船上，她得俯瞰地球；在月球，地球永遠在頭上。

「我在這裡站多久了？」氣閥加壓時，她問卡林侯。

「十分鐘。」卡林侯說。空氣刀刮除地表活動衣上的灰塵。「我第一次上來時，反應跟妳一模一樣。我一直站在那裡，直到聖喬治給我低氧氣存量警告。我從來沒看過類似的東西。赫特．裴瑞拉當時和我在一起，我開口第一句話是：誰把那玩意兒弄上去的？」

卡林侯解開安全帽。瑪莉娜趁他們仍能用私人頻道對話的最後幾秒鐘問：

「接下來我們要做什麼？」

「接下來，」卡林侯．柯塔說：「我們去喝一杯。」

「他有沒有碰你？」

小型探測車疾馳在風暴洋上，全速撞上隆起和石塊，騰空後又落回地面，觸發輕柔的沙爆。車子繼續加速，輪胎後方揚起羽毛般的大片塵土。兩名乘客在車內彈來撞去，身上浮現瘀青，劇烈顛簸，前後猛甩，在安全帶限制的範圍內擺啊擺的。瑞秋．馬肯齊將車子催到運作範圍內允許的最高速。

馬肯齊金屬在追捕她。

「他有沒有對你做什麼？」瑞秋．馬肯齊又問了一次，讓聲音壓過引擎的哀嚎，以及懸吊系統的嘎吱、砰砰聲。

「沒有，他真的是個好人。他做晚餐給我吃，和我聊他的家人。然後他教了我撲克牌魔術，我可以變給妳看。真的很棒。」羅伯森的手伸進地表活動衣的外口袋。

「我們到了再說。」瑞秋說。

她以為自己會撐更久。她萬分謹慎地送出誘餌欺敵，馬肯齊家女人的伎倆。卡門尼訂了開往梅利迪安的有軌機動車車票，甚至還駭進氣閥，製造兩個人離開的記錄。車開不到二十公里，羅伯特．馬肯齊就利用遙控裝置攔下它。同一時間，兩輛月球探測車同時離開坩堝，行車方向完全相反。第一輛車開往尋常的方向——東北方，梅斯特林溪那裡有太陽企業的伺服器群。合理的逃亡路線，因為陽家堅持在月球的家族政治中保持中立。陽家並不畏懼羅伯特．馬肯齊的震怒。

瑞秋走較不合理的路線，似乎是往東南方移動，以老舊的極地貨運線為目標。那裡沿路都有電力站和補給站。根據古老傳統（月球標準），不管誰從軌道旁打信號給沃隆佐夫家的火車，他們都得停下來。之後的一切都還要再談，不過相挺、救援的傳統仍維繫著。鄧肯・馬肯齊會聘請私家保全去各大主要車站堵火車——梅利迪安，南后，哈德利山。但那不是瑞秋・馬肯齊的目的地，她甚至不會搭那幾條線。

月球探測車沒窗戶、沒空氣、沒加壓，不過是傳動裝置加上能源系統。這輛車以及誘餌車的自動返航功能和超馳功能都已經關閉了。瑞秋一直是個優秀的程式工程師。家族從來不珍惜她這項技能，不珍惜她任何才華。她真正的目的地是與世隔絕的彈運中繼站，位於佛蘭斯蒂德。她預計進行數次跳躍。然而，馬肯齊金屬的探測車正從提煉工廠出發，朝東南方逼近。卡門尼已切換成私人模式，瑞秋不希望網路揭露她的所在位置。她希望追捕者試圖在鐵路那裡攔截她。她可以精準地推估出移動所需時間。方程式是銳利而冰冷的。如果他們猜她會前往中繼站，她就會被追上。如果他們猜她走幹線，她就能脫身。不過她接下來還是得連上網路，全月球都會知道她的所在位置。

「我們很快就到了。」瑞秋・馬肯齊對兒子說。看看他，身穿地表活動衣，被安全帶綁在探測車的狹窄腹腔內，膝蓋與她的膝蓋相觸，看看他。安全帽的眼罩遮住了他的頭髮，臉型使你將所有的注意力放到那對眼睛上。他的眼睛，綠色大眼。沒有比那雙眼睛更美好的世界——這灰濛的世界和頭頂上那湛藍浩瀚的世界都沒得比。「我得跟某人談談，所以我要啟動卡門尼了。但你還不要啟動鬼牌，還沒那麼快。」

啟動卡門尼、連上網路的感覺是物理性的，就像是深吸一大口氣。

艾芮兒・柯塔的副靈接起電話，請稍待。接著艾芮兒・柯塔本人出現在瑞秋的鏡片中。

「瑞秋，怎麼了？」

艾芮兒的服裝、髮型、妝容都完美無瑕。瑞秋以前認為她的小姑是個勢利眼又冷漠的工作狂，現在她辨識得出心中的妒意，因為她還夠誠實——那些巴西人有各種才華，受盡上天眷顧。艾芮兒在法庭上多次與她族人交手，屢屢打贏官司，但她現在需要她。

瑞秋簡報了她的逃亡計畫，卡門尼將尼卡赫婚約傳送過去。

「請稍候。」艾芮兒的身影暫時被碧賈浮取代，接著又冒了出來。「這是標準格式的婚姻合約，使我姪子和熊弘琳結為連理，婚期十年。很棘手。」

「讓他解約。」

「合約合法，而且有約束力，雙方義務明確。我無法根據任何條款解除羅伯森的婚姻關係。我可以使合約作廢。」

「那就做吧。他才十一歲，他們逼我簽它。」

「但這合法，婚姻締結或同意權的行使沒有最低年齡限制。依據我們的法律，『遭受脅迫』並不見得是為自己辯護的有效論點。如果是我，我會主打你們在簽署性生活條款時未詢問其性取向，違反了妳和他之間的教養合約。如此一來，尼卡赫婚約就會失效。我不會跟妳站在同一陣線，得幫羅伯森控訴妳，試著證明妳是個糟糕的母親，盧克雷齊亞．波吉亞級的爛母親。然而妳的行動讓妳顯得像好母親，我是指帶羅伯森逃亡這點。這就像《第二十二條軍規》中的主角處境[1]。有方法可以繞過這死路。」

---

1 《第二十二條軍規》是約瑟夫．海勒的小說。作品中的第二十二條軍規規定發瘋的飛行員可免上戰場，但申請須由本人提出。然而一旦提出申請，便顯示你神智清明。

「妳要把我說得多壞都沒差，我不在乎。」

艾芮兒．柯塔，那個完美的可人兒是不是露出了極淺的微笑？她看錯了嗎？

「到時候場面會很髒。」

「反正馬肯齊是靠髒兮兮的泥土打造出財富。」

「我也是靠骯髒手段闖出天下的。羅伯森得雇用我，和我簽訂合約才行。但問題又來了，只有好媽媽才會建議他雇用我。我得低調地給妳一個建議：要是為了這件事告上法庭，就代表我們兩方家族間起了顯見、公開的衝突。這是宣戰。」

「對拉法來說，我毫不掙扎地放棄羅伯森才是宣戰。他一定會親手拆了坩堝，把兒子帶回去。」

艾芮兒．柯塔點點頭。

「我想不到比那還棘手的狀況了。妳祖父彷彿是刻意採取了最挑釁的行動。」

探測車一晃，瞬間減速使瑞秋的身體綳緊安全帶。接著又一次。某物撞擊著探測車了，一波又一波。她聽不到，但感覺到切割刀與鑽孔機的震動。車子突然又減速了，行車速度正在變慢。

「怎麼了？」艾芮兒．柯塔問，完美的面具上掛著憂容。

「卡門尼，讓我看！」瑞秋大吼。

「我已經通知拉法了。」艾芮兒說，接著卡門尼將外部攝影機的畫面叫到瑞秋的鏡片上。維修無人機緊緊攀附在探測車上，像是長了牙的噩夢。機器手臂與切割刀劈著纜線和電力導管。車速又變慢了，無人機又切斷了一顆電池。這東西是怎麼冒出來的？從哪來的？卡門尼轉動攝影機：太陽能板的叢林中，矗立著彈運系統的翹角形軌道，就在兩百公尺外了。那就是答案。她家的人重新指派了任務給中繼站的維修無人機。

但他們忘了探索車是非加壓機種，穿地表活動衣散個步，就能穿越兩百公尺的真空。瑞秋拍拍羅伯森的膝蓋。他嚇了一跳，瞪大的眼睛裡充滿恐懼。

「我說『走』的時候就跟我一起走。我們得徒步前往終點。」

探索車猛然側傾，發出刺耳的撞擊聲。安全帶將飛出去的瑞秋勒得死緊。探索車無法動彈了，翻覆成一個瘋狂的角度。無人機切掉了一個輪子，接著破壞最後一顆攝影機。

「羅伯森，我的愛。走！」

艙口噴開，外頭是沙塵、山丘、平坦的黑色天空。瑞秋抓住艙口一側，將自己推出車外，踩上月壤，拔腿就跑。她回頭望，看見羅伯森蜂鳥似地輕巧落地，開始奔跑。無人機蹲伏在探測車的殘骸上。瑞秋聯想到布萊斯・馬肯齊，聯想到癌症；如果癌症會走路、會追殺人，那就會長這樣子。

此時，殘骸上的機器人以機器手臂撐起自己，伸出切割刀以及又長又尖的塑膠手指，爬到地面上，朝她奔來。不快，但也毫不寬容。瑞秋也還得進行一些操作，才能和羅伯森一起彈射到安全之地。

「羅伯森！」

機器人一步一步地拉近和男孩之間的距離。他踩在月壤上的雙腳呈外八字。他不知道該如何在真空中移動，不知該如何避免揚起塵土、遮蔽視線。他爸老是讓他待在博阿維斯塔這個嬌慣他的子宮內，窩太久了。應該要在他五歲時就帶他出來看看地球，這是馬肯齊家的做法。應該要那樣，早知道就這樣。

艙門已準備好了，卡門尼說。人員氣閥一次只讓一個人進出。月海上的彈運系統機動性高但不講究，以運輸貨物為優先。

「進去！」瑞秋大吼。羅伯森在氣閥內一陣亂抓，動作笨拙極了。

「我好了！」

卡門尼關上艙門。接下來，瑞秋必須要等待一段時間才輪到她進艙。好慢，為什麼這麼慢？機器人在哪？她連回頭瞄一眼的時間都沒有，極為專注地看著卡門尼啟動發射程序，呼出的氣穿過牙縫。

右小腿突如其來的疼痛銳利而鮮明，瑞秋甚至無法叫出聲來。腳撐不住她了，某個部分被切斷了。頭盔中閃著紅燈。破隙上方的地表活動衣纖維緊縮、恢復密封，壓迫到傷口，使她倒抽一口氣。

妳膝蓋後方的右腿後腱被切斷了，卡門尼宣告。**太空衣完整性受損，妳在流血。機器人在這裡。**

「讓我進去。」瑞秋以氣音說，接著疼痛又來了，比她想像中宇宙間最劇烈的疼痛還要痛。她發出尖叫，深受折磨時的駭人怒吼。聽起來不像人類喉嚨發得出的聲音。機器人一晃，衝過來劃下俐落的第二刀，她就倒下了。機器人跨到她身上，像是黑色天空蒙上的陰影。太空衣的警示燈因眼前的三把鑽子亮起，它們刺向她的頭盔面罩。

「卡門尼，發射太空艙！讓他離開這裡！」

發射程序啟動，卡門尼說。**妳的生存機率是零，再見了，瑞秋·馬肯齊。**

鑽頭在硬化處理過的面罩上發出尖叫。最後，瑞秋·馬肯齊只感受到盛怒：她氣自己必死無疑，氣自己哪裡不死，非得死在淒涼的佛蘭斯蒂德的寒冷與泥土中；搞死你的總是自家人，這點也令她火大。面罩碎裂了，空氣從她的頭盔中爆開，她同時感受到地面震動，目睹彈射太空艙從發射管口閃現。

消失。

拉法·柯塔此時是怨憤與惱怒的化身，大步走在保安大隊的前方。神之若望是他的城鎮，柯塔氮氣的工人和相關工作人員都熟悉他的面孔，但沒看過他現在這張臉：憤怒與喜悅的聖像。他是正義的閃電神贊果，是聖熱羅尼莫，審判者兼守衛者。他的手下別開視線，避免與他四目相接，並為他讓出一條路來。

男孩已經走出氣閥了，孤伶伶地站在入站區，仍穿著地表活動衣，戴著頭盔，滿身泥土，副靈懸浮在他左肩上方。

「他教了我一招。」羅伯森說。鬼牌將他的話語傳達給頭盔外的世界。「真的很棒的一招。」戴著手套的手從大腿的外口袋取出一疊撲克牌，攤成一面扇子。他的嗓音死氣沉沉又平板，像外星人。鬼牌如實重現了他的語調：「選一張。」

紙牌從他指間滑落了。他腿一軟，往前仆倒。拉法接住了他。

「你媽……」拉法搖晃不停發抖的男孩。「你媽呢？」

5

「對你們這裡的人來說，一切真的都只是合約關係。」

「你們這裡的人？」

「月球人。」

鄧肯・馬肯齊在坩堝內疾走。人類讓步，機器配合其步調。區區安檢制度不能耽擱馬肯齊金屬的總裁，尤其在他氣得臉發白時。他的憤怒是灰色的，就像他的西裝、他的頭髮、月球表面。艾斯佩蘭斯硬化成黯淡的白鑞球。婕德・陽—馬肯齊和他在通往羅伯特・馬肯齊私人車廂的氣閥內碰個正著。

「你爸在進行例行性的洗血。」她說：「幸好這程序無法中斷，你會為此感激的。」

「我要見他。」鄧肯・馬肯齊的聲音冰冷，頭上的金屬球則是熾熱的。

「我丈夫在接受重要的療程，每個環節都得小心應對。」婕德・陽重申。鄧肯・馬肯齊的手抓住她的喉嚨，將她的頭砸到氣閥上。肥厚的血流緩慢地沿著白色氣閥流下。**妳的頭皮挫傷，可能有腦震盪**，她的副靈「銅人」說。

「帶我去找他！」

我收到影像了，艾斯佩蘭斯說。副靈在鄧肯・馬肯齊的鏡片上叫出畫面：高處鏡頭俯瞰著診斷床上的老怪物，護士和機器圍繞著他。插管與線路有紅色的脈動。

「那不是真的。那可能是你們餵給艾斯佩蘭斯的影像，你們這些賤人聰明得很。」

「你們……賤人？」婕德．陽輕聲說。鄧肯．馬肯齊鬆開他的抓握。

「我女兒死了。」鄧肯．馬肯齊說：「我女兒死了，你有沒有聽到？」

「鄧肯，我很抱歉。這件事太可怕了，可怕。程式出了差錯。」

「回收小隊發現她的地表活動衣內側有清楚的劃傷。那機器人斷了她的腿筋。」鄧肯．馬肯齊雙手掩口，將恐懼推回體內。一會兒後他說：「他們還在她的頭盔上發現鑽痕，還真細膩的程式錯誤啊。」

「輻射經常造成晶片失靈。你也知道，這是本地特有的問題。」

「他媽別侮辱我！」鄧肯．馬肯齊怒吼：「本地特有。本地特有！那是什麼鬼說法？我女兒死了。是我爸下的命令嗎？」

「羅伯特絕對不可能做出那種事。你父親……我的歐科伴侶、我丈夫會下令刺殺他的孫女？你怎麼能胡亂暗示呢。太荒謬了，荒謬又噁心。我看過報告了，那是可怕的機器人失控意外。男孩沒受傷，你就要謝天謝地了。」

「柯塔家這時正在帶他遊街呢，彷彿他是新簽的球員似的。那個蠢拉法．柯塔不是成天發誓要割開他碰到的每一個馬肯齊族人的喉嚨嗎？我們雙方的戰爭一觸即發，都是這件事害的。」

「對公司可能有害的事，羅伯特是絕不會去做的。」

「妳幫我爸做了許多代言，我倒是想聽他親口對我說說話。讓我過去。」

婕德．陽往前跨一步，非得過她這關才能進入氣閥。

「你想說什麼？」

「就像妳說的，羅伯特絕對不會傷害他孫女。」

「你是在指控什麼嗎？」

「妳為什麼不讓我去見我爸？」

鄧肯・馬肯齊揪住她肩膀，將她整個人抬離地，重重摔向氣閥。她癱倒在地。一雙手落在鄧肯肩上，強壯的臂膀將他從氣喘吁吁、發抖不已的女人身上剝離。鄧肯掙脫箝制，面對來襲者。是四個男人，身上的西裝就跟他的一樣灰、一樣具備公司行號感。身材高大，是月光菜鳥，長著結實的地球人肌肉。

「走開。」他下令。四名男人一動也不動，視線飄向婕德・陽。

「他們是我的私人刃衛。」說話的此刻，她仍臉色蒼白地臥倒、發抖著。

「什麼時候有這回事？」鄧肯・馬肯齊怒吼：「誰授權的？」

「你爸授權的。我開始覺得待在坩堝不安全時，他就做了這項安排。鄧肯，我認為你該走了。」

最高大的刃衛是個壯如山的毛利人，頸後肌肉發達，他將手搭到鄧肯肩膀上。

「拿開你他媽的爛手！」鄧肯・馬肯齊說，並拍掉那隻手。不過對方有四個人，壯碩，而且不聽他使喚。他舉起雙手，表示：我沒要鬧。保全後退。鄧肯・馬肯齊順了順西裝外套下襬，拉好袖口。婕德・陽的刃衛站到她和鄧肯之間。

「我會見到我爸的，我會自己調查事件真相。」

鄧肯・馬肯齊揚長而去，踩著屈辱、羞恥的步伐穿過精煉鏡投下的光箭。不過他還有時間來得及使一記回馬槍，還好，靈感來得早不如來得巧。「這家公司的總裁是我，不是我爸，不是你們家那些賤人！」

「我們家這些賤人跟你們家那些賤人站在同一陣線。」婕德・陽吼道：「沃隆佐夫是野蠻人，阿沙默是鄉巴佬，柯塔是貧民區出身的混混。這世界是陽家和馬肯齊家打造的，是我們的所有物。」

「她從來不肯換件衣服。」海倫．迪．布拉加和亞德里安娜．柯塔站在八樓陽台的欄杆邊，奧貢和奧索希的石頭顴骨之間。石像的臉頰是乾的，因為瀑布關閉了。機器人與人類的園丁都在撈挖池塘和溪流內的葉子。

「只要一髒掉，愛麗絲就會列印一件新的給她。」亞德里安娜．柯塔說。露娜穿著心愛的紅衣，赤腳踩過池塘底的水窪，濺起的水花潑向機器人。她在踏腳石上蹦來跳去，玩著複雜的遊戲：這一顆一定要用左腳踩，這一顆要用右腳，其他的要兩腳踩，或直接跨過去。「妳在她那個歲數一定也有最愛的衣服。」

「內搭褲。」海倫．迪．布拉加說：「有骷髏頭和交叉骨頭的圖案。當時我十一歲，是個正統派小海盜。我媽千方百計要我換掉，但我不肯，她只好買了一模一樣的一雙給我。我不願意穿新的，因為它跟舊的就不是同一件。但事實上，我根本無法分辨兩者。」

「博阿維斯塔的各個角落都有她的小藏身處和巢穴。」亞德里安娜說。露娜消失在一片竹林後方。「大多數我都知道，拉法知道的量沒我多。不過我並沒有掌握每一個的位置，我不想知道。女孩應該要保有自己的祕密。」

「妳什麼時候會告訴他們？」

「原本考慮在我生日那天，但那似乎太病態了。時機成熟時，我會知道的。我得先和洛亞修女聊完，做完整的告解。」

海倫．迪．布拉加繃緊了嘴唇。她仍是個虔誠的天主教徒，每個星期都會到神之若望做彌撒。聖人與九日敬禮。亞德里安娜．柯塔知道她不接受烏班達[2]那套，每天都活在異教神祇的視線下。亞德里安娜向女祭師告解，而不是向神父告解——她看了究竟會有什麼想法？

「妳要照顧拉法。」亞德里安娜說。

「這種話我聽夠了。」

「我的能力會衰退，會變得不適任大位。我已經有這方面的感覺了。而盧卡斯盯著王座。」

「他總是覬覦王座。」

「他在監視拉法，想利用敵人的刺殺行動來顛覆拉法。在瑞秋這件事後……」

海倫．迪．布拉加在胸口畫了個十字。

「Deus entre nós e do mal。」她說。意思是「願神保佑我們免受邪靈侵擾」。

「拉法想另啟獨立調查。」

「沒得談。」海倫．迪．布拉加和亞德里安娜．柯塔是同一世代的先鋒。海倫相當富有，是個會計師，波多人。亞德里安娜白手起家，是個工程師，里約人。絕對不要相信非巴西人——亞德里安娜曾如此發誓，但後來失言了。比國籍，也比語言重要的是：兩人皆為女性。海倫．迪．布拉加已低調主導柯塔氦氣的財政超過四十年。對亞德里安娜而言，海倫就跟血親沒兩樣。

「羅伯森很安全。」海倫．迪．布拉加說，她一直把亞德里安娜的後代視為第二家人。她自己的小孩與孫子散居在月球上的十多個柯塔氦氣設施內。

「那骯髒的尼卡赫婚約。」亞德里安娜說：「我已經要求坩堝做出補償了。」

「艾芮兒會在法庭上把那婚約撕爛的。」

「她是個好女孩。」亞德里安娜說：「我好擔心她，她脆弱得可怕。我想要她待在這裡，在家，跟我們和赫特・裴瑞拉共進退，讓五十個保全人員保護她免受世界侵害。這樣很蠢嗎？但人一旦陷入憂慮就沒完沒了，對吧？克拉維斯法庭，甚至白兔閣都保護不了她。」

「我們怎麼會變成兩個老女人，站在陽台上為家族世仇憂心忡忡呢？」海倫・迪・布拉加說，而亞德里安娜・柯塔將手疊到她朋友的手上。

竹林中心地帶是個藏身處，颯颯聲大作的祕密地點。自然枯萎的植物使土壤裸露出來，好奇的手腳又拉又踏，將它化為一個魔法陣。這裡是露娜的祕密房間。監視攝影機拍不到，機器人體積過大，無法跟隨她穿過竹莖。她爸對這裡一無所知，她也很確定：無所不知的奶奶並不知道這地方的存在。露娜在竹莖上綁了一小段緞帶，放了3D列印的迪士尼玩偶、她心愛衣物上的釦子和蝴蝶結、機器人的碎片、鐵線翻花繩。她趴在魔法陣內，竹林湧動，在她頭頂呢喃。園丁長費利佩曾為她解釋：博阿維斯塔夠大，因此會產生自然風，但露娜不希望有任何科學的理由存在。

「露娜。」她低聲說，而她的副靈展翅了，翅膀覆蓋她的視野，接著又闔上，顯現出她母親的身影。

「露娜。」

「媽，嗨。我什麼時候可以見妳？」

露西卡・阿沙默別開視線。

「要再見面不容易啊，小天使。」她對女兒說葡萄牙文。

2　來自非洲，傳入巴西里約後與當地文化融合的宗教。

「我已經不覺得待在這裡好玩了。」

「喔，親愛的，我知道。但妳還是要告訴我，跟我說：妳這幾天都在做什麼？」

「呃，」露娜・柯塔豎起手指，開始數數。「昨天，愛麗絲教母和我玩扮動物的遊戲。我們準備了印表機，然後網路一直秀出東西給我看，我們就一直列印動物衣。我扮成了食蟻獸，那是其他地方有的動物。有一個大到拖地的鼻子，還有又大又長的尾巴。」她折起一根手指，代表一次變身。「接著我又變成鳥，有很大的……牠們嘴巴上那個叫什麼？」

「喙，那就是她的嘴巴喔，我的甜心。」

「喙很長很長，跟我的手臂一樣長，黃黃綠綠的。」

「我想那應該是大嘴鳥。」

「對。」她又折了一根手指。「還有身上長斑點的大貓。愛麗絲是一隻鳥，長得像艾芮兒姑姑的副靈。」

「蜂鳥。」露西卡說。

「對，長得很像。她問我要不要當蝴蝶，但蛾真的很像蝴蝶，所以我說她可以當蝴蝶。我想她也當得很開心。」

「嗯，聽起來很好玩。」

「對啊——」露娜承認：「可是……每次都是愛麗絲教母陪我。以前我會去神之若望的朋友家玩，現在爸爸不准我去了。家人以外的人，他都不讓我見。」

「喔，寶貝，這只是暫時的。」

「妳也說妳只會去一下子。」

「是啊，只是一下子。」

「妳答應過我了。」

「我會回去的，我保證。」

「我可以去忒看真正的動物嗎？不是看變裝的。」

「沒那麼容易，親愛的。」

「那裡有食蟻獸嗎？我真的很想看食蟻獸。」

「不，露娜，沒有食蟻獸。」

「你們可以做一隻給我，很小很小的那種，就像維瑞提．馬肯齊的寵物貂。」

「我認為不可行，露娜。妳也知道妳奶奶對於放動物進博阿維斯塔有什麼感覺。」

「爸一直在鬼吼，我都聽到了。從我的祕密地點聽到的。他一直在吼，很生氣。」

「這次不是妳害的，相信我。也不是我害的。」露西卡．阿沙默微笑，但那微笑令露娜困惑。接著露西卡的微笑消失了，取而代之的是噁心的表情，彷彿她在咀嚼味道很糟的字句：「露娜，妳的大媽瑞秋……」

「她走了。」

「走了？」

「去天堂了。可是天堂根本不存在，只有查巴林會帶走你，把你磨成粉，再交給ＡＫＡ倒進機器裡。」

「露娜！妳說這話太可怕了。」

「海倫．迪．布拉加相信天堂存在，但我認為那太蠢了。我看過查巴林。」

「露娜，瑞秋她……」

「死了死了死了，我知道。那就是爹地不爽的原因，就是他亂吼、亂摔東西的原因。」

「他摔東西？」

「什麼都摔。他還會列印新的一份出來，然後再摔爛。媽，妳還好嗎？」

「我會跟拉法……跟妳爸談談。」

「意思是妳要回來了嗎？」

「喔，露娜，我真的很希望能回去。」

「那我什麼時候會見到妳？」

「這個月月底是亞德里安娜奶奶的生日。」露西卡說。

露娜的表情燦爛，像是正午的天色。「喔，太棒了！」

「我會去參加生日會，我保證。露娜，到時候見了。我愛妳。」露西卡．阿沙默送出一個飛吻，露娜則湊上前去，在虛擬的母親臉頰上種下一個吻。

「再見，媽。」

露西卡．阿沙默在露娜面前化為蛾形，飄到她左肩上方的副靈固定位置。露娜沿著蜿蜒的來時路九彎八拐、穿過竹林時，感覺到空氣中的變化。有一股溼氣，和一陣聲響。園丁完成任務，再度啟動了小瀑布。水涓滴、奔流、噴湧，接著化為奧里莎像的眼睛、嘴唇間的洪水。博阿維斯塔充滿嬉遊水流的歡騰。

球轉彎了，快速地畫出一個美麗的弧，由右至左，內角。揮動的手臂在最高點鬆開球，球墜向終點線的左下角。守門員從頭到尾都沒動。拉法落地前，球就進網了。

月球手球之所以優雅，手球之所以在月球上成為美妙的競賽、在地球上成為古怪的奧運項目，關鍵就在於它和重力間的關係。這關係有利有弊。網子的大小、球場和終點區的尺寸限縮了月球重力環境帶來的優勢，但在這同時，重力也使頂尖球員得以展現出魔術般的球技：旋球、切球，還有令觀眾倒抽一口氣的曲球。

「你應該要擋下那球的。」拉法笑著。羅伯森正經八百地從網子內取出球。父親對上小孩時，究竟能好勝到什麼程度？他得分時，究竟會洋洋得意到什麼地步？「來吧。」他跳回球場後方，腳幾乎沒擦到木頭地板。這座位於博阿維斯塔的手球場是拉法・柯塔的心頭肉。球場表面有完美的彈性，音響系統是幫盧卡斯音響室施工的工程師安裝的，不過適合播放的音樂是催人加快腳步的節奏，而不是老派巴莎諾瓦的細膩聲響。這裡有密封式的露天觀眾席，不時會舉辦私人邀請賽，拉法對他的月球手球勁敵。這是月球上最完美的手球場，但羅伯森不會丟球、接球、跑位、得分，什麼都辦不到。拉法抄羅伯森的球，男孩手忙腳亂地回頭，一秒鐘後，他又從網子裡撿球出來了。

「那些姓馬肯齊的都在教你什麼啊，嗯？」

羅伯森離開彈運太空艙後，柯塔家的保安就直接把他送到博阿維斯塔的醫療中心。他逃離坩堝的過程中並沒有皮肉之傷，但觀測心理狀態的人工智慧發現他說話意願低落，而且還有強迫症跡象：凡是有人對他感興趣，他就會想變撲克牌魔術給對方看。人工智慧建議讓他長期接受創傷後諮商。

「他們沒教你這個嗎？」

拉法使力投出一記平飛球，砸中羅伯森肩膀，他叫出聲來。

「他們沒教你閃球、迂迴前進嗎？」

羅伯森也將球砸向父親。球傳遞著怨忿，但無技巧可言。拉法在半空接下球，朝羅伯森扔了個曲球。羅伯森想移動，但球還是擊中他大腿，發出響亮的「啪」。

「不要再丟我了！」羅伯森說。

「那他們教過你什麼？」

羅伯森轉過身去，拋下球。拉法撿起球，使出全力投出一個平飛球。手球衣貼身又薄，球擊在臀部的聲音響亮得像是骨頭的劈啪聲。羅伯森轉身，緊繃的面孔上有滿滿的怒意。拉法接住反彈而來的球。羅伯森衝過去，想拍掉父親手上的球，但球已經不在原位了。拉法運球，轉向，再度將球撈起，重重往下砸。球落在木板上的隆隆巨響迴盪於球場。反彈的球朝羅伯森的臉射去，他急忙瑟縮。

「怕球？」拉法說，而球又回到他手中了。羅伯森再度撲上前，拉法再度繞過他，球的彈跳拉出一條圓形軌跡。羅伯森轉身又轉身，但跟不上球。他的頭轉啊轉的。砰！他迎向彈跳，球砸中他的肚子。

「一旦怕球，就會永遠怕球。」拉法嘲笑他。

「停！」羅伯森大吼，而拉法停手了。

「生氣了，很好。」

又開始了，球彈跳著，在兩手間傳來傳去。砰，砰，砰，射出。沉重的手球摑打他，而他叫出聲來。怒吼，撲向父親。拉法高大，但移動快速而輕盈，毫不費力地舞向一旁，躲開兒子。拉法的輕鬆自在帶著嘲笑意味，助長了羅伯森的怒火。

「憤怒很好，小羅伯。」

「不准那樣叫我。」

「為什麼，小羅伯？」運球，拋射，刺痛。接住，拍球。所有動作都快羅伯森的手指一拍。

「他們都那樣叫我。」

「我知道，小羅伯。」

「閉嘴閉嘴閉嘴閉嘴！」

「那就想辦法逼我閉嘴，小羅伯。拿走球，我就閉嘴。」

平飛球擊中羅伯森的肚子，他痛得彎下腰去。

「你媽死了，羅伯森。他們殺了她。你想要怎麼回應？」

「走開，不要管我。」

「我不能走開，羅伯森。你是柯塔家的人。你母親，我歐科她……」

「你討厭她。」

「她是你媽。」

「閉嘴！」

「你想要怎麼做？」

「我想要你住手！」

「我會的，羅伯森，我保證。但你得先告訴我，你想怎麼做？」

羅伯森文風不動地站在球場中央，雙手下垂，朝左右兩側稍微外伸，身體與手之間有幾根手指寬的縫隙。

「你希望聽到我說，我要他們全都死掉。」

球砸中他的背部。他晃了一下，但沒移動。

「你希望聽我說：我會替媽復仇，不管要花多久的時間。」

球砸中肚子。羅伯森踉蹌了幾步，但沒倒地。

「你希望我發誓報仇，發誓要他們血債血還。」

球擊中肚子，大腿，肩膀。

「我復仇，他們回擊，我出更多招數搞他們，他們也出更多招數。沒完沒了。」

肚子，肚子，臉，臉，臉。

「爸，這樣沒完沒了！」羅伯森出拳，拳頭斜斜擦過小巧、高密度的手球，力道足以使它轉向。球轉眼間就回到拉法手上了。

「我從坩堝的人那裡，」羅伯森說：「從哈德利那裡學到的教訓是……」拉法並沒有清楚看見羅伯森的動作，不過羅伯森在一次心跳的時間內狡猾地閃進父親懷中，奪走球。「以其人之道，還治其人之身。」他將球扔向球場另一頭，朝響度緩慢縮小的彈跳聲走去。

砰，砰，砰。

監視蠅攀在奧薩拉右眼內側，觀察著柯塔氦氣的會議桌。

蛇海飄浮在盧卡斯．柯塔的擴充視覺中，蘇格拉底和葉瑪亞也向拉法及亞德里安娜展示同一張地圖。

「蛇海的採礦站。」托基尼奧放大比例尺，圈起該地區。「兩萬平方公里的月海土壤。」

盧卡斯抬起手指，點了一下虛擬地圖。月球太空研究所得的資料疊上灰濛沙塵。拉法輕輕一撥消掉那些資料，不過他發現母親專心致志地瞇起眼睛。

「我已擅自進行了成本效益分析。柯塔氦氣取得所有權後，第三季會開始獲益。我們可以將孔多塞的精煉工廠轉移過去，孔多塞已有八成礦產開採完畢，剩下的就當作備存吧。兩年內，我們的氦－3年度精煉獲益可達五億元。我們估計蛇海大概可以撐十年。」

「很周密。」拉法說，嘴唇和舌頭都沾滿酸言酸語。盧卡斯的小蒼蠅告訴他，這男人曾在私底下大摔家具鬧脾氣。它們是常駐的保鑣，就連博阿維斯塔的水中都有它們的蹤跡。父親將露娜一把撈起、拋向空中前，露娜猶豫了片刻。在派對和迎賓會上，和藹可親的金童拉法會突然發飆，變得黯淡、醜陋。他痛罵沒用的手球隊經理，沒用的教練團，沒用的球員。盧卡斯很能品味這諷刺的情況：從來沒說過妻子半句好話的男人，因妻子之死暴怒。新聞頻道將瑞秋・馬肯齊之死定調為密閉空間的減壓意外，巧妙的謊言。媒體從來不傳達真相。惹惱五龍的記者，自己也會成為密閉空間減壓意外的主角。要報導他們的微笑、衣著、感情生活、美麗的孩子、婚情和出軌，別扯五龍的尾巴。

「多快？」亞德里安娜問。

「滅日，月球標準時間十二點。」

「時間不長。」拉法說。

「夠長了。」盧卡斯說。

「消息來源可信嗎？」亞德里安娜問。盧卡斯看著她，而她的視線在虛擬的月球地表上飄移。她是現存柯塔一族中地表工作總時數最高的人，連卡林侯都輸她。她十年沒戴安全帽了，但一日塵工，終生塵工。她會分析地形、塵土覆蓋情況、後勤、地球磁尾和太陽風暴通過月球造成的電學效應。

「艾芮兒給我們的消息，白兔閣高層的密報。」

「他媽的密報。」拉法說。盧卡斯感覺到他聲音中的活力，眼神中的興致。他的肌肉繃緊了，原本反常地彎腰駝背，現在又挺直身體了。昔時的金光在他皮膚下閃耀著。今晚是比賽之夜。隊伍在隧道內，群眾喧囂震天。但他還是疑神疑鬼。「我們現在就得採取行動。」

「保持風度。」亞德里安娜說，並皺縮指尖，忠實天主教徒的手勢。盧卡斯深知這代表什麼：她在算計。「出手時機如果太快，就等於揭露了艾芮兒洩密一事，我的餘生都得以搶占礦地罪的被告身分待在克拉維斯法庭，為自己辯護。如果動作太慢……」

精煉權的相關法律相當原始：等於是砂礦標樁式的淘金潮時期法律，形塑當時北美洲的鐵律。能在新釋出土地的四角插樁者，有四十八小時的時間可向月球開發法人提出所有權申請，並支付授權費用。這是毫無保留的競賽。盧卡斯曾看拉法在玩男孩子的遊戲時尖叫，失去條理，超越現實。插樁也有同樣的刺激感，這正是他愛的：活動，能量，行動。

「我們有什麼有利條件？」

盧卡斯命令托基尼奧標出那片四方形土地周遭的精煉設施。橘色圖示散布在西北、東北、東南角，距離不一，西南角是一片黑暗。

「我已經叫東北方的危海設施動起來了，很難偽裝成例行性重新部署或表定維修。」

盧卡斯是專務，無權發布行動命令。憤怒閃現，但拉法抑制住了。他通過了考驗。

「我擔心的部分是邊角。」托基尼奧放大比例尺。

「沒有什麼能讓我們在三十小時內抵達那裡。」拉法看著部署標記說。

「從地表確實沒辦法。」盧卡斯暗示，拉法接到球了。

「我會去跟尼可．沃隆佐夫談談。」拉法說，並向母親點了點頭，動了起來。有決策要做，有行動要規畫。

「直接打通電話會省下不少時間。」盧卡斯說。

「為什麼我是會長，老弟？因為我知道做生意最重要的是打好關係。」

盧卡斯點了點頭。現在應該要稍微默許他，讓母親見證他們這對兄弟的團結。

「拉法，搞定它。」亞德里安娜說，她表情歡快，眼神澄澈。歲月在她身上留下痕跡。盧卡斯在童年時期見到的亞德里安娜・柯塔浮現於眼前：帝國建造者，創始元老。那道身影站在托兒所門口。阿瑪莉亞教母低聲說：盧卡斯，跟媽媽說晚安。她靠向床鋪，香水味飄來。她現在還是搽一樣的香水，人對香水的忠誠度勝過其他裝飾品。

「我會的，老媽。」這是他表達愛意的最親密語彙。

監視蠅在無人知曉的情況下飛離細縫，追隨拉法而去。

藍色電弧擊中路卡辛侯的腹部肌肉。啪啦，紅色，紫色，綠色，黃色也加入了，他裸露的肌膚幾乎沒有幸免的部分。他是五顏六色的丑角，像是印度色彩節的狂歡者。

「哇。」路卡辛侯說，迷幻劑發揮藥效了。他旋轉，拿電擊槍對空鳴擊，世界便化為數以百萬計的蝴蝶。他轉身，傻瓜般賊笑，置身於羽翼幻影龍捲風的中心。

這遊戲叫「捕獵」，馬帝那農場上上下下都在玩。赤身裸體，擊發隨機的彩色迷幻電流。蝴蝶展翅，連結，鎖緊。現實回來了。路卡辛侯蹲在高聳大蕉樹的葉片下，腐爛葉片攪成赤裸雙腳間的黏渣。他前進，做好隨時開槍的準備。藍色電弧的藥效褪去後，他的眼睛仍瞪得老大，意識朦朧。他剛剛被擊碎成鑽石磚，沿著無限延伸的摩天樓往上飛，看著世界滴落的顏色發紫，化身為自己的左腳拇指（時間似乎接近永恆），在斑駁光柱上追逐也被追逐，被人從山藥、樹豆叢的高處狙擊。

葉片窸窣：有動靜。路卡辛侯將電擊槍的槍口抬到臉頰邊，蹲到葉片下，埋伏於一小塊潮溼空地上，植物與腐植質的氣味使他暈眩。這是個隱祕的窩。

有東西碰觸他的頸背。

「啪啦。」有個女性的嗓音說。路卡辛侯等待著油墨衝擊帶來的螫刺感，等著任意識飄到其他地方去。他參加這派對是因為場地位於忒，來忒也許就能遇到亞別娜．阿沙默。她不愛遊擊遊戲。不過他認為：追逐與被追逐，時而茫然，時時恐懼，搶先一步開槍、狙擊（對方就不會知道自己被什麼擊中），接著又被還擊，都是刺激的體驗。抵著他脖子的槍很性感。他任由女孩擺布，無助感逐漸高漲。

他聽到扳機的聲音，但什麼也沒發生。

「靠，」女孩說：「沒彈藥了。」

路卡辛侯一個翻滾，起身，打直握槍的雙手。

「不，不，不，不！」女孩喊叫，舉起雙手投降。亞．阿芙姆．阿沙默，和亞別娜、卡喬擁有同樣母系祖先的阿布索姊妹。同屬獵豹阿布索。AKA的親屬關係總是令他頭疼。她的皮膚上有五彩汙漬：右臀，左膝，左胸，左大腿，頭部右側。路卡辛侯扣下扳機，什麼也沒發生。

「沒彈藥了。」他說。同樣的呼喚在筒田中擴散開來，從高處和太陽能電池陣列中利於狙擊的位置往下傳。沒彈藥了，藥了。微弱的回音沿著連結農場筒田的隧道傳開，藥了，藥了，藥了。

「妳真走運。」路卡辛侯說。

「什麼意思？」亞．阿芙姆說：「你剛剛被我逮個正著。」她上下打量他。「你全身髒兮兮的，該洗個澡了。來吧，泡澡是最棒的，你不怕魚吧？」

「為什麼這麼問？」

「池塘裡有魚，還有青蛙和鴨子。有些人覺得被人類之外的動物碰觸很可怕。」

「我認為這遊戲有缺陷。中越多槍，接下來就越容易中槍。」

「你以獲勝為目的的話才會覺得很鳥。」

酒吧設置在木平台上，提供許多飲料和電子菸，但路卡辛侯腦袋裡已經有夠多化學物質了，不想吸收更多。池塘已經滿了，人聲與水花聲迴盪在筒田的通風管內。路卡辛侯小心翼翼地泡到水中。魚會咬人嗎？會吸人皮膚嗎？會沿著馬眼游進體內嗎？帶有輕微迷幻藥效的噴漆融入水中，化為紅、黃、綠、藍色的光圈。這對魚會有什麼影響？對吃魚的人會有什麼影響？這魚和他泡過同一個池子，他再把牠捉來吃？他無法想像。怎麼可能吃有長眼睛的東西。

「嘿，哈！」亞．阿芙姆跳到他身旁，濺起水花。臀部相觸，雙腳交纏，彼此的肚子相互摩擦，手指遊走。

「那是魚嗎？」

亞．阿芙姆咯咯笑，而路卡辛侯發現他的手捧著她一邊乳房，而她的手指托著他的屁股。他的雙手在溫暖如血的水中持續下探，尋找皺褶與祕密。「喔，你怎麼這樣！」她的臀部美妙極了，只輸給格里戈里．沃隆佐夫。接著他硬了，兩人額頭相抵，望著彼此的眼睛。她笑了，因為裸體的男人都很荒謬。

「我老是聽人說阿沙默家的女孩有禮又害羞。」路卡辛侯故意逗她。

「誰說的？」亞．阿芙姆說，並將他拉向自己懷中。

是亞別娜，他從番茄的葉隙中瞄到她的身影，從酒吧走向維修隧道。

「嘿！嘿！亞別娜！等等！」

他撲上岸，亞別娜轉身，皺眉。

「亞別娜！」他闊步走向她，身上的水滴個不停。半勃起狀態令他痛苦萬分。亞別娜抬起一邊眉毛。

「嗨，路卡。」

「嘿，亞別娜。」

亞．阿芙姆溜到他身旁，一手環抱住他。

「什麼時候開始的啊？」亞別娜說，而亞．阿芙姆微笑，湊得離路卡辛侯更近了。「好好玩啊，路卡。」她飄走了。

「亞別娜！」路卡辛侯呼喊，但她的身影已經消失了。接著亞．阿芙姆也不見了。「亞別娜！喔！到底是怎麼一回事？」這對阿布索姊妹在對他玩把戲。如今他感覺到空氣冰涼，半勃起解除了，多重迷幻藥的殘劑發揮了作用，他開始發抖、妄想，再也嘗不到派對的趣味。他找到自己的衣物，求別人幫忙買了一張回梅利迪安的車票，發現卡喬和他的新腳趾把公寓塞滿了。路卡辛侯可以再待一晚，但沒有第二晚。無家可歸，沒炮打，沒亞別娜。

華格納進梅利迪安的時間相當晚。提阿非羅是個小城，有一千多人居住在狂暴灣這片大荒地的北側，這裡只有機器動作著。從幹線岔出的支線三年前開通，是三百公里長的單軌。每天有四班機動車開向希帕提婭的轉運站。微隕星撞擊破壞了托里拆利的訊號裝置，華格納因而受困——他來回踱步，搔抓發癢的皮膚，喝下一杯又一杯冰茶，在心中吶喊，最後等了六個小時，維修機器人才設定好新模組。機動車上擠了一大堆人，整整一小時都是客滿狀態。

我是不是在你眼前產生了變化？華格納心想，**我身上的味道是不是和其他人不一樣？**在他想像當中，答案總是肯定的。

托里拆利的微隕星撞擊打亂了西半球大多數交通工具的航班。華格納抵達希帕提婭車站（這裡可說是四條南方月海支線、寧靜海中央線與赤道一的交會點）時，月台擠滿了通勤者、計時工、正要去其他衍生家庭朝聖的祖父母。一幫又一幫的小孩，跑來跑去，不斷尖叫，不時抱怨等待時間好長。華格納敏銳的神經被那些聲音折騰著。他的副靈好不容易幫他訂了一張三十七號區域列車的票，要再等三小時。他找到了一個黑暗又安靜的角落，遠離那堆副靈、棄置的麵盒、飲用杯，坐下來，背靠柱子，縮起膝蓋，把頭枕上去，重新設計他的副靈。再見了，影子：你好，光博士。柱子開始晃動，列車快速通過的衝擊使長長的廊道發出鈴鐺般的聲響。查巴林機器人在他身邊東聞西聞，尋找可回收的物質。有人從梅利迪安打電話來，或傳送訊息與圖片。**你在哪？我們要找你，東西故障了。**列車問題。**我想念你，小狼**。安妮麗絲沒傳任何東西過來，很懂規矩。有光亮中的生活，也就有黑暗中的生活。

華格納平常都坐窗邊座位，但這次副靈光博士訂不到，因此他在旅程中無法盯著地球看。這樣很好，他有工作要做，得規畫他的戰略。不能安排會面。一提到柯塔兩個字，愛麗莎．史特基就會跑掉。他得拿出一個職位來誘惑她，也得營造出可信度，讓她覺得刺激才行。她一定會進行身家調查。公司中的公司，巢狀結構，股東堆成的迷宮。典型的月球企業組織。但也不能說得太複雜，反而會引起懷疑。他需要新的副靈，偽造的社群網站足跡，線上活動史。柯塔氦氣的人工智慧辦得到，但就連它們也得花上大把時間。地球高掛空中，每一公里的疾馳都撕扯他的靈魂，使他加速、使他產生變化。每當他有這樣的感覺，思考就很難周全。這就像墜入愛河的頭幾天，像是激動過頭的噁心，像是即將酒醉前的愉悅，像是舞池的毒品，像是眩暈，不過這些只是蹩腳的類比。月球的語言當中沒有任何語彙可以形容地球滿盈時的身體變化。

他幾乎是跑著離開車站，跌跌撞撞進入幫屋時，已是清晨了。阿莫爾在等他。

「華格納。」阿莫爾比華格納更投入於雙重自我的文化中，採用去勢代名詞。為什麼代名詞總是只透露性別呢？**伊**[3]曾說。**伊**將華格納拉入懷中，咬他的下唇，用足以製造出痛覺的力道拉扯，主張**伊**的權威，**伊**是幫的領袖。接著是真格的吻。「你餓了，要吃點東西嗎？」華格納的舉止明白地表現出他的疲倦，勝過千言萬語。變化期會大量消耗人類的身體資源。「前進吧，孩子。何茲和英次還沒到。」

華格納在更衣室脫下衣服，沖澡。輕手輕腳地走向臥室。睡窩已經滿了，他擠下去，柔軟的襯墊和假毛襯裡拂過他。一具具肉體在睡夢中發出悶哼，翻身，念念有詞。華格納滑進他們當中，孩童般瑟縮、蜷曲身子。旁人的肌膚貼近他的，他的呼吸節奏穩定下來。副靈們立在交纏的肢體上方，儼然是無邪的天使。幫的結合。

這輛探測車追求最純粹的月球實用性：滾籠型車架，開門就是真空；兩排三人座，彼此相對；空氣槽、電力、懸吊系統、人工智慧；四顆大輪子，乘客座就安在上頭。車速快得要命。車子高速顛簸於月溪上，躍過隕石坑壁，和地表活動小隊成員一同被固定在車內的瑪莉娜就不斷撞擊鎖桿。瑪莉娜試圖計算車速，但地平線實在太近了，她對月球地標的大小也不熟悉，數學無用武之地。車速很快，而且旅途很無聊。無聊程度：地球的藍眼珠高掛天空，低矮的月球山丘綿延不斷，對面是空白的地表活動衣頭盔面罩——副靈名牌顯示的名字是保羅・里貝羅。海蒂叫出太空衣內娛樂系統。瑪莉娜玩了十二場彈珠騷亂，看了影片《心臟與頭骨》（沉潛的一集，劇作家已準備將整個系列和角色帶往大結局），還有家人寄來的新影片。坐輪椅的媽在門廊上揮手，手臂細瘦，布滿紅斑，頭髮灰白而蓬亂，但她還是在微笑。凱西，她甥女，小狗迦南。還有，喔，還有她弟史凱勒，從印尼回來了，帶著他的妻子妮斯利娜和她的姪子、姪女。背景是灰濛的雨水——是門廊簷槽湧出的水形成瀑布。雨聲極大，門廊上的大家都得用吼的，聲音才不會被蓋掉。

面罩是空洞的面具，但那後方的瑪莉娜的雙眼正在哭泣。頭盔吸走她的淚水。

有人拍了瑪莉娜肩膀一下。她將面罩調回透明，發現是卡林侯從狹窄走道的對面探過身來。他指了指瑪莉娜肩後方。在座位拘束具的束縛下，她只能勉強轉身，首度將礦場收入眼底。精煉機的起重架如蜘蛛腳般，從眼前地平線向上伸展。小隊的任務是定期檢測柯塔氦氣的寧靜海東精煉設施。不久後，探測車煞住，揚起一片灰塵，安全帶解開了。

「跟我一起。」卡林侯對瑪莉娜的私人頻道說。她跳到布滿胎痕的月壤上，置身在氦氣收集機之間。它們有月球式的醜陋，荒涼，只有實用價值。混沌，一眼難以理解。大梁下窩藏著複雜的螺絲、選礦器格柵、輸送帶。鏡臂追著太陽移動，將能量聚集到太陽能蒸餾器上，而蒸餾器會餾分出月壤中的氦－3。一個一個收集球上標著它的採集量。氦－3是輸出品，不過柯塔式的作業流程也會蒸餾出氫、氧、氮，生命所需的燃料。阿基米德式螺旋抽取機高速運轉，使廢料噴射流畫出一個高一公里的弧，接著落地揚起大片煙塵，像是倒扣的噴泉。細塵與玻璃分子折射地球光，形成月虹。瑪莉娜走向

---

3 Né，第三人稱代名詞。

森巴線。十輛精煉機構成五公里長的戰線，龜速前進，它們的輪子是瑪莉娜的三倍高。近處地平線稍微擋住了森巴線兩端的精煉機。箕斗輪一鏟就鏟起好幾噸的月壤，動作呈現完美的一致性：頭點個不停。瑪莉娜想像烏龜形怪獸背負著中世紀城堡的模樣，哥吉拉應該要跟這些玩意兒戰鬥才對。瑪莉娜透過地表活動衣靴感受到工業的震動，但她什麼也沒聽到。四周是全然的寂靜。瑪莉娜抬頭望著鏡臂列以及噴向高空的廢料，回頭看著車轍形成的平行線，前方則是羅馬梅西耶山的山巔。這就是她的職場，她的世界。

「瑪莉娜。」

她的名字，有人呼喊了她的名字。卡林侯戴著手套的手抓住她的前臂，輕輕將它拉離開，遠離安全帽釦。帽釦：她原本打算解開它們，原本差點在寧靜海中央拿下地表活動衣安全帽。

「喔，我的天啊。」瑪莉娜說，被自己的心不在焉嚇到了，自在差點變成自殺。「不好意思，我真的很抱歉，我只是……」

「忘了自己人在哪裡？」卡林侯．柯塔說。

「我還好。」她並不好，因為她犯了不可原諒的罪。她忘了自己人在何處。第一次上場，結果訓練過程中聽到的每個字都被她當耳邊風。她開始氣喘吁吁，拚了命想吸氣。別慌，慌張要人命。

「妳需要回探測車嗎？」

「不，」她說：「我會沒事的。」

但她覺得眼罩離自己的臉好近，都能感受到它了。她被困在一個鐘罩內。她得擺脫它，呼吸，自由地呼吸。

「妳說妳『會』沒事的，這是我沒把妳送回探測車上的唯一理由。」卡林侯說：「慢慢來。」

他的平視顯示器上有她的生理參數，他正在監控：脈搏、血糖、胃氣、呼吸系統功能。

「我想工作，」瑪莉娜說：「給我一點事情做，讓我分心。」

卡林侯的空白眼罩靜止了好一會兒，接著他說：「上工。」

月球應對機器的暴力程度與面對人類幾乎無異。未經過濾的輻射會侵蝕人工智慧晶片，光線會剝蝕建築塑料。每月一次的地球磁尾：月球通過地球磁層拖曳的彗髮，脆弱的電子迴路可能因此故障，揚起短暫但具毀滅性的沙塵龍捲風。沙塵，寧靜海東森巴線最高等的惡魔。到處都是沙，永遠都有沙。覆蓋在支柱、圓桿、輪輻和各種平面上，細密如毛髮。瑪莉娜的手指萬分謹慎地滑過一段桁架，地表活動衣的靜電便使灰塵球舞動如髮。沙塵月復一月地磨、刮、擦，進行毀壞作業，而瑪莉娜的工作是消磁。這對月光菜鳥而言是難易度夠低的工作，而且很有看頭。設置能使磁場與電場反轉的定時調節裝置，接著大步彈向安全距離外。磁場反轉，受斥的帶電灰塵分子突然間爆成一朵銀粉雲，戲劇性十足，令人欲罷不能。瑪莉娜聯想到地球生物製造出的相似場景：在海中浸溼身體的狗甩動皮毛；森林中的真菌噴出孢子雲。灰塵落在模組小隊的地表活動衣上，但他們還是繼續工作，交換晶片組和螺線管，這是工作機器人難以處理的部分。瑪莉娜的手指沿著沙下如象形文字的塗鴉描畫：那是以月球上各種語言與字體寫下的愛人姓名、手球隊名、怒罵、詛咒。

砰，瑪莉娜又消了一次磁，引發柔軟的塵爆。它應該要伴隨聲音才對，這沉默太不對勁了。**砰**，她的低語悶在頭盔中。她聽到私人頻道傳來的笑聲。

「大家都會那樣做。」卡林侯說。

沙下方的象形文字。一代又一代的塵工以真空為筆，在金屬上書寫他們的名字、詛咒、信仰的神祇之名。彼得·H。去他媽的爛玩意兒。HC少年。

她幫每一台精煉機消磁時，都會配上砰聲。在月球上工作有許多陷阱得提防，保持專注相當重要。相似的地形、近在咫尺的地平線、精煉機的一致性、勺狀機器頂端具催眠效果的紋路，全都預謀鎮靜、迷惑觀看者。瑪莉娜發現自己的思緒飄向奔跑時的卡林侯，流蘇與織物，彩繪顏料。她搖搖頭，把他甩出腦海外。第二個陷阱也是以誘惑為形式。不同種類的壓力衣不能一視同仁。地表活動衣不是潛水衣，地表上沒有水阻力和空氣阻力。東西移動的速度非常快。歐列在訓練過程中爆頭而亡，就是因為他犯了這個錯。質量，速度，衝力。專心，集中精神，時不時就要檢查地表活動衣狀態報告。水溫，空氣中輻射量。壓力，通訊，網路。頻道，天氣預報。月球上有種種天氣，但就是沒有好天氣。磁尾，太陽活動。每分鐘都有十幾件事得確認，同時還要工作。有些隊員在聽音樂，他們是怎麼辦到的？處理到第五台精煉機時，瑪莉娜的肌肉已開始發痛。集中精神，專注。

她的注意力真的很集中，意識深沉而銳利，導致她根本沒注意到公用頻道的警報，沒注意到保羅．里貝羅頭盔上方的名字變紅，轉白。

拉法的手拂過降落架的磨光鋁表面。

「尼可，它真美。」

VTO運輸機「鷹號」立於兩十盞泛光燈打出的數千瓦特光輝中，起重機自有的探照燈殼，推進器，燃料槽形成的群聚球體，操作機臂，內凹的駕駛艙窗，機鼻有VTO的老鷹標誌。

「別扯了，拉法．柯塔，」尼可萊．沃隆佐夫說：「它不美，月球上的任何事物都不美。你真會屁。」他笑得像走山。

尼可萊符合大家心目中的沃隆佐夫一族典型：高大得像面牆，寬與長相等。蓄鬍，長髮結辮。眼珠藍如地球，聲音低沉洪亮。他刻意誇張化自己的口音，但並不是想追隨最近的復古風潮。多口袋短褲，工作靴，T恤下的結實肌肉漸次化為鬆垮的肉團。他遵循家族慣例，使用雙頭鷹造型的副靈，盾牌上刻著他個人的圖案。他是專業的沃隆佐夫族一員。

「我不是在討論它的外表，是在討論它的本質。」

「好，真的別再扯了。」尼可．沃隆佐夫說。

鷹號是月球飛船，點對點地表運輸機，月球上最昂貴、最揮霍無度的交通工具。球狀槽內的氫氣、氧氣非常珍貴，那是提供給生命的燃料，而不是給火箭推進器的。就跟舊時代地球的燃油發電一樣瘋狂。月球上的能源便宜，資源短少。人類與貨物的運輸工具是列車、探測車、地表巴士、彈運（利用率正在下降）、軌道纜索，或者靠肌肉力量步行、機輪、翅膀。他們不會在月球飛船的貨艙內飛行。

VTO養了一支運輸機隊，由十架運輸機組成，散布在月球各處。它們是緊急救難單位、救護車、救援隊、救生艇。月球上的每個地點都落在各船運中心的三十分鐘航程內。尼可．沃隆佐夫指揮這支艦隊，偶爾自己也會擔任駕駛、機師，深愛他醜陋的月球飛船們。

「好啦，你一路從神之若望跑過來，就只是為了舔我的醜寶貝，稱讚它們很美嗎？」尼可．沃隆佐夫用地語指稱那地方，總是會誇張地演一齣「我真的不可能用葡萄牙語發音」的戲。他和拉法是大學時代就認識的老友，一起念書，一起上健身房，浸淫於重訓與塑體文化當中。尼可在「肌肉道」上比拉法走得還前面，不過拉法還是會刻意保持消息靈通，在梅利迪安的涅夫斯基酒吧跟他的前健身房夥伴碰面時，才能跟對方邊喝伏特加邊聊補給品和訓練菜單。

「我一路從神之若望跑來，是為了雇用你的其中一位寶貝。」拉法說。

「有特別指名嗎？」

「月十八的隼號。」VTO救生艇的所在位置是地表工作者的核心知識之一，也等於是最與時俱進的救援險。

「真抱歉，它進廠進行例行性維修了。」尼可・沃隆佐夫說。

「那約里奧的普斯特加號呢？」

「喔，普斯特加號啊，還在等它的太空飛行器證書，月球開發企業慢得要命。」

「這樣一來，整個寧靜海、澄海、危海區域都沒有運輸機可支援了。」

「我知道，這很糟。他們還敢自稱公僕……哈。我能怎麼辦呢？在外頭自己小心點。」

拉法拍了拍鷹號的支架。

「這台。」

「什麼時候需要？」

「現在起租四十八小時，至少附一名機組人員。」

尼可・沃隆佐夫從牙縫吸入空氣，拉法因此得知鷹號沒辦法在那段期間出租，而且沃隆佐夫家的任何運輸機都無法出借。拉法的下顎和腹部繃緊了，熱辣的憤怒如水泡般遍布他的臉龐、雙手。他已經向盧卡斯保證過了，說會以個人名義處理這件事。談生意最重要的就是打好關係。如今他穿著時髦的衣服，頂著精心梳理的髮型，修剪好指甲，千里迢迢跑過來，結果沃隆佐夫碉堡讓他顯得像個白癡。

「你需要多少？」

「拉法，這樣說就太沒品了。」

「誰找上你？」

「拉法，這樣太不上道了。」

「馬肯齊家。是鄧肯嗎？還是那老頭發憤圖強，親自上陣？家族事務。是羅伯特，一定是羅伯特。占用運輸機隊很有他的風格，鄧肯則根本沒風格可言。他是親自找你談嗎？還是他跳到老瓦列里那階，瓦列里再叫你下海？」

「拉法，我認為你該走了。」

憤怒在拉法體內爆開，沸騰的血液直衝腦門。他當著尼可．沃隆佐夫的面咆哮，點點唾沫沾上對方臉頰。

「你要與我為敵？你要與我們家族為敵？我們是柯塔一族，我們可以用各種方式搞你，你永遠不會有脫身的一天。你是什麼貨色？巴士司機兼計程車司機！」

尼可用手背抹了一下臉。

「拉法——」

「去你的，我們不需要你們。我們會拿下所有權，接著就會來料理你們，媽的。」拉法莽撞地踹了運輸機的降落架一下。尼可．沃隆佐夫用俄語吼了一聲。這時柯塔家的保安冒了出來，架住拉法的雙臂，他們像是憑空變出來的，安靜無聲，打扮得體，身材壯碩。

「先生，我們走吧。」

「他媽的，放開我！」拉法對保鑣大吼。

「恕難從命。」第一名保全說，並將拉法扭到一旁，遠離尼可．沃隆佐夫。

「我命令你們。」拉法說。

「我們不聽你命令。」第一名保全說。

「沃隆佐夫先生，我們若有冒犯府上之處，盧卡斯・柯塔願向你致歉。」第二名保全說，她是個高大的女性，穿著剪裁貼身的西裝。

「帶著你們的老闆滾出我的基地！」尼可萊・沃隆佐夫咆哮。

「立刻照辦，先生。」第二名保全說。拉法被拖往門邊時吐了口口水，它在月球重力中優雅地飛了一大段路。尼可・沃隆佐夫輕易就躲開了，但它的目標不是他，而是他的太空船，他的寶貝，他珍貴的鷹號。

職業手球隊老闆俱樂部小巧，舒適，非常講究隱祕性。他們的謹慎到了駭人聽聞的程度：保安必須留在門外。肌肉發達的俱樂部保全人員會在你通過時以左手食指敲敲松果腺的位置：**不許啟動副靈**。工作人員會有禮地提醒你，直到你配合。這俱樂部華美但不奢華，氣氛令人想起大學研討會。成員共有二十四個，全是男人。

二十四個男人，二十四個朋友，而拉法不想找當中的任何人說話。傑登・溫・陽陷在交誼廳另一頭的椅子深處，發出呼喚。拉法揮手回應，大步走向他的房間。他是憤怒炙烤成的焦炭。他重重甩上門，抬起椅子，毫不費力地將它擲向房間另一頭。桌子，燈碎裂、墜落。他猛踢，碎片飛向高處。他扯下牆上的舊式螢幕（老闆們總是在考慮周到的俱樂部內盯著它，欣賞自家球隊的表現），砸向梳妝台的桌緣。一砸再砸，直到它斷成兩半，然後將那兩半螢幕塞進列印機的出口處漏斗，不斷往上撬，撬到列印機變形、報廢為止。

有人敲門。

「柯塔先生。」

「沒事。」

憤怒已剩下餘燼。他毀了一切——這房間，他和尼可．沃隆佐夫的生意全都毀了，都是同一把怒火燒的。他對尼可．沃隆佐夫的太空船吐口水，意思跟對他女兒吐口水沒兩樣。當他打電話到神之若望時，盧卡斯的停頓和長長的沉默比任何形式的暴怒都還要滔滔不絕，譴責意味濃厚。他有負於家族，他碰觸到的一切都化為廢渣。

拉法在盛怒搗毀房間的過程中還是很謹慎。酒吧本身完好無缺。他坐在床上，盯著酒瓶，彷彿在人群中遙望愛人。俱樂部總是在他房間內堆滿他個人擁有的琴酒和蘭姆酒。他可以跟他們一起度過美好的夜晚，和他們共飲。喝到軟弱、悔恨占據他內心，然後在凌晨醉醺醺地打電話給露西卡。

老兄，幫自己留點尊嚴。

「嘿。」傑登．溫．陽再度呼喚。

「我要出去了。」拉法說。

他下次進門之前，工作人員就會把房間恢復原狀了。

弗拉維亞教母發現路卡辛侯站在自家門口時吃了一驚，這狀況就像路卡辛侯在醫院裡發現她站在床腳。

路卡辛侯打開他小心翼翼從卡喬公寓運過來的瓦楞紙箱，裡頭的糕點上有綠色翻糖字母：帕克斯。

「義大利甜點。」他說：「我還查了一下義大利在哪。真的很輕，裡頭有杏仁。妳吃杏仁嗎？上頭有帕克斯兩個字，就像天主教說的平安。」男孩自然地對著他的教母說葡萄牙文。

「Paz na terra boa vontade a todos os homens（在地上平安歸於他所喜悅的人）。」弗拉維亞說：「進來吧，喔，進來吧。」

公寓狹窄而昏暗，唯一的光源是幾盞生化燈，排放在所有裂縫、破孔中，也沿著所有架子和壁架上排放。路卡辛侯在綠光中皺眉。

「哇，這裡有點小呢。」路卡辛侯鑽過門楣，試圖在各種雜物當中找一個可以坐的地方。

「這裡永遠會有空間可以容納你。」弗拉維亞說，雙手捧住路卡辛侯的臉。「我的心肝寶貝。」需要遮風避雨處，需要床鋪、熱食、水、梳洗時，你的教母會永遠在這裡。

「我喜歡妳家。」

「帳單是華格納付的，他支付我的每日開銷。」

「華格納？」

「你不知道？」

「呃，我爸沒……」

「沒提過我的事，你媽也是。我習慣了。」

「謝謝妳來看我，我住院的時候。」

「我怎麼能不去呢？你是我懷胎生下的。」

路卡辛侯侷促不安。任何十七歲男子聽到自己曾經窩在老女人體內，都會無法承受的。他窩到教母指示他坐的沙發一角，打量公寓，教母則輕按熱水器，從廚房壁櫥中取出盤子和叉子，挪走沙發前矮桌上的聖像和生化燈，清出一個空位。

「妳有好多……東西。」

聖像，雕像，十字架，護身符，爵杯，星星與金蔥。焚香、混合香草、汙濁空氣的氣味彼此撞擊，令路卡辛侯皺起鼻頭。

「姊妹會認為宗教性的雜物有其重要性。」

「姊妹……」路卡辛侯打住，以免他與教母的對話變成鸚鵡學舌，她說一句，他就問一句。

「現主姊妹會。」

「我奶奶跟她們有些聯繫。」

「你奶奶捐獻金錢給我們，支持我們的活動。洛亞修女固定拜訪她，給她一些精神修行上的建議。」

「亞德里安娜奶奶會需要什麼精神上的建議？」

水壺開始唱歌了。弗拉維亞教母壓碎薄荷葉，再倒水進去。

「沒人告訴過你。」弗拉維亞教母將更多雕像和宗教相關物件推到矮桌盡頭，然後坐到地上。

「嘿，我應該要讓你……」

路卡辛侯提議要坐她的位子，但弗拉維亞揮手拒絕。

「好啦，至於你帶來的蛋糕。」她將刀子舉到眼前，輕聲念出禱告文。「你永遠都要感謝刀子，一定要。」她切下指甲大小的一片蛋糕，放到葛達二聖雕像前的盤子上。「看不見的賓客。」她呢喃，接著以瓷筷般細瘦又力求精準的手指捏起自己那份帕克斯蛋糕。

「這真的非常棒，路卡。」

路卡辛侯臉紅了。

「有一技之長的感覺很棒，教母。」

弗拉維亞教母撥掉手指上的碎屑。

「好啦，告訴我，你為什麼會跑到你教母家門口？」

路卡辛侯慵懶地倚上廣藿香味濃郁的靠墊，翻了個白眼。

在忒出發的回程列車上，他一度以為自己的心臟將會炸開。亞別娜得攙扶他走路，他發現自己的手指持續不由自主地移向耳朵上的尖牙。亞別娜在奔月派對上舔了他的血，而在阿沙默家的派對上，亞別娜望著他，大搖大擺地離去。列車抵達梅利迪安的那一刻，他差點就把耳朵上的金屬栓子拔下來，送回忒。他動了五次念頭，每次都打消主意。**當你……沒有其他指望**，亞別娜說，**落單、赤裸裸地暴露在危險中，處境變得跟我哥相同時，你就把耳環寄給我**。他並沒有遭逢上述任何狀況，濫用禮物只會讓她更恨他。

「我需要落腳處。」

「我想也是。」

「我還有想不透的問題。」

「我無法保證我就想得透，但你說來聽聽吧。」

「好。教母，女孩子為什麼會採取某些行動？」

「他做錯了。」

酒保定在原地，藍色的古拉索酒懸在雞尾酒杯上方。女人冷酷而緩慢地轉身，從酒吧另一頭瞪著他。

「要先放檸檬皮。」

拉法．柯塔溜到酒吧盡頭的女人身旁。她的衣著無懈可擊，放在旁邊板凳上的芬迪包是經典款，她的副靈是金色星星構成的旋轉宇宙。不過她是個遊客。她的身體不協調、動作誇張、錯估時機、不適反應冒出了十數次，顯示她是地球人。

「不好意思。」

拉法拿起酒杯，聞了一下。

「至少這杯沒問題。沃隆佐夫一族堅持用伏特加，但真正的藍月一定要用琴酒調，最少要加七種植物。」他用夾子夾起檸檬皮蜷縮成的球，放入杯中，然後向古拉索酒點了點頭。「給我那個。」彈手指。「茶匙。」他反轉茶匙，挪至玻璃杯上方二十公分處，酒瓶提高到茶匙上方二十公分處。「重點是利用重力進行雕塑。」他傾斜瓶身，藍色烈酒如蜂蜜般拉出一條緩慢流淌的線，自瓶口垂向茶匙背面。「手穩也很重要。」古拉索酒像是幫茶匙背面上了一層漆，液體接著從邊緣溢出，化為混沌的細流和水珠。蔚藍色液體在澄澈的琴酒中旋繞如菸，如緞帶般裹住黃色大理石似的檸檬皮。「液體自有的動力會完成攪拌的任務，這等於是將混沌系統導入雞尾酒論。」

他將雞尾酒滑向女人，對方啜飲一口。

「好喝。」

「就只有好喝？」

「非常好喝，你調的藍月很棒。」

「這是應該的，因為這是我發明的。」

四名中年客戶窩在角落的雅座敬彼此酒，慶祝家族企業的成功。柯塔家的保全人員守在吧台一段距離外的桌子那裡，沒引人注意。除了他們之外，酒吧裡就只有拉法和那名女人了。它是離俱樂部最近的酒吧，所以他當初才會碰巧發現它，不過他還是相當喜歡。由下往上打的老式照明使每杯飲料都化為珠寶，下巴顯得緊實，顴骨變尖，也讓眼睛帶有神祕的陰影。稀有木料，方形俱樂部皮沙發，酒吧後方貼了一整排鏡子，低語的音樂，位於水瓶座方樓中央區的高處。女性遊客進門時，他已喝了兩杯卡琵莉亞。他決定了，不要再一個人喝酒。專攻藍月。

她叫索妮．夏瑪，紐約人和孟買人的女兒，學士後研究者，來這裡設置遠端月面行星觀測陣列，工期六個月。明天她就會搭太空船上地月循環軌道，準備回地球。今晚想透過酒精擺脫內心與血液中的月球成分。她要不是不認得他的名字，就是有最頂級的孟買人的傲慢。她的社交領域無人占據，而拉法走了進去。

「別管這些了。」拉法碰觸調酒用的各式工具。「給我一桶冰，加到琴酒裡用的。需要杯子時我會讓你知道。」

她挪開芬迪包，邀請拉法坐下。

「你說，這是你發明的？」她喝完第三杯後問。

「你可以去問南后的薩瑟里德斯酒吧。妳知道最昂貴的原料是什麼嗎？」

索妮搖搖頭，拉法輕敲檸檬皮。

「就只有這個，我們無法3D列印。」

「你的手很穩。」索妮看著以茶匙和古拉索酒調酒的拉法說，接著倒抽一口氣——拉法拿起一個酒杯，把琴酒潑到地面，然後倒扣在吧台上。杯內昏暗的空間傳出嗡嗡聲，是蒼蠅。拉法轉身面向安靜無聲的保全人員。

「你們知道杯子裡有什麼嗎？」

保全站著。

「坐下，坐下！」拉法咆哮：「跟我弟說，我知道他的小間諜從二勃日就開始纏著我了。」

「柯塔先生，我們不……」女保全開口，但拉法打斷了她。

「不替我工作。那不重要。你們任它接近我這點不會改變，任它接近我。妳被開除了，你們都被開除了。」

「柯塔先生……」女保全再度開口。

「妳以為盧卡斯不會因此炒你們魷魚？你們在這裡待到博阿維斯塔派人來頂替為止。蘇格拉底，幫我接赫特．裴瑞拉和我弟。」他望著酒吧裡的那家人，他們怯生生地窩在桌邊。「你們接下來要去哪裡？」

他們口齒不清地念出餐廳和音樂酒吧的名字。

「這裡有三千比西，去過你們此生最棒的一晚吧。」

蘇格拉底轉帳過去，那家人一邊鞠躬哈腰一邊往外移動。拉法退到一旁和保全隊長交談，接著用理性程度更低一些的語氣和弟弟對話，酒保在這段時間調整了酒瓶位置。索妮把下巴安在吧台上，瞪著那隻蒼蠅。

「這是機器。」她說。

「半機器。」拉法說：「我先前差點被這種玩意兒殺死，抱歉嚇到妳了，不該讓妳碰上這場面的，我不知道有沒有辦法補償妳。」他請酒保送上乾淨的杯子，倒入冰鎮的琴酒，扔進檸檬皮，消融的古拉索酒伸出卷鬚。「抖都沒抖半下。」他將藍月滑到吧台另一頭的索妮手中。「我的其中一個妻子離開了我，另一個妻子死了。我的女兒怕我，而我對其他人發火，間接傷害了我兒子。我弟認為我是蠢蛋，所以監視我，而我媽就快相信他的看法有理了。我剛搞砸了一門生意，事業上的敵人殺得我落花流水。我的保鑣在黑暗中連自己的屁股都找不到。有人試圖用蒼蠅刺殺我，而我的手球隊在聯盟中墊底。」他舉起了自己的杯子：「但我仍然是藍月的發明者。」

「我搞不好是刺客，」索妮說：「我大可抽出一把刀，在你身上切開一條縫，從這裡到這裡。」她的手指從他的下巴移動到胯下。

拉法握住她的手。

「不，妳沒辦法。」

「你確定嗎？」

拉法朝他的前任保鑣撇了一下頭。

「我剛剛是開除了他們沒錯，不過他們也掃描過這裡的所有人了。」

「你侵犯我的隱私？」

「我可以補償妳。」

「對你們這裡的人來說，一切真的都只是合約關係。」

「你們這裡的人？」

「月球人。」

拉法還是沒鬆開手，索妮還是沒掙脫。

「我知道我在這裡工作應該要感到榮幸，但我已經等不及要回家了。」她說：「我不喜歡你們的世界，拉法爾．柯塔。我不喜歡這世界的陰險、拮据、醜陋，不喜歡一切都可用金錢衡量。」她舉起一根手指擺到眼前：「我沒辦法習慣這些，也不認為自己總有一天能習慣。你們是關在同一個籠子裡的老鼠，只要看一眼，說錯一個字，你們就會開始啃咬彼此。」

「月球是我唯一熟知的世界，」拉法說：「我不能去地球，去了只會害死自己。不會很快就丟掉性命，但遲早會。所有月球人都不能去，這就是我們的家。我出生在這裡，死也會死在這裡。人，落在登峰造極和墮落谷底之間，盡全力活，盡全力廢。到最後，我們僅有彼此的陪伴。在妳看來，我們用合約處理一切事務，但在我看來，我們是重視合意。這是我們想出來的活下去的辦法。」

「那好吧，補償我。」索妮掙脫他的抓握，敲了一下琴酒瓶。拉法再次抓住她的手，牢牢不放。她有點震驚，因此嘴唇微開。

「永遠別想可憐我。」他說，同時鬆開手。機械運作的喀咖聲傳來，雨棚從吧台上張開，覆蓋整座酒吧和客人的頭頂。

「要下雨了。」拉法抬頭說：「妳看過月球上的雨嗎？」

「妳沒去過遠端陣列，對吧？」

「我是商人，不是科學家。」一小杯琴酒，扔下果皮，茶匙花招，緩慢暈散開的古拉索酒。

「那裡是隧道、走廊、小隔間組成的，我覺得自己彎腰駝背了六個月，沒想到脊椎還能打直，我真是意外。」她轉動圓椅，眺望水瓶座方樓的浩瀚遠景。「這是我六個月來第一次看得那麼遠。」

頂棚突然響起鼓聲。雨珠像玻璃飾品似地，碎裂在棚子遮不到的露台地面，輕柔地炸開。

「喔！」索妮開心地以雙手掩面。

「來吧。」拉法伸出手，索妮握住，讓他引領自己到雨中。肥碩的雨滴打進杯中，濺出藍月的酒水，也在他們腳邊引爆。索妮抬臉迎向雨水。幾秒鐘內，他們就溼透了，昂貴的衣服緊黏身體，發皺。拉法帶索妮到欄杆邊。

「妳看。」他下令。緩慢墜落、顫抖的水滴，在水瓶座中央區的圓頂上拼出一幅鑲嵌畫，它們在燈火的照耀下，一個個化為耀眼的寶石。「看。」天際線現形了，一度無比刺眼。索妮的手擺到眼前遮光。當視力恢復時，她看到彩虹橫跨在方樓寬闊的中央區之上。「看！」下方泰勒斯可娃大道的人車都停住了，乘客、行人一動也不動，攤開雙臂。其他人潮從商店、俱樂部、酒吧、餐廳中湧出，加入他們的行列。小朋友跑到露台和陽台上蹦蹦跳跳，在雨中大吼。雨水重擊水瓶座方樓，令所有屋頂、雨棚、起重架、走道發出鼓聲和嗡鳴。

「我聽不見自己的思緒了！」索妮大喊，接著天際線暗去，雨停了。最後幾滴雨水在她肌膚上迸裂，世界溼淋淋、閃亮亮的。索妮環顧四周，目眩神迷中帶著驚嘆。

「空氣的味道變了。」她說。

「聞起來變乾淨了。」拉法說：「這是妳第一次吸入無灰塵的空氣，雨能把塵土刮下來，所以我們才要造雨。」

「你們怎麼有本事浪費那些水？」

「沒浪費，每一滴都是收集來的。」

「但有開銷問題，誰買單？」

「你們買單。」

拉法伸出一根手指，碰了一下眼睛下方。

眼幕顯示索妮的水帳戶點數遭到扣除，她瞪大眼睛。

「可是，這……」

「沒什麼。妳會覺得可惜嗎？」

「不，絕不會。」她打了個哆嗦。

「妳溼透了。」拉法說：「我可以讓我的俱樂部列印一些新衣服給妳。」

索妮邊顫抖邊露出微笑。

「那是釣馬子用的台詞。」

「確實是。」

「那就走吧。」

蘇格拉底匯了一大筆小費給酒保，而索妮和拉法奔跑於溼漉漉的都市中，朝職業手球隊老闆俱樂部移動。監視蠅仍在鐘罩中嗡嗡響。

盧卡斯回到音響室，坐到沙發上聲音效果最佳的位置。

「一切都還好嗎？」

「都好。請繼續演奏〈濃縮咖啡〉。」

「但您平常不會讓人打斷你。」這是荷西第三次進音響室表演，不過模式已經建立了。他會毫不間斷地演奏一小時，盧卡斯也會連聽一小時。不過〈濃縮咖啡〉演奏到第三小節時，盧卡斯毫無預警地從沙發上起身，快步走出房間。荷西聽不到盧卡斯在忙啥，但他離開了好幾分鐘。

「〈濃縮咖啡〉，麻煩了。」

不過那干擾使荷西陷入混亂，花了一小段時間才找回手指、身體、喉嚨的張力。手指找到正確的和弦，人聲唱出切分音。接下來他再也沒被打斷，但演奏者流向聽眾再流回演奏者的能量循環已受到干擾。荷西以微弱的節奏為〈埃索拉〉畫下句點，然後開始收拾吉他。

「柯塔先生，下星期同樣時間嗎？」

「是的。」荷西轉身準備離去，而他伸手搭住荷西肩膀：「留下來喝一杯吧。」

「謝謝你，柯塔先生。」

盧卡斯領著手拿吉他的荷西前往休息室，然後拿了一杯莫吉托雞尾酒給他。

「我調得比例正確嗎？」

「很完美，柯塔先生。」

「喝了再說。」

他喝了，確實很完美。

盧卡斯拿著自己那杯，走向窗邊。神之若望的市景奔騰而過，各種動靜與光，層層疊疊。藍色霓虹，綠色生化燈，金色街燈。

「很抱歉，我不該接那通電話。我看得出來你陷入了混亂。」

「專家就不該受這種插曲影響。」

「我也混亂了，我一定還只是個業餘聽眾。荷西，你有兄弟姊妹嗎？」

「柯塔先生，我有兩個姊妹。」

「我想說你很幸運，不過就我經驗來看，姊妹就跟兄弟一樣難搞。難搞的點不太一樣。兄弟的問題在於，權力由出生次序決定。長子永遠是長子，永遠是金童。荷西，你是長子嗎？」

「我落在中間。」

「我跟艾芮兒也是。卡林侯最得疼愛，年紀最小的總是如此。」

「我以為柯塔家第二代有五個人。」

「四個，外加一個冒牌貨。」盧卡斯說：「我看你已經喝完了。」荷西大口牛飲莫吉托雞尾酒，緊張的表現。「再喝一杯吧，這次試著好好品味一下。這蘭姆酒真的很棒。」他端來第二杯酒，把荷西也引到窗邊。「我媽是月球的先驅，企業家，一手建立了一個王朝，但有許多方面都顯得保守。這兩件事並不矛盾。長子接掌公司，其他人就發揮所長輔佐他。我照辦了，卡林侯也照辦了，就連華格納也是。艾芮兒，我嫉妒艾芮兒，她到公司外找了自己的工作。艾芮兒．柯塔律師，尼卡赫婚約之后，梅利迪安的大紅人。」盧卡斯將杯子舉向這擁擠、灰濛的街道。「她還是白兔閣成員。」

「所有自稱是白兔閣成員的人——」

「幾乎都是冒牌貨，我知道。但如果艾芮兒說她是，那她就真的是。荷西，你覺得我的蘭姆酒如何？」

「很棒。」

「我個人的品牌。你小時候養過寵物嗎？」

「只有機械的。」

「我們的也是，我媽不肯讓任何有機的玩意兒出現在家裡，會拉屎又會死。路卡辛侯的奔月派對上，阿沙默家送了一群裝飾用的蝴蝶，往後幾天我媽一直在抱怨牠們製造出的髒亂。到處都是翅膀，機器乾淨多了。但它們還是會停止運作，會死。是他們讓它死的，懂我意思嗎？這樣才能教導小孩。之後得把殘骸送到反列印機內，而那就是我的工作，荷西。」盧卡斯啜飲一口酒，荷西已經快喝完第二杯莫吉托雞尾酒了，盧卡斯的第一杯還沒沾到幾口。「我們家的金童犯了一個可怕的錯誤。他想盡千方百計的成果是：沃隆佐夫家疏遠了我們。他讓感情戰勝了理智，不只連累我們的擴張計畫，還危及我們跟VTO的運輸協議。我們要靠VTO的太空船，才能把氦氣貨櫃運到地球去。我又要負責補破網，想出解決之道。回收屍骸，收拾爛攤子。」

「柯塔先生，這些是我能聽的事嗎？」

「你聽到的都是我要你聽的，我沒說漏嘴。荷西，我為我的家族憂心。我哥是個白癡，我媽……不太對勁，有事情瞞著我。不管我怎麼施壓，海倫．迪．布拉加和那個愚蠢的赫特．裴瑞拉都不肯告訴我。如果沒人處理這堆屎事、收收屍，公司就會解體。荷西，你有沒有小孩？」

「我不是那種身分的人。」

「我知道。」盧卡斯接過荷西的空杯，再放了一杯酒到對方手中。「我有一個兒子，我意外發現自己非常以他為傲。他逃家了。我們居住在人類史上最密閉、戒備最森嚴的社會當中，年輕人還是會試圖逃家。當然了，我鎖了他的帳號。並沒有危及他的性命，損害他的健康。他靠自己的小聰明過活，而他似乎真有些本事。也有魅力，這就不是遺傳我了。他在逃家過程中小有成就，成了小小名人。名氣只會維持個五天，之後大家就會把他忘得一乾二淨了。我隨時可以把他抓回來，但我不想。還沒那麼快。我想知道他還會發現哪些潛在的特質，他擁有的某些才能是我缺乏的。他似乎很善良，而且相當正直。我怕他善良、正直過了頭，根本不適合經營公司。我一天到晚擔心未來的事。你對這支有什麼看法？」盧卡斯手中的杯子朝荷西的一傾。

「不太一樣。泥煤味比較重，比較烈。」

「比較烈，對。這是我自有品牌的卡夏莎，演奏巴莎諾瓦時就該喝這個。我覺得它有點野。因此，我非得演一齣會議室政變才行。我得對抗我的家族，才能拯救它。而我正在對一個巴莎諾瓦歌手說這些，你心想：我是他的心理治療師，還是聽取告解的神父？他的吟遊詩人，還是他的弄臣？」

「我不是弄臣。」荷西一把抓起吉他。盧卡斯擋下他時，他只差三步就要走出門外了。

「在古代歐洲，弄臣是國王唯一可以說真話的對象，也是唯一能向國王指出真相的人。」

「你是在道歉嗎？」

「對。」

「我還是該走了。」荷西懊悔地望著手中的杯子。

「是，當然了。」

「柯塔先生，下週同一時間嗎？」

「叫我盧卡斯。」

「盧卡斯。」

「我們可以稍微提早嗎？」

「什麼時候？」

「明天。」

「媽？」

亞德里安娜醒來，發出小小的驚叫。她在某房間的床上，但她不知道那房間在何處。她的身體不聽使喚，儘管她感覺得到它的存在，輕巧如夢，虛幻如命運。有道人影浮在她上方，近得像是呼出的氣息。她呼氣，他就吸氣。

「卡羅斯？」

「媽，不要緊的。」

聲音在她腦海之中。

「誰？」

「媽，是我，盧卡斯。」

那名字，那嗓音。

「喔，盧卡斯。現在幾點？」

「很晚，媽。很抱歉打擾到妳，妳還好嗎？」

「我睡得很差。」

光膨脹了。她在自己的宮殿內，睡在自己房間的床上。若隱若現、吞食她鼻息的鬼魂，是盧卡斯。他現形於她的鏡片上。

「我說過了，妳應該去找馬卡拉格醫生，她可以開點藥給妳。」

「她可以給我三十年的時光嗎？」

盧卡斯微笑，亞德里安娜真希望此時觸碰得到他。

「那我不吵妳了，稍微睡一下吧。我只是要妳知道，我們還沒失去蛇海。我有個計畫。」

「要是失去那裡，我一定會恨死了。沒什麼能讓我更不爽。」

「不會的，媽，如果卡林侯和他那些蠢沙地摩托出擊，就不會失手了。」

「盧卡斯，你真棒。後續狀況再報告給我。」

「我會的，好好睡吧，媽。」

回程車上，瑪莉娜就坐在安全帶固定的屍骸旁。距離很近，她和對方的大腿、肩膀會相互摩擦，但那也比對坐來得好。地表活動衣，光滑的頭盔，限制動作的安全帶。沒什麼判斷生人與死者的依據。知情，等於恐怖。空白的面罩後方是張空白的臉龐，死亡。

死因是迅速、災難性的體溫飆升。保羅．里貝羅在太空衣中被煮熟了。卡林侯過濾資訊，試圖判別哪裡出了錯。如果在地表工作滿一千小時的塵工都可能在三分鐘內死於地表活動衣之中，那任何人都可能面臨同樣的下場。瑪莉娜．卡爾札當然也有可能，此刻她被安全帶綁在開放式、未加壓的滾籠型車架上。車子以時速一百八十公里暴衝於酷寒、明亮的真空中。除了荒謬的太空衣和圓鼓鼓的安全帽面罩外，沒有其他東西阻擋在她與真空之間。即使在此刻，上千種小差錯也可能在密謀、繁殖、串連。瑪莉娜．卡爾札將恐慌大口吞回體內，彷彿那是黃色的膽汁。她在寧靜海時差點將頭盔脫了下來。

「妳還好嗎？」卡林侯用私人頻道問她。

「沒事。」她說謊。「我只是很驚訝，就這樣。」

「妳能繼續嗎？」

「可以，為什麼這樣問？」

「上頭要我重新部署。」

「到哪？」

「我要跟妳玩一個罰酒遊戲。」卡林侯說：「只要妳問一個問題，我就喝一杯。我們準備要搭火車。」

瑪莉娜完全察覺不到探測車的轉向，但一個小時後，車子在赤道一的旁邊停下，煞車時還滑行了一段。座位安全束具抬起，小隊成員下車，甩動僵硬的四肢。瑪莉娜小心翼翼地將一隻腳放到鐵軌上，想感受特快車逼近時帶來的振動。結果當然什麼也沒有。外側鐵軌是馬肯齊行動鑄造廠「坩堝」專用的設施——瑪莉娜回想起先前接受的簡報內容。特快車跑在內側的四條磁浮軌道上，電軌就在一旁，她看到了。腳要是踩到上面，她就會乾淨俐落地當場死亡，而卡林侯的平視顯示器會大放光明，像在過排燈節。

「來了。」卡林侯說。一小粒光球浮現在西方地平線上，接著化為三顆刺眼的頭燈。地面震動著。列車以磁浮力前進，地平線又近在咫尺，瑪莉娜還來不及對列車產生印象，車子就通過了：壓迫感十足的質量，全然無聲。模糊的窗戶閃過，接著和緩下來。車就要停了。瑪莉娜看到一個小孩的雙手拱成杯狀，抵在窗玻璃上，窺看車外。車停了。長達一公里的列車當中，有三分之二是乘客車廂，尾段三分之一是貨物、貨板車。卡林侯揮手要他的隊員跨過鐵軌，登上最後一輛貨板車。瑪莉娜輕而易舉地登上燒結的軌道床，雙手交疊一撐，就翻上了開放式的貨板車。是三輪摩托，輪胎肥厚的大型三輪摩托，有感應器和通訊器材，醜陋、毫不考慮空氣動力學，但肯定是摩托不會錯。

這……她想開口發問，但這只會讓卡林侯在罰酒比賽中拿下一城。

「我們準備要去設椿圈地。」卡林侯用公開頻道宣布，老塵工、小隊成員、騎機車來的人都發出鬧烘烘的歡呼。「盧卡斯要我們前往蛇海。馬肯齊家以為那塊土地已是囊中物，以為只有他們掌握相關情報。但我們也知情，我們可以從他們手中偷走那塊地。他們有VTO的地表艦隊，但我們有這些。」他拍拍其中一輛摩托的把手。「柯塔沙地車隊會獲勝的。首先，我們搭火車。」眾人發出贊同的歡呼，瑪莉娜發現自己也是其中一員。列車前進了，沒傾斜也沒顛簸。瑪莉娜目送探測車加速駛離赤道一，載著唯一一名死者乘客折返神之若望。

弗拉維亞煮了一些食物，很豐盛，而且是全素，就跟月球上大部分的美食一樣，不過路卡辛侯覺得味道很淡，像是沒有低音弦的吉他奏出的音樂。

「洋蔥和蒜出了什麼問題嗎？」他問：「還有辣椒？」

「從神學的角度看，它們是不該吃的蔬菜。」弗拉維亞說：「會挑起熱情，刺激基礎的本能。」

路卡辛侯翻攪食物。

「教母，妳為什麼要離開？」

弗拉維亞在路卡辛侯五歲時離開博阿維斯塔。印象中，他的困惑比受傷的感覺還要強，不過嶄新日常的碎屑很快就填滿了那個空缺。他的生母亞曼達很快就把他塞給了愛麗絲教母，當時她已懷了羅伯森。

「你爸從來不曾告訴你？」

「從來沒有。」

「你爸和你祖母開除我，逼我離開你，離開博阿維斯塔。我懷胎生下卡林侯，生下華格納，最後生了你，路卡。你知道教母是做什麼的嗎？」

「妳們是代理孕母。」

「我們出賣肉體，這就是我們的工作。我們把身為女人的心賣給某人，等於是賣淫。我們張開雙腿，讓別人的胚胎進到我們的子宮中。路卡，你是在試管中受精的，你在陌生人的子宮中成長。這陌生人可以賺錢，賺很多錢。但你們不是我的，是盧卡斯．柯塔和亞曼達．陽的兒子。卡林侯是卡羅斯和亞德里安娜．柯塔的兒子。」

「你也是華格納的教母。」路卡辛侯說。

「對我來說是最殘酷的工作。如果你們是出生後就立刻被帶走，我也許會好過一點。但根據合約，我們不只要懷胎生下孩子，還得養育孩子。我的人生都奉獻給你、卡林侯和華格納了。我做了許多母親的工作，但不是真正的母親。」

「妳沒有自己的孩子。我是說，妳沒有自己造出來的。」

「你無法想像我的感覺：我每個小時都和自己懷胎生下的孩子待在一起，從各個角度來看，我們都是母子，但血脈不相連。這孩子不是我的，永遠不會是。」

「但妳可以……」

「你無法理解的，路卡，你根本無從理解。我簽的是獨占合約，我只能生柯塔家的兒子和女兒。我愛你，路卡，也愛卡林侯、華格納。我把你們當成自己的孩子來愛。」

路卡辛侯頭上的血管快速脈動著，頭骨內的壓力很大，眼壓也很高。這件事很沉重，他無法分析，讓他經歷著前所未有的情緒變化。弗拉維亞說得對，他無法理解，這是大人才懂的感受。

「還有華格納，」路卡辛侯說：「妳一直說『還有華格納』。」

「路卡，你一直都比你爸認定的還聰明。」

「爸總是說他不是柯塔家的人，奶奶不肯跟他說話。他一滿十八歲就離開博阿維斯塔了。」

「離開？還是被迫離開？」

「妳做了什麼？」

「華格納是半個柯塔人，體內流著柯塔家和維拉．諾瓦家的血。」

「維拉．諾瓦是妳。」

「弗拉維亞．帕索斯．維拉．諾瓦。教母的報酬非常豐厚，夠我聘請一名產科醫師進行人工受孕，植入另一組受精卵了。」

「奶奶，卡羅斯的……」路卡辛侯說不出那些字。卵子，精液，太尷尬了。而且人還是兩者造出來的呢，更尷尬。

「卡羅斯二十年前就死了，他還有上百件精液樣本冷凍著。卡林侯的人工受孕就是用冷凍精液進行的。後來，慈祥的亞德里安娜決定要再生一個小孩，一個玩具寶貝，幫助她最後一次緬懷死去的丈夫。五十六歲的她決定再生一個孩子，而我，什麼也沒有！她不配再擁有小孩，不該在晚年增添一個玩具男孩。事情非常容易就成了。」

聖人，奧里莎，埃舒與圭亞的塑膠眼睛盯著路卡辛侯．柯塔。他感到坐立難安，非常忸怩。綠色生化燈令他頭暈。是燈的錯，他很確定，跟他接下來立刻就要提出的可怕疑問無關。

「弗拉維亞，那我呢？」

「路卡，你有陽家人的顴骨和柯塔一族的眼睛，不可能有差錯的。」弗拉維亞感覺到他的困惑：「我就說你沒辦法懂。」

「所以妳懷了華格納……」

「我只需要自己的男孩，就這樣。你們柯塔人的驕傲使你們盲目，驕傲是第一原罪，也是最重的罪。你們完全沒考慮過這可能性：華格納也許是卡羅斯和弗拉維亞的兒子，而不是卡羅斯和亞德里安娜的。從來沒考慮過，傲慢又自大！」弗拉維亞舉起雙手，彷彿是要讚美或譴責。「要不是華格納去醫院治療肺，你們也絕對不會發現的。他的支氣管出了些狀況。亞德里安娜擔心是遺傳疾病，擔心卡羅斯的精液和她的卵子放太多年，變質結塊、發酸了。醫院進行基因測試，我的欺騙行為立刻就穿幫了。我違反了合約，但新聞台若發現亞德里安娜．柯塔的么子不是她的親生子嗣，就會爆發世紀醜聞。柯塔家給了我一筆錢，當作封口費，也是對我的威脅。」

「我奶奶威脅妳？」

「不是亞德里安娜，是她的代理人帶禮物過來。海倫．迪．布拉加掏出錢，赫特．裴瑞拉掏出刀子。華格納待在博阿維斯塔，接受各種柯塔式的栽培，但亞德里安娜無法愛他。她從他身上看得到卡羅斯的影子，但看不到自己的。」

「她一直很疏遠他，很冷淡。但我爸真的很恨他。」

「你爸很聰明。華格納對家族是個威脅，我對家族是個威脅，我告訴你這件事也對家族構成威脅。」

路卡辛侯慌了，心臟撲通狂跳。

「他要是知道妳說了，會不會……傷害妳？」

「傷害我，他就可能永遠失去你。他不會冒那個險。」

「說得好像他在乎似的。我逃離博阿維斯塔後，可沒看到他派保全來找我。」

「你爸完全掌握了你的行蹤和你的一舉一動，現在也知道你在這。」

「我真他媽不想當柯塔家的人。」他突然大手一揮，桌上的聖像和宗教相關的小玩意兒全飛了出去。弗拉維亞細心地將它們擺回原位。

「聽好了，富家公子。你逃家，你朋友就帶你去派對尋歡，你姑姑給你現金，你的愛人們給你被子蓋、給你遮風避雨的落腳處。你還恨自己是柯塔家的人？你恨自己永遠沒機會賣自己肺中的空氣和膀胱中的尿液？你恨自己永遠沒機會從回收機器人手中偷東西？沒機會拿刀捅人，搶一包炸木薯。閉上你的嘴，不然你的腦搞不好會掉出來。帶蛋糕過來？過去的我搞不好會為了它把你開腸剖肚，孩子。你的家人總是雇用月光菜鳥來當教母，因為我們還保有地球人的肌肉和骨骼。我下循環太空船後在南后的太陽企業待了六個月，工作內容是研發機器人，後來發生了一次小小的經濟衰退，我就被趕到街上了。我睡在高層樓的屋頂內，感覺得到放射線穿透我的身體。我偷東西，殘害別人，賣掉自己身上的所有東西，然後告訴自己：我不要再過一次這種生活了。絕對不要。於是我前往現主姊妹會，因為我知道她們搞基因那些是為了什麼。聖者之母上下打量我，看了我的醫療記錄五次、十次、五十次。接著他們派我到亞德里安娜‧柯塔那裡，然後把卡林侯的胚胎植入我體內，我再也不餓、不渴，也不用擔心呼吸問題。你恨自己擁有那些資源？母與聖者啊，你真他媽忘恩負義。」弗拉維亞在胸前畫了個十字，親吻自己的指節。

憤怒與羞恥灼燒著路卡辛侯的臉龐，他已經受夠別人的指使了。穿這件衣服，化妝化成那樣，別跟那女孩在一起。當一個感恩的小孩。弗拉維亞從地板上起身，進小廚房燒水。杵在缽中搗磨，接著一陣濃厚的菜味便瀰漫於小房間中。

路卡辛侯的手按著門。

「你要去哪？」

「重要嗎？」

「不，你不會走的。你要不是走投無路，才不會來這裡。我也不想要你走。喏。」弗拉維亞給了他一杯草藥瑪黛茶。「坐吧。」

「命令，每個人都在對我發號施令。每個人對我都很有想法，知道我是誰，我要什麼。」

「別這樣。」

路卡辛侯聞了一下那杯飲料。

「這是什麼？」

「有助眠效果。」弗拉維亞說：「時間很晚了。」

「妳怎麼知道？」公寓內沒有鐘。姊妹會並不鼓勵掛鐘，因為它們是時間之刀，將「偉大的現在」切成更細的單位——小時、分鐘、秒鐘。姊妹會的哲學是連續性的哲學：時間是一個不分割的整體，整體存在於第四次元之中，於至高神奧羅倫的心中。

「感覺很晚了。」

「我不喜歡這個。」路卡辛侯聞了聞杯子，板著臉，厭惡一覽無遺。

「誰說是給你的？」

路卡辛侯喝了。弗拉維亞進廚房洗完杯盤再出來時，路卡辛侯已縮在沙發上睡著了。

十二道揚起的月塵，十二位騎士排成V字形橫越艾因馬爾特隕石坑。瑪莉娜．卡爾札已經騎車騎了三個小時，屁股早已僵硬得像石頭，脖子痠痛，手指被震到麻掉。她感覺得到寒冷真空啃咬著她的地表活動衣，無法不盯著平視顯示器右下角的氧氣數字看。都計算好了：氧氣足以讓他們騎到定點，再待一小時左右，界海出發的探測車就會抵達，幫他們進行補給。在那裡待三小時，之後還有一個小時要跑，時速一百八十公里（最快可達時速二百二十公里，但那樣會縮短電池壽命）。而沃隆佐夫的艦隊正在高空某處疾馳，繞過世界的肩膀，朝蛇海前進。計算結果顯示，柯塔小隊會比馬肯齊／VTO的運輸機提早最多五分鐘抵達，誤差為三分鐘。全都弄清楚了，盧卡斯．柯塔在計算時總是力求精準。

離開車站、往北行駛的第一個小時，他們面臨非常顛簸、崎嶇的高地地形，有隕石坑、噴出物、變幻莫測的坡道，非得徹底集中精神不可，人類與機器的注意力都得用上。沙地摩托的巨大輪胎可以輕易壓碎較小的碎屑，但每個石塊都要求你下判斷：要壓過，還是繞過？要是判斷錯誤導致輪胎和傳動系統故障，你就得在隕石坑內落單，看著同伴拖著一道長長的沙塵遠去。救生艇不會來，它們全被馬肯齊金屬包下來了。瑪莉娜每次碰上石頭和紋溝就會咬緊牙根，每道坑壁都使車子一震，震得她脊椎發疼。她的背像是疼痛鑄造而成的，雙臂陣陣抽痛，因為她必須握穩把手，迎向恐怖地形帶來的彈跳與顛簸。她的下顎僵硬，她不記得自己上次眨眼是什麼時候。瑪莉娜．卡爾札亢奮地活著。

「摩托。」她說。

「沙地摩托。」卡林侯糾正她。

十一輛車，圈養在列車的平車上，華麗而陽剛，血管、線路、骨骼、齒輪全顯露在外，性能強大到了粗滿的地步，且因此散發出美感。每輛車都長得不一樣，手工塗裝的訂製車，金屬表面刻了死神頭顱、龍、奧里莎、大屌男人、爆乳女性、火焰、星塵、刀劍、鮮花。重機愛好者的美學是永恆的，不會改變。瑪莉娜戴手套的手拂過鍍鉻的車身側面。

「妳騎過這種車嗎？」卡林侯問。

「我要去哪……」瑪莉娜說到一半打住，想起之前的打賭遊戲。

「妳覺得妳騎得了嗎？」

「能難到哪去？」

「很難，如果出了什麼差錯，妳就會被拋到後頭。」

原本沒安排她的機車。月光菜鳥預定搭溫暖又舒適的加壓車回梅利迪安，但保羅．里貝羅現在正在前往神之若望接受驗屍的路上，柯塔車隊少了一名騎士。十二輛車都得用上才能執行計畫。馬肯齊也可能會出其不意。車手越多，彈性越大。

「妳要來嗎？」

這句話用葡萄牙文說就等於是邀請，而不是詢問。列車已在減速。盧卡斯的計畫很單純，他在瑪莉娜的印象中是個陰鬱、嚴肅的男人，他說出的話救了她一命：**現在起，妳就是柯塔氦氣的員工了。**

他想起了一件小事，連卡林侯都忘記的事實：他們是沙地摩托手。盧卡斯的計畫：用鐵路將所有堪用的機車運到最接近目標土地的車站，催下油門，朝北方的蛇海出擊，然後從那片土地的四角發射衛星轉頻器。四角，十一輛車。

「我去。」瑪莉娜．卡爾札說。

「合約在這裡。」海蒂把它丟到瑪莉娜的鏡片上，她大略瀏覽了一下（許多條款跟意外身亡有關），壓上數位印，回傳給卡林侯。

「緊跟著我。」卡林侯對瑪莉娜的私人頻道說。十一輛車，四角。她和卡林侯將會前往最遙遠的最終角落，與馬肯齊金屬以及所有太空船競速。

騎士們上車了。瑪莉娜的車是纏繞的鋁塊與劈啪響的動力電池組成的野獸。手把正中央有蝕刻在鉻上的月球夫人像盯著她看，骷髏那半邊臉獰笑著。瑪莉娜坐上座墊，摩托的人工智慧便在同一時間與海蒂融合。車子甦醒過來了。操作很簡單，前進，後退，加速。

列車還沒停妥，卡林侯便大力催下油門，車子躍離板車，華麗地翱翔於空中，在地球光照射下閃耀著，著地點比最遠那段鐵軌還遠。瑪莉娜把車移動到地表，研究怎麼操作車子才不會前輪騰空時，卡林侯已經騎到地平線的另一頭了。

她鎖緊軸承，催油門，拖著一片揚塵前進。一陣猛衝把她帶到隊形之中，卡林侯左邊，箭頭的位置有個空位。瑪莉娜騎進去，卡林侯空白的臉龐轉向她，點點頭。

騎士們沿著艾因馬爾特隕石坑長而淺的隕石坑壁疾馳。瑪莉娜轉動龍頭，閃避屍骸大小的噴出物。它早在地球誕生前就已經待在那了，她想。愚蠢又擋路的灰石，落在死寂的月海海底。

卡林侯舉起手，但在那之前副靈已向其他人下達指示。三輛機車脫離箭頭的左翼，朝東南方前進。瑪莉娜看著他們後方的大片塵土緩慢沉降。他們準備對四方形土地的東南角出手。現在剩九輛車行駛於黑暗的平原了，它們排列成一片不對稱的翅膀，騎得飛快、自在，但旅程單調、充滿陷阱。最糟的那種陷阱，你自己催生的。無聊、熟悉感、單調催生的。平淡、平淡、平淡，單調、單調、單調。為什麼會發明這種運動？它的內容就只有直線高速狂飆。也許真的就只有這樣，男人與他們的運動。人有辦法將任何事情轉變成毫無意義的競賽，高速橫越月海海底也可以拿來比。一定還有其他面向，其他花招、技巧。運動都和花招、分數、速度有關，這是瑪莉娜的想法。

卡林侯在預定地點再度舉手，右翼車輛脫隊，畫了一個弧往西前進。目標土地的東南角就在五十公里外了。剩下的五輛車繼續前進。

「妳喜歡巴西音樂嗎？」卡林侯的聲音嚇了瑪莉娜一跳。她的車子晃了一下，之後又穩住了。

「並不喜歡，聽起來都像電梯裡放的音樂。也許它有某些內涵，但我受北部文化影響太深了，感覺不到。」

「我也聽不懂。我媽愛死了，成長過程中一直聽，那是她跟故鄉的連結。」

「故鄉。」瑪莉娜說，不過她不是在發問。

「盧卡斯很愛，有次他曾經試著向我解釋——憂愁，苦澀而甜蜜之類的，但我真的不懂得欣賞。我很單純，我喜歡舞曲，節奏。身體性的，有重量的。」

「我喜歡跳舞，但我不是很會跳。」瑪莉娜說。

「我們回去之後……我們拿下這片土地後，就去跳舞。」

瑪莉娜的車狂飆於蛇海上，時速一百九十五公里，她的心臟激烈跳動著。「是約會嗎？」

「我會帶這小隊的所有人去。」卡林侯說：「妳還沒見識過柯塔式的派對。」

「我去過博阿維斯塔那個，記得嗎？」瑪莉娜退卻了，內心沮喪，地表活動衣下方的臉紅通通、熱辣辣。

「那不是柯塔式的派對。」卡林侯說：「那，妳喜歡什麼音樂？」

「我在西北太平洋沿岸長大，徹頭徹尾喜歡吉他。我是搖滾女孩。」

「喔，金屬樂。我小隊的人都聽那個，金屬。」

「不，是搖滾樂。」

「有差別？」

「差多了。就像你哥說的，你要有鑑賞力才行。」

根據前方雷達，地平線另一頭有障礙物，繞過去會浪費寶貴的數分鐘。

「瑪莉娜．卡爾札，妳對我了解很深——妳知道我喜歡舞曲，追隨『長跑』，我愛我媽，但不喜歡我的哥哥們。我喜歡我弟，完全不了解我姊。我討厭西裝，也討厭窩在地底。但我還是一點也不了解妳。妳很搖滾，妳來自北方，妳救了我哥一命——沒了。」

所謂的障礙物是古代玄武岩淹沒蛇海盆地時沖刷出的裸露高地岩層，在起伏和緩、磨蝕顯著的月球上，這地形變化算是相當突兀，不過卡林侯毫不猶豫地朝岩石直衝而去。

「我算是流落到這裡的。」瑪莉娜說。

「沒有人會流落到月球。」卡林侯說，他的摩托撞上地面隆起，飛了十公尺、二十公尺才落地，濺起一大片灰塵。瑪莉娜跟進。她無力，無援，惶恐就快讓她的心臟停止跳動了。抓穩，要抓穩。後輪著地了，她拚了命將車子抓直，接著前輪也著地了。控得好，控得好。她興奮地喘著氣。

「要說嗎？」卡林侯的聲音透過私人頻道傳來。

「我媽病了，結核性腦膜炎。」

卡林侯用葡萄牙文說了一段話，向聖約翰祈禱。

「她右腳的膝蓋以下做了截肢，兩隻腳都無法行走。她還活著，會說話，會跟人交際，但她不是以前的她了，不是我認識的那個母親了。只剩下醫院搶救回來的部分。」

「所以妳是在替醫院工作。」

「我是為了柯塔氦氣，還有我媽工作。」

現在只剩他們兩人了。卡林侯領著她騎下巨石，眼前的蛇海開闊而寬敞。

「我在華盛頓州的安吉利斯港出生長大。」只剩他們兩人，孤伶伶地置身於曠野中，土地朝四面八方延伸，形成一個弧面，她於是開始談論自己的成長歷程，說她在森林邊緣的一棟房子裡長大，那裡充滿鳥囀、風鈴聲，旌旗和風向袋飄揚。我媽是靈氣治療師、天使療法的施行者、塔羅牌占卜師、風水師、貓保母、遛狗人、馬訓練師，都是二十一世紀晚期的服務業工作。我爸每逢生日、假日、畢業典禮都會送禮給我。狗，霧，運材卡車。海峽內大船的引擎震動，成群的休旅車、摩托、拖車通過他們家，前往山上與水邊。錢總是在絕望來到門前的那一刻生出來，他們都知道，自己與生活的土崩瓦解間只有一張帳單之隔。

「我非常喜歡船。」瑪莉娜說完才想到，卡林侯可能不知道胡安德福卡海峽的巨大航空母艦長什麼樣子。「我年紀真的還很小的時候，總是想像它們有巨大的腳，十幾隻腳，像蜘蛛那樣行走在海底。」

工程師就是這樣養成的：走動的船，心愛的玩具，女孩子即興編出來的救援遊戲，你要運用緞帶、滑車、起重機、齒輪來救身陷險境的動物。

「我喜歡弄得很複雜又華麗。」瑪莉娜說：「然後拍下來，放到網路上。」

她媽看到家中長女展現解決問題和工程方面的才華，既高興又不知所措。他們以家人、朋友、寵物為伴，過著搖搖欲墜、毀滅倒數計時的生活，「解決問題」在此是一種異質的哲學。不過艾倫—梅．卡爾札還是全力支持女兒，儘管她不是很懂女兒在大學裡學什麼。「製程管理架構中的計算演化生物學」是非常含糊的科技用語連珠炮，聽起來就像是定期帳單。

接著腦膜炎來了，是從東方的瘟疫之城傳過來的。當時遷徙潮已維持了好幾年，但這家人認為自己有免疫力，不會受侵擾。疾病吹拂過符咒、風鈴、靈魂守望者，進入艾倫—梅的肺中，然後又轉移到腦部內層。抗生素一一失效。噬菌救了她一命，但感染奪去了她的雙腳，以及百分之二十的心智，留下一筆瘋狂的帳單。賺幾輩子都賺不了那麼多錢，做什麼工作都不可能還債。除非玩債券融資，或是上月球。

瑪莉娜過去從未想過要上月球。她成長過程中就知道上頭住著人，而且有他們在，地球的燈火才得以維繫。她跟所有同時代的小孩一樣，曾經借望遠鏡來看雨海大雞巴「金東」，笑得花枝亂顫。但對她而言，月亮就跟平行宇宙一樣遙遠，不是到得了的地方，從安吉利斯港出發更是天方夜譚。後來她才發現自己不僅去得了，而且非去不可。月世界亟需她的學識和技能，他們歡迎她登月，而且願意付她的薪水是天文數字。

「妳說的技能是在路卡辛侯的奔月派對上供應藍月嗎？」卡林侯說。

「他們找到更廉價的人力了。」

「妳應該要更仔細讀合約的。」

「那是我看到的唯一一個職缺。」

「這裡是月球……」

「一切都可協商，我知道。我現在知道了。」當時她什麼也不懂，只感覺到觀念與經驗的駭浪，五感都在尖叫：**好怪，好新，好可怕**。她的訓練成果很糟。任何事物都無法幫助她做好心理準備，面對現實。走出繫鏈門，進入梅利迪安的稠密、多彩、噪音。她的感官抵抗著這一切。**快點把這鏡片戴到右眼，要這樣移動、這樣走，不要絆到人。開這個帳戶，還有這個和這個。這是妳的副靈，幫它想好名字和外型模組了？讀了嗎？那就簽這裡和這裡。那個女人在飛嗎？**

「東南小隊傳訊，」卡林侯打斷她的思緒：「馬肯齊到了。」

「還有多遠？」

「油門催到底。」

瑪莉娜一直期待他說這句話。她感覺到引擎在大腿間顫動，沙地摩托以奔騰的速度回應。瑪莉娜壓低身體。其實沒必要這麼做，因為月球上沒有空氣阻力，但騎快車時身體就會這麼反應。她和卡林侯並排奔馳於蛇海上。

「你呢？」瑪莉娜問。

「拉法有魅力，盧卡斯懂算計，艾芮兒有口才，我是鬥士。」

「華格納呢？」

「狼。」

「我是說，盧卡斯無法忍受他的存在。那是怎麼一回事？」

「我們的生命並不單純，月球人的做事方法跟地球很不一樣。」卡林侯透過短短一句話表示：妳我仍是一份契約中的雇主與勞方。

「我的氧氣存量剩下百分之十二了。」瑪莉娜宣告。

「我們到了。」卡林侯煞車，甩動車尾，畫出一個揚塵構成的甜甜圈。瑪莉娜繞了一大圈路才減速停到他身旁。四周的塵土緩慢飄落。

「這裡。」黑暗、平坦的月海海底，就像鐵鍋一樣毫無地景變化。

「蛇海長方形土地的東北角。」卡林侯說，開始從沙地摩托後方解下燈標。

「卡林侯，」瑪莉娜說：「老闆……」

地平線近在咫尺，因此高速移動的沃隆佐夫飛船像是憑空在她頭頂變出來的天使。它巨大無比，占據半片天，飄浮在低空，緩慢地壓向引擎基座下方的火箭推進器焰光。

卡林侯以葡萄牙語咒罵，他還在立燈標的支腳。

「那玩意兒有內建定位系統，要是讓它碰到地面……」

「我有個主意。」瘋狂的壞主意，月球合約上甚至不會有這條。瑪莉娜用力催摩托油門。沃隆佐夫的飛船原地旋轉，火箭推進器轟出好幾條煙柱。瑪莉娜加速衝進煙塵中，然後在飛船正下方煞車。她仰望，頭盔面罩上閃著各種警示。他們不會降落到柯塔氦氣的員工身上的，不會壓死她、燒死她，不可能當著另一個柯塔家成員的面做出這種事，不會的。飛船懸浮著，接著推進器發亮了，運輸船偏離預定的降落點。

「不，你他媽的別想！」瑪莉娜再度驅車飆到緩慢下降的飛船下方。火箭推進器的熱風衝擊著她，隨時可能將她扳倒。這次飛船的位置比剛剛還低，船底的攝影機旋轉，鎖定她。駕駛艙內進行著什麼樣的爭論呢？這裡是月球，他們做事情的方法跟地球人不一樣。一切都可以協商，一切都有價碼：沙子有，人命也有。降落，就等著和柯塔家展開企業戰爭。運輸船浮在空中。

「卡林侯……」

運輸船往旁邊衝，但也不能離圈地座標太遠，否則就利用不了移動速度的優勢了。瑪莉娜一定跟得上，但現在飛船的離地高度非常低，諸神啊，它好低，太低了。瑪莉娜吶喊一聲，讓車子打滑。後輪歪了，人車落地，不斷滑呀滑的。瑪莉娜以手抓沙，試圖緩住自己的速度。她氣喘吁吁地停在降落墊的下方，引擎的衝擊波使她埋在伸手不見五指的沙中。降落墊無情地在她身上施加致命的壓力，他們都計算過了。

「瑪莉娜！出來！」

瑪莉娜使出最後一絲力氣，滾出降落裝置的下方。沃隆佐夫家的太空船觸地了，軟墊、支柱、緩衝裝置距離她的臉只有兩公尺。

「我拿下來了，瑪莉娜。」

她轉向另一側，發現卡林侯蹲著，伸手要扶她起來。他身後的衛星轉頻器閃爍著，代表生命，代表勝利。

「我們拿到地了。」

瑪莉娜掙扎起身。她的肋骨發疼，心臟狂跳，全身上下的肌肉都奮力哀號著。她感覺就快在頭盔裡吐出來了，顯示器上有十幾個警報閃爍著，黃紅交錯。寒冷令她感覺不到自己的手指和腳趾。不過那些光，那些閃爍的光……她伸手勾住卡林侯的肩膀，在他的攙扶下蹣跚地走向一旁，遠離運輸船。衛星轉頻器美麗又異質，跟這地方格格不入，像是兒童玩具被扔在蛇海。駕駛艙內燈光照亮了幾道人影，其中一人行舉手禮，卡林侯也回禮。接著火箭推進器點燃了，灰塵遮蔽瑪莉娜和卡林侯的視線，下一刻運輸船就消失了。此地只剩他們兩人，瑪莉娜癱在卡林侯身上。

「探測車還要多久才會到？」

荷西把吉他放到舒適的習慣位置，以身體抵著，左腳往前一步，平衡身體重量。

「柯塔先生，你想要我彈什麼？」

「什麼也不彈。」

「什麼也不彈。」

「不彈。我要你來這兒是個錯誤的決定，荷西。」

和樂團練習之後很難入眠，音群和和弦行進在他的音樂幻想中閃爍流瀉，他還想著種種和鼓手合奏困難切分音的手法。他的副靈吉貝托在他耳邊呢喃：**盧卡斯·柯塔**。三點三十四分，老天爺啊。**我需要你**。

「我不要你唱歌。」

荷西的呼吸急促了起來。

「我要你跟我喝一杯。」

「我很累，柯塔先生。」

「這裡沒有別人，荷西。」

「有您的歐科，有路卡辛侯……」

「這裡沒有其他人。」

盧卡斯在露台上調了一杯合荷西口味的莫吉托雞尾酒，用的是他個人品牌的蘭姆酒。快四點了，但聖塞巴斯蒂昂方樓仍熙來攘往，機器人、夜班人員、維修與材料技師來來去去。空氣凝滯，帶著靜電還有懸浮的沙粒。荷西先以舌頭品酒，接著讓它通過喉嚨。他考慮戴口罩來保護歌手的喉嚨，但口罩也許會冒犯盧卡斯。

「我打算跟妻子離婚。」盧卡斯說。

荷西傷透腦筋才想出一個合宜的回答。

「我對五龍的尼卡赫婚約沒有概念，但在我想像中，你必須要付一大筆違約金。」

「非常多錢。」盧卡斯說：「昂貴得荒謬。陽家打官司打慣了，已經跟CPC打了五十年的官司。但我誇張地有錢，我還有艾芮兒這個妹妹。」盧卡斯倚靠欄杆。

「如果你不愛她……」

「如果你認為愛情的有無很重要，那你真的不懂五龍的聯姻。你搞錯了，我們結婚只跟務實、政治的原因有關，只為了打造王朝。所有人都這樣，先結婚，幸運的話才會墜入愛河。拉法就愛上了妻子，而他痛苦萬分。我現在找你來是為了慶祝，荷西。」

「柯塔先……盧卡斯，我不懂。」

「我達成了一個目標。我想出優秀的點子，屬下執行它的表現也很優秀。我打敗了敵人，也為家族帶來權勢和財富。我成了五龍之中的矚目焦點。今晚，這座城市是我的。而從我的角度出發，我只看到一個男人窩在沙塵帝國的洞穴中。我出生在這洞穴中，也將死在這洞穴中。我借來的水、空氣、碳排放點數都會被收回去、支付出去。我將成為數百萬條生命的一部分，這算是某種程度上的復活。而我們別無選擇，我媽才有。她交出地球，換來財富，而我沒得選，我們全都別無選擇。我們無法回去——沒有回頭路可走。我們就只擁有塵土、陽光、人，就這些。他們說月亮是人，是最糟的敵人，也是最大的希望。拉法喜歡人，希望上天堂。我知道我們住在地獄之中，是隧道裡的老鼠，已被驅逐到美的境界之外。」

「盧卡斯，我該為你唱一首歌嗎？」

「也許吧。一切都很明白，荷西。我很清楚自己得做什麼，這就是為什麼我得擺脫亞曼達，為什麼我不能慶祝，不能聽你唱歌，荷西。」盧卡斯的一根手指在荷西的手上遊走。「留下來。」

「醒醒。」

有兩隻手從腋下抓住她肩膀，將她整個人架起來。她差點就要睡著了，再點一次頭就會整個人滑入水中。卡林侯蹲在水槽旁，敲敲瑪莉娜的雞尾酒杯，藍寶石般的最後幾滴藍月讓杯子黏黏的。「這組合不好。溺死於月亮——寫在驗屍報告上不好看。」

「我覺得應該要慶祝一下。」

支援探測車從地平線另一頭衝出來的時候，瑪莉娜的氧氣只剩最後幾口。她因寒冷而發抖，因缺氧而臉色發青。卡林侯把她勾到維生裝置旁。探測車轉動輪罩，全速奔向太陽企業設置於馬克羅比烏斯隕石坑壁上的伺服器群「北口」。當卡林侯匆匆抱著瑪莉娜通過外氣閥、讓空氣刀刮除她身上的灰塵時，體溫過低的她不斷昏迷又醒來。有手指解開她的地表活動衣，手掌將衣服剝下來。親暱的手指拔掉她的機能管線，上頭有糊糊的潤滑液和凝結的體液。一雙手將她放入水中，非常、非常溫暖的水中，怎麼會這樣？水包覆她、穿透她、愛撫她，呼喚她回到人世。

這是什麼？

「只是個水槽。」卡林侯說。那雙手，是他的嗎？「妳差點就死了。」

「他們不會讓船降落在我身上的。」她勉強將這些字擠出緊咬的牙關。她的生命力一點一點地回來了，過程極度痛苦。

「我不是那意思。」

「必要行動。」

「我喜歡妳這樣說。」卡林侯說：「好有**北方味**，很正義凜然。必要行動。」他的手指滑過水面。

「水費我們會出。」

北口就跟女修道院一樣封閉、低調：陽家、阿沙默一族和更小的氏族在這裡以層層開放式婚姻關係結合在一起。狹窄、彎曲的隧道中迴盪著兒童的說話聲，總共有五種語言。吸入回收三次的空氣，你會聞到人體、汗水、電腦系統的古怪灰塵、發酸的尿液。為了讓瑪莉娜呼吸這空氣、浸泡在月亮內的水之卵中，柯塔氦氣和太陽以及ＡＫＡ簽訂了合約。瑪莉娜往後躺，讓頭髮在溫暖的水中盤繞。燒結玻璃屋頂伸手可及。上頭畫著漫畫風的東海龍王敖廣，其雙眼怒瞪著她。水波輕柔地打上她的胸口，某物擾動了水。

「你在做什麼？」

她閉上眼又睜開，發現卡林侯正在脫他的地表活動衣。

「我要下水。」

他泡進水中。**你看起好累**，她心想，**俊俏，但累到骨子裡了。動作像隻老螃蟹**。海蒂的記錄顯示他們已在地表活動二十八小時，地表活動衣的記錄則是二十四小時。我們原本應該都會掛掉才對。她潑水到卡林侯臉上，而他累到幾乎沒反應。

「嘿。」

「嘿。」

「我們拿到了嗎？」

「克拉維斯法庭認定我們的所有權請求，授予我們許可證了。建設工程我們已經投標了。」

她稍微調整姿勢，痛苦地握拳，痛苦地比了一個小小的勝利V字。

「是說，我們也許應該要慶祝一下。」卡林侯說。「這裡的馬鈴薯伏特加很棒。」

「你的死亡證明書上怎麼會放快溺斃的屎臉照？」

「比VTO太空船壓死的模樣還糟嗎？」

「你這傢伙。」她又潑了他一次水，他躲不了，或選擇不躲。喔，你這帥哥，你累壞、發臭、滿臉鬍碴又全身痠痛的模樣真是太可愛了，我現在可以這樣對你。你就在我眼前，抵著我的膝蓋、小腿、腳，如果我的手往那裡移動幾公分，你的手往這裡移動幾公分，我們就可以碰觸到彼此的私密部位，但我不會那麼做，因為我累癱了，你也累癱了。你仍然是我的主管，是五龍成員，而五龍總是令我害怕。不過最關鍵的是，我們此刻就像子宮中的雙胞胎，在溫暖的水中依偎彼此，要是做起來就變成亂倫了。

她將身子挪近他，兩人舒適又全身疼痛地依靠著彼此，老人似的。他們的肌膚相觸，享受著彼此的重量與存在。一個四肢修長的陽家青少年（瑪莉娜無法透過對方纖瘦的身材判斷性別）彎腰進房，送上藍月。笑聲、流行樂、孩童的歡呼、機械的顫動迴盪在隧道間，隧道彷彿成了一件龐大樂器的管狀零件。

「敬柯塔氮氣。」他舉杯。

「敬蛇海。如果我開始打瞌睡……」

「我會守著妳。」卡林侯說。

「我也會守著你。」

性愛的開端永遠相同。一杯酒，杯外凝結水珠。一份冰琴酒，以玻璃移液管滴入三滴藍色的古拉索酒。不放音樂，音樂會干擾艾芮兒．柯塔的性愛。她今晚穿著巧奪天工的拉疋襯裙洋裝，長度相當於芭蕾舞裙，搭上迪奧的新風貌闊緣草帽和手套。當她專心地將酒一滴一滴放入琴酒時，搽了露華濃火與冰系列紅色唇膏的嘴唇微微噘起。今晚她用的是迪爾瑪．費爾穆斯給的十草琴酒。最後一滴酒在琴酒表面掀起漣漪的同時，她褪下洋裝。月球重力環境下，沒人會穿胸罩。而她不穿內褲。手套，帽子，蕾絲邊長筒絲襪，五吋高的羅傑．維威耶跟鞋。艾芮兒．柯塔以戴手套的手拿起馬丁尼，啜飲一口。

男丁把消息傳回家中了。維迪亞．拉歐洩漏的情報相當全面。艾芮兒跟盧卡斯透過加密通訊管道進行了簡短、安全無虞的對話，而這段對話證明了三件事：對拉法而言，她也算是有權有勢了。對母親來說，柯塔真的成為第五龍了。對盧卡斯來說，她永遠是柯塔家的人。**我們想要買下妳**，維迪亞．拉歐說。但她並未被買下，只是收取了酬勞。受雇，沒成為對方的人。交易對象與顧問之別。你們勝利了。艾芮兒．柯塔向自己舉杯，也敬所有客戶、和她有契約關係的人、同志。她又啜飲了一口藍月。碧賈浮讓隱藏攝影機拍攝艾芮兒，艾芮兒則擺出各種姿勢，欣賞自己的胴體。很棒，棒呆了。

脫下衣服前，她抽了一管「獨奏曲」，為這場合客製化生產的菸油，調製者是化學姊妹，俱樂部專屬的調毒師。她將帽子放到加墊的帽架上，耐心十足又謹慎地捲好手套和絲襪，進入性愛房。她渾身都散發著性欲。房間內的牆面和地板的材質都是白色人工皮，加了軟墊。預定讓她穿的衣服等待著她，講究地排列出來，造型與白色人工皮相當匹配。先穿靴子，它長而窄，綁帶後更緊，使力一拉便緊到頂點。她在房間內來回踱步，讓兩邊大腿磨蹭彼此，蕾絲拂過她的屁股與陰部。她蹲下來，因他人視線的戳刺與抵住屁股的鞋跟而興奮。接著是手套，長及肩，有綁帶，拉到底，然後攤開白色皮革緊緊包覆的手指。硬挺的高領；蕾絲收緊、奪走她的行動力與自由時，她倒抽了一口氣。最後是胸衣，這就像一個儀式：她呼氣，旁人看準時機拉緊綁帶，直到她幾乎無法呼吸。她小巧的胸部變得傲人、俏麗。

艾芮兒．柯塔十三歲那年，在穿地表活動衣的過程中獲得性高潮。後來她再也沒穿過，但地表活動衣的緊繃、無情的束縛、對身體的控制永久地形塑了她的性愛模式。艾芮兒從來沒把穿地表活動衣穿到高潮這件事告訴任何人。

口枷，紅球，經典造型款，與她的嘴唇光澤很搭。她綁緊，再緊。這是因為她進行美妙的自慰時，總會將半片床單塞進口中，悶住叫聲。將氣泡留在香檳中。她發出尖叫，哀求被口枷封住。碧賈浮無法辨識她的語音，但它已經玩過這遊戲非常非常多次了。換裝完成。

艾芮兒輕輕合掌，觸覺系統啟動。她分別撫摸兩邊胸部，柔軟厚毛的觸碰誘發急促的呼吸。手在兩邊乳頭外圍畫圈，因快感而狂亂。觸覺轉換了，剛毛的觸碰令她尖叫。手套接著進行了一連串隨機切換：艾芮兒跪在地上，讓柔軟、敏感的陰部皺褶領受剛毛的觸感，接著是塑膠硬塊、沙粒的研磨，她醉心地流著口水。右手進行長而緩慢的撫摸，左手則探索緊身皮衣未覆蓋的皮膚，漫步於肉體地景上。她就快爆開了，繃緊的皮革禁錮著她的血、骨、肉、體液。接下來，兩手製造出的觸覺不再同一。跪在地上的艾芮兒後仰身體，讓手指碰觸激烈充血的外陰。尖銳的鞋跟刺痛她的臀部，她感覺到自己的屁股肉貼上軟墊，延展開。她虔誠地對著口枷發出瀆神之語。碧賈浮映出她自己的身影：大腿大張，手指磨蹭，仰起的面孔中有一雙瞪大的眼睛。口枷兩側溢出的口水流滿她的臉頰。觸覺切換成刺痛了，這時艾芮兒的手指才首度移向陰蒂。她恣意發出喜悅的尖叫。「獨奏曲」提升了她陰蒂、乳頭、陰唇、肛門四周的快感度。每次觸碰都帶來極度的疼痛與冒險所得的喜悅。艾芮兒・柯塔此刻發出無聲的吼叫。碧賈浮操縱的攝影機拉近畫面，繞著她四周打轉：特寫手指、眼睛、靴子上緣勒出的大腿肉。

前戲維持了一小時，好幾度只差一丁點就要高潮了。但這只是前戲，性愛就跟彌撒一樣具儀式性。一台3D列印機發出「叮」聲，觸覺系統關閉了。艾芮兒爬向列印機，全身發抖，汗水與口枷滴落的口水使她的身體泛著光。月可可是月球最大牌的性愛玩具設計師。艾芮兒總是要等到列印機發出音效，才會知道這次收到了什麼。她只知道那會是為她的身體和品味客製的商品，而且她得花上好幾個小時才能探索完所有精妙之處。

艾芮兒打開列印機，發現一個假陽具，一串肛門珠。假陽具很長，造型優雅，是經典老派的登月太空梭，底部還附有四片穩定翼，分別主掌不同的觸覺。銀色屄火箭，完全為她的陰道和外陰打造。那不是陰莖，陰莖永遠別想沾到她。她從來不讓那玩意兒進入體內。

妳好美，碧賈浮用艾芮兒的嗓音對艾芮兒說，**我愛妳，愛妳，愛妳**。

艾芮兒呻吟，躺到皮革軟墊上，張開雙腿。

讓它往上頂，進入妳，深入好幾公里，碧賈浮說。

艾芮兒悉心將自動潤滑的快感珠放入肛門。胸衣和衣領僵化她的身體，因此她看不到自己對孔洞的所作所為。碧賈浮讓她看特寫，然後用葡萄牙文在她耳邊輕聲說出淫穢的字句和侮辱。艾芮兒以一根手指勾著握把，將球推入深處，然後輕拉，感受它對身體內側的拖拉和摩擦。她會在高潮時將它拉出來，也許會慢慢拉，也許會一鼓作氣。接著，她會一個一個再將它們塞回去。

她將假陽具拿到眼前，聽自己的聲音巨細靡遺地描述自己接下來將怎麼行動：多深、多快、多大的幅度、擺什麼樣的姿勢、每一下該怎麼插。她的喘息中帶著疲倦與期待。整個過程將歷時數小時，沒錯，數小時。最後艾芮兒．柯塔將爬出性愛室，整個人浸泡在汗水、口水、體液和奶泡似的潤滑液中，緩慢地卸下拘束身體的皮革。沒有任何愛人、身體、血肉提供的快感能與她完美的自我性愛匹敵。

十三歲那年起，艾芮兒．柯塔便愉悅、熱情、忠貞地投身於自體性行為。

男人壓低身體，朝瑪莉娜的膝蓋甩動扳手。她閃開，肌力與衝力將她拋得又高又遠。高和遠與脆弱畫上等號，衝力能殺人。瑪莉娜重重跌倒在地，肺部空氣全被擠了出去，整個人滑呀滑的，撞上一根大梁。馬肯齊家的男人懂戰鬥技巧，他站著，高舉扳手，準備砸向她胸口。瑪莉娜抬腳一踹，她的靴子與護膝相連。對方的骨頭碎了，尖叫聲使整個機棚一度陷入沉默。

「瑪莉娜！」卡林侯說：「不要。」

那個馬肯齊家的男人是結實的高個子。她矮，是女人，但她是月光菜鳥，力氣相當於三個月球男子，一拳就能壓碎這男人的胸廓。

他們是怎麼打起來的？任何幹架都很相似，都像火一樣延燒開：易燃的情緒、鄰接、火花、可燃物。馬肯齊金屬探測車大隊進港、通過氣閥的期間，北口的氣閥控制中心一直把柯塔小隊留在等待區內。他們開始心煩意亂，因為他們已經受夠狹窄的隧道、汙濁的空氣和回收水了。他們想回家，耐性已消磨殆盡。馬肯齊車隊（瑪莉娜發現成員都是男人）排成一列，從外氣閥門進入室內，帶著嗆鼻的月塵味。小隊長與卡林侯擦肩而過時，給了他三個字：**柯塔賊**。卡林侯怒吼，以一記頭槌將對方撞倒在地。喧鬧聲在等待區內爆開。

瑪莉娜從來沒跟人幹過架。她在酒吧、學生宿舍、派對上看過別人開打，但從來不曾下場。她在這裡成了眾矢之的，這些男人想傷害她，就算搞死她也不會在乎。她的對手倒地不起，無法再戰，震驚地喃喃自語著。瑪莉娜蹲下（壓低身體才有利），掃視整個空間。真正的幹架跟電影演的不一樣，打起來就是會倒地，又拉又抓，試圖砸爛對方的頭。卡林侯仰躺在地，瑪莉娜抓住撂倒卡林侯的傢伙，拉到對方手脫臼，放聲大叫。她抓住他的衣領和腰帶，將他整個人甩到機棚的另一頭，彷彿是在扔一件衣服。瑪莉娜轉身，衝向她所見的第一個馬肯齊人馬，將他摔向一根支柱。她起身，氣喘吁吁。她有超能力，她是女浩克。

「警察在哪？」她對卡林侯吼道。

「地球！」他吼回去。有人襲向他，他將對方絆倒。

卡林侯先攻擊對方的臉，鮮紅血液從斷鼻濺開。

「可惡！」瑪莉娜大吼。她投入戰鬥之中，力量的誘惑既可怕又甜美。這就是在地球上當男人的感覺，你會知道自己永遠有這份力量。她踹、撈、抓、折、摔。結束了，燒結地面上有血，嘟囔的啜泣。氣閥控制中心的人抵達現場，用泰瑟槍和刀子將兩方人馬分開，不過鬥毆有半衰期，而這場架已衰退到只剩指指點點、戳刺、吼叫。如今他們吵的是誰該付錢，誰該補償。輪到主掌法律的人工智慧開始吵了。

「妳還好嗎？」卡林侯問。瑪莉娜聞到他身上的暴力了，她起了雞皮疙瘩。他打起架來不受壓抑也不帶熱情，彷彿暴力只是另一個做生意的工具。在月海騎沙地摩托時，他曾說：**拉法有魅力，盧卡斯懂算計，艾芮兒有口才，我是鬥士**。瑪莉娜以為那只是一個譬喻，但那不是。他確實是一個鬥士，而且是強悍的鬥士。這在她心中激發了一點恐懼。

瑪莉娜點點頭，現在她開始發抖了，身體勞累與化學物質所致。她傷了人，斷人手腳，砸爛人臉，而她的感覺就像跟卡林侯跑完「長跑」後那樣純粹、滿足。興高采烈，激昂。骯髒，內心騷動，墮落。染血的潑婦。她不認得自己了。

「巴士到了，我們回家吧。」

也許是感受到寒冷或細膩的位置微調，或聽到克制但遭夜晚增幅的小聲響？總之索妮・夏瑪醒來時，知道拉法已經不在了。他們之間的性愛幾乎可說是臨時起意的；草率，公事公辦。**回我的俱樂部吧**，他說，而她也許該解讀出那句話背後的警報。大聲說話的男人，幾杯黃湯下肚，窩在自己的角落上下打量她、分析她、掂掂看她有幾兩重，對著拉法露出賊賊的表情，抬眉毛，微笑。他們都是有身家的男人。後來那起交易的消息傳開了，關於新的精煉權，新圈到的地。那不止消滅了拉法在酒吧時的晦暗心情，還徹底反轉了它，讓它放出金光。這俱樂部是他的。他請所有人喝酒，所有人都是他朋友，喝吧，喝吧。喧鬧如少年，拍拍彼此的背。粗野，而饒富祝賀意味。她是戰利品，也是希望，獻給勝利者的獎賞。拉法的手整晚都環抱著她，挺入不斷流逝的時光。職業手球隊俱樂部不安全，但她還是待了下來。

她的眼睛發疼，關節抽痛，整個人乾燥得像月球表面。在宿醉狀態下搭循環太空船會是多糟的體驗？

時間。喔，五點十二分。陽光是世界頂端的一抹靛藍。她該走了，該去拿行李，收拾一番。拉法在哪？不在臥室內，也不在另一個套房、辦公室或她此刻裸體躡足穿過的寬敞客廳內。空氣聞起來仍是乾淨的，清洗過的。他坐在小陽台邊緣的椅子上，身上唯一的配件是他的副靈，而這違反俱樂部規則。他正在講話，聲音低沉，背對她的方向。他不希望旁人聽到這段對話，而她非偷聽不可。

但羅伯森絕對安全，我向妳發誓，上帝與祂媽在上。羅伯森很安全，露娜很安全，博阿維斯塔很安全。我們非得這樣吵嗎？我不希望，我不要跟妳吵。想想露娜，她會被夾在中間。回來吧，回到博阿維斯塔來，甜心。妳說妳只會離開一小段時間，妳承諾過的。回來吧，不只是為了孩子，也為了我……

酒精和男人的背叛令裸體、赤足的索妮發起抖來。她早就料到事情會是這樣，內心卻還是很受傷。她轉身走開，穿衣，拿起少少的行李，永遠離開月球。

最後，亞德里安娜命令保羅離開他自己的廚房。他是她的廚師，學過相關烹飪技術，3D印表機也已經把杯子、濾網、蓋子、手柄列印出來了。但他從來沒煮過它、嘗過它，甚至沒聞過它，而亞德里安娜知道它有什麼味道。他狼狽地離開廚房。那氣味透過空調傳遍博阿維斯塔。那是什麼？

應該是咖啡。

工作人員在保羅的廚房外列隊。柯塔小姐在做什麼？在調配它，在煮水。把水壺從爐子上挪開了。她在數數。舉高水壺，把水倒進那玩意兒裡頭。那是為了什麼？氧化作用，保羅說。她接下來還會攪拌它，氧化反應會逼出所有香氣。她現在進入等待時間。聞起來如何？我聞了完全不會想喝。她現在在做什麼？還是等待時間。泡這咖啡有點儀式性呢。

亞德里安娜壓下手柄，古銅色的克力瑪泡沫浮到法式濾壓壺上方。一杯咖啡泡好了。

亞德里安娜啜飲她的咖啡。這是最後一杯了，她心想，旋即又把那念頭壓下去。這是她的慶祝，私人性質的小規模慶祝，貨真價實版，之後才是盧卡斯堅持在她生日當天舉辦的嘉年華盛宴。**可別挑這時候**，她向馬肯齊金屬與死神呢喃。不過她的生命充滿了許多「最後」，它們就像逐漸淹沒隧道的洪水，水平面不斷上升。又或許，是她的生命力逐漸乾涸，朝那平面逼近。

咖啡嘗起來的味道跟氣味不同，而亞德里安娜認為這是值得感謝之事。若非如此，人類絕對不可能喝它。嗅覺關乎記憶，每杯咖啡都會喚醒無數的記憶，是記憶之毒。

「謝謝你，盧卡斯。」亞德里安娜說，並倒了第二杯咖啡。咖啡壺空了，只剩潮溼的渣滓。咖啡很珍貴。**比黃金還貴**，亞德里安娜喃喃自語，想起當塵工時的日子，**黃金我們都丟到一旁**。

亞德里安娜帶著兩杯咖啡前往聖塞巴斯蒂昂亭。兩個杯子，兩把椅子。其中一組是給她的，另一組給洛亞修女。亞德里安娜又啜飲了一口咖啡。修女怎麼會愛這種有土味、麝香味又苦澀的飲料？有誰會喜歡？再一口。這是記憶之杯。啜飲它的同時，她也喝到了她的上一杯咖啡，也就是四十八年前喝的咖啡。那杯也值得紀念。她家這幾個男孩子的表現始終很棒，他們在千鈞一髮之際從馬肯齊金屬手中搶走蛇海的事蹟，將會成為月球傳奇，流傳千古。不過她只要喝咖啡，思緒就會飄到亞琪身上。

6

那時我已明白她恨月球，一直都恨。恨那些危機、恐懼，還有人，最恨的就是人。他們永遠都用同樣的表情盯著妳，想從妳身上得到些什麼。索求，索求，索求。沒人過得了那種生活，她說，那太不人道了。因為我在，她才有辦法勉強在月球上撐下去。而我要留下，她要離開。

我會和亞琪相遇，是因為無重力性愛讓我身體不適。訓練期間大家都在聊這個，無重力性愛。所有人都會做，而且成天就只想玩那招。它會永遠毀滅你的靈魂：試過無重力性愛後，重力環境下的性愛會顯得噁心又醜陋。看看那些沃隆佐夫太空人，他們是性愛忍者。

就連我們穿過氣閥飄入艙內時，他們也在物色對家，那些沃隆佐夫人。有個傢伙看了看我，我回看，點頭說好，我願意，好，儘管繫鏈當時已經從循環軌道太空船夾走轉換艙，切斷我們與地球之間的最後聯繫。我並不是老古板，我也參加過巴拉海灘新年性愛派對。我會想參加派對，也會想體驗改變人生的性愛，沒有人會想錯過那些。我想跟那男人試試。我們一起去了轉運中心，那裡到處都是人，飄來飄去，撞來撞去。男人必須用保險套，你絕對不會想被飛來飛去的那種液體擊中。我說**請你輕柔點**，結果我幹了一件比射出飛天精液還糟的事。我吐得對方全身都是，停不下來。這一點也不性感。零G力環境讓我的五臟六腑都翻了一圈。他非常有禮貌，在我撤回重力環境時把所有穢物都用吸引器清乾淨了。

我進入離心機，發現裡頭只有另一個女孩。她有一雙焦糖色的眼珠，手臂苗條，手指修長，每隔一小段時間，眉頭就會無意識地微微皺起。她幾乎不和我四目相交，似乎很害羞，對外界漠不關心。她的名字是亞琪．迪巴索。當時我不知道那是哪一國的名字，完全沒聽過類似的姓名，不過她的名字就跟我的一樣，受歷史浪潮的沖刷。她是敘利亞人，該說是敘利亞裔才對，這兩個字天差地別。她家是逃離內戰的敘利亞基督徒，離開大馬士革時，她還只是母親子宮內的一撮細胞。倫敦出生，倫敦長大，麻省理工學院畢業，不過家人永遠不許她忘記：**妳是敘利亞裔**。亞琪是天生的流亡分子，如今又流亡到更遙遠的地方了。

上方轉運中心內，我們未來的同事正在做愛。下方的離心艙內，我們聊天，腳下窗戶有星星和月亮的圓弧。每次見面，旋轉的月亮就變得更大一些，我們對彼此的了解也變得更深一點。到了那週末，月亮已塞滿整個觀景窗，我們也成了朋友，不再是彼此的閒聊對象。

亞琪，充滿心魔的女孩。無根的心魔，逃離死亡之國的心魔，優越感的心魔：她爸是軟體工程師，她媽出身富裕人家。倫敦歡迎這種難民。還有罪惡感的心魔：她還活著，但數以萬計的人死了。她最黑暗的心魔是贖罪心理。她無法改變那地方，或改變自己的出生次序，但她可以當個有用的人，藉此表達歉意。這心魔騎在她頭上一輩子，在她耳邊大吼：亞琪，當個有用的人！它一路跟著她從倫敦大學畢業，拿到麻省理工學院的學士後研究學位：妳要改正錯誤！贖罪！「有用論」這心魔派她去對抗沙漠化、鹽化、優養化，把她變成專門對抗「化」的戰士。最後它把她推上月球，沒有任何貢獻比得過庇蔭、餵養整個世界。

如果這些是她的心魔，那她的指導靈、她的奧里莎就是葉瑪亞。亞琪是愛水的女孩，她老家在奧林匹克游泳池附近——離開醫院那天，她母親就把她放入泳池中了。她下沉，接著開始游動。游啊游，浮上水面，迎向英國西方海灘的漫長夏夜。冰冷的英國海水。她個頭小又瘦，但不怕任何浪潮。我在房間的音浪成長，但從來不曾把腳趾探入溫暖的大西洋海水中。我家與海灘為伍，不是與海洋。她在月球上非常想念海洋。她調節公寓內的螢幕，讓整個家變得像是珊瑚礁。我看了總是有點不舒服。只要哪裡蓋了新水槽或泳池，或哪裡有游泳的機會，她一定會過去，在水中上下搓揉身體。她游泳的動作自然極了，美極了。我會看著她躍入水中，不斷往下潛，會希望她永遠待在下方，髮絲波動，乳房輕盈漂浮，手腳做出微小而美妙的動作，使她停留在定位，或使她流光般竄到水槽另一頭。我在水中時，她的身影偶爾還是浮現在我眼前。

她把我介紹給她的心魔，我也把我的呈現在她面前。另外那個小女孩，普通人，「看看我」小姐，樸素女，美人魚。在接下來的歲月之中，她們會非常需要彼此。當時的月球是一大片荒地，如今她已經跟我一樣老邁。不過在早期，這裡是財富、危險、機會、死亡之地，是年輕人與野心家之地。要更狠才能在月球上存活。她會用任何方法試圖殺害你，靠力量，或奸計，或誘惑。男女人數比是五比一，而且男人都很年輕，中產階級出身，受過教育，雄心勃勃又驚恐。月球對男人來說不是個安全的地方，對女人來說更不是。對女人來說，威脅不只來自月球，也來自男人。我們都很害怕，隨時活在恐懼中。當月環向上攀升，停靠到轉運艙時，我們所有人都嚇壞了，但也知道自己只能前進。我們需要彼此的陪伴，身穿太空衣的我們死命黏著、攀著機內，一路往下。

無重力性愛？大家對它太過譽了。所有東西都會往錯誤的方向移動，會遠離你。你得把所有東西都綁好才能好好玩，感覺那比較像雙人繩縛。

我們走出月環的月台——當時只有一條繫鏈，軌道通過兩極。一百二十個月光菜鳥。月光菜鳥是個歷史悠久的詞彙，月球上最古老的字之一，聽起來很開朗、天真無邪。我們確實是那樣。

月球開發法人早在眼幕獲得官方認可前，就把它裝到我們的眼睛上了。我們享有前十口免費的空氣，之後就開始付費，一直付到現在。空氣，水，碳，傳輸，四大元素。妳在這裡出生，因此妳並沒有看不到那些數字的記憶。但我告訴妳，當妳第一次看到那些數字隨市場波動時，妳會喘不過氣。最讓人強烈體認到自己在月球上的事物就是這個：呼氣要錢，吸氣也要錢。接著他們把我們送進醫院，想檢查我的骨頭。沒有人會想到骨頭。對月光菜鳥來說，所有事物都是新穎、嚴苛的。我們得學會移動方式，得學會該怎麼站，該怎麼觀看、聆聽。我們得了解自己的血液、心臟、月塵，月塵是最有可能害死我們的東西。我們得進行避難訓練、記住減壓警報，了解自己該待在門的哪一側、什麼時機開門是安全的。我們要學會判斷什麼樣的情況下該救人，什麼樣的情況下該拋下他們。我們要學著靠彼此存活，吸別人呼出的空氣，喝別人的尿液。我們得知自己死後，月球開發法人會帶走我們的屍體，壓碎、回收當中的碳、鈣，也拿去做堆肥。我們得知自己的身體不屬於自己，我們什麼也沒擁有。走下月環的那一刻起，所有東西都是租來的。

我們不會把骨頭放在心上，但它們確實會在皮膚下漸漸耗損，每個小時、每天、每個月都在流失質量、解體。修女，妳是在這裡出生的，這點剛剛也提到了。月球就是妳的家，妳永遠無法去地球。但當時的我還留有一扇窗，翻過去就能回地球。我有兩年的時間可以反悔，再久，我的骨骼密度、肌肉狀態就會退化過度，地球重力將置我於死地。兩年，和我同行的其他人也一樣，兩年。現在抵達梅利迪安尋找機會之地的月光菜鳥也不例外。我們所有人都得面對月球日，決定自己要留下來還是要離開。

他們檢查了我的骨頭，也檢查了亞琪的骨頭。然後我們就把這件事忘了。

亞琪和我搬進工房。當年月光菜鳥的住宿處是一間倉庫，以隔板區隔各自的生活空間，廁所公用、吃合菜。沒有隱私可言，就算看不到也聽得到，聽不到也聞得到。那些氣味，穢物、電流、塵土、沒洗澡的身體的體味。女人們自然地結伴行動。亞琪和我找其他人換兩個相鄰的隔間，再把它們打通。當晚我們做了一個小小的儀式，發誓要永遠當姊妹，用工業用伏特加調成的古怪雞尾酒敬彼此。當時人類才上月球五年，但那裡已經有伏特加產業了。我們用纖維廢料裝飾住處，種水栽花。我們會舉辦聯誼會和派對，我們位於衛生棉交易路線的中點。這就像監獄經濟體系，只是香菸由衛生棉取代。亞琪和我自然而然就有社交上的吸引力，我們會引來女人，以及受夠大喊大叫、雄性吹噓的男人。我們是滅世者，是月球破壞王。我們將會拿下這塊石頭，賺個幾百萬比西。我沒當過兵，但我想從軍的感覺跟參與月球拓荒初期很像。

我們不安全，沒人安全。十分之一的月光菜鳥在頭三個月內就死了。我上工的第一個星期，有個新疆來的精煉工就在壓力閥內被壓爛了。我搭的地月循環太空船上有二十四個人是從庫魯搭火箭來的，其中三個在地表訓練結束前就死了，其中一個在升空時坐我隔壁。我現在不記得他的名字了。我們回收了他的屍體，重新利用，一部分製成肥料，種出我們吃的蔬菜、水果，往後完全沒去回想土壤中的血液。選擇不去看、不去聽，才能存活下來。

我向妳提過月亮的味道，最主要由人味構成。睪丸酮。在這裡會聞到持續不斷的、性的緊繃氣息。所有女人都被騷擾過。我也碰過，一次。對方是個老工人，塵工，當時我在氣閥內換穿訓練衣。他試圖把手滑進裡頭。我抓住他，把他摔到氣閥另一頭。我參加過聖保羅大學巴西柔術隊。我爸要是知情，一定會以我為榮。那男人後來沒來找我碴，其他人也沒有，但我還是很怕他們會結黨來報復。我不可能打得贏一幫人。他們會傷害我，甚至可能會殺了我。合約與行為規章會限制我們的行動，但只有公司的經理會強迫我們遵守。性暴力只需要接受懲戒。

不過亞琪不懂巴西柔術，不懂任何作戰技巧。男人試圖強暴她時，她完全無法自衛。那人沒成功，另一群男人拉開了他。他很幸運。如果是我逮到他，我就會拿刀捅他。那幾個男人的作為讓我很開心，他們知道我們得找出共存的方法。月球不可能成為第二個地球。如果我們反目成仇，最後都會死。我確實考慮過要找出那男人，殺了他。「砍人柯塔」，這就是我們的名號。硬，利，快。在月球上，我們要小聰明置人於死地的方法有上百萬種。我冷酷地思考了很久：應該要暗中復仇，還是讓他在斷氣前看到我的臉？我選擇了其他方式。我懂的事很多，但我不懂殺手之道。

我運用更緩慢、更微妙的武器對付那個襲擊亞琪的傢伙。我查出他的地表活動訓練小隊，對他的太空衣恆溫器動了手腳。到時候看起來百分百會像是故障，我是手腕高明的工程師。他沒死，我沒要他死。我把他凍傷的拇指和三根腳趾當作獎杯。所有人都知道是我做的，但提不出證據。我喜歡這個傳奇。如果男人因此以恐懼的眼光看我，那就是好事。他叫漢尼夫，在醫院病床上發誓說要強暴我、挖出我的內臟。他出院時，亞琪和我已經離開去赴工作約了。

亞琪和阿沙默家簽約，幫亞孟森下方的新農場設計生態體系。我和馬肯齊金屬簽約，前往寬闊的月海。她將成為掘工，而我將成為塵工。兩天內我們就要分離了。我們死命窩在I區和A區工房，待在小房間內，黏著朋友。黏著彼此，我們嚇壞了。其他女人幫我們舉辦了歡送派對，喝月球莫吉托雞尾酒，隨著平板電腦播放的音樂合唱。但在唱歌、喝酒前，我給了亞琪一份特別的禮物。將來幫AKA工作，她就得一直待在地底，又挖又鏟，到處播種。她再也不需要到地表去，可能會在洞穴、熔岩管、巨大農場內度過她的整段職業生涯——她的後半輩子。她再也不需要以肉眼盯著天空。

我動用了所有的魅力與名聲，不過租用太空衣的費用仍是天文數字。我租了GP地表活動甲，使用期限三十分鐘。跟我柔韌的女蜘蛛人衣相較之下，它就像笨重的冗物。我們在外氣閥內手牽手，迎向升起的加壓門。走上坡，穿過數以萬計的腳印，幾分鐘後抵達地表，手始終牽著。就在那裡，在通訊塔、繼電器、公車與探測車用充電站的彼方，近在眼前的弧狀隕石坑壁、太陽永遠照不到的暗處的彼方，滿盈的地球懸掛在我的世界邊緣。一個完整的圓，藍色、白色色塊，綠色、赭色斑點。完整，不真實，美到我的言語無法形容。現在是地球的冬天，南半球斜向我們。海洋占據半顆行星。我看到宏大的非洲，也看到親愛的巴西了。

接著我的太空衣人工智能提醒我們，租約即將到期。我們轉身背向地球，走回月球內部。

當晚我們共飲，敬我們的工作、朋友、愛人、骨頭。早上，我們就各奔前程了。

六個月後我才再次見到亞琪。六個月來我都在豐饒海上篩沙。我被分派到馬肯齊金屬的梅西耶小組去。那地方老舊、擁擠、破落，一個個太空艙埋在明挖式隧道中，覆蓋於推土機推出的月壤土堤下。我經常接獲輻射過量警報，撤離到新開挖的、更深的地層中。每次看到鏡片上的三葉狀警報圖示閃黃燈，我就會感覺到卵巢一縮。挖掘機日夜工作，吞噬地底深處的石塊，隧道隨之震個沒完。梅西耶小組有八十個塵工。

有個溫柔的男人叫屈玉，是3D列印機設計師。心地善良，風趣，床上技巧高明。我們共度了一個月充滿歡笑、性愛契合的生活後，他要求我跟他結為愛侶：屈玉的愛人在南后，那人的愛侶在梅利迪安，這人的愛侶也在梅利迪安。我們談好了條件：期限六個月，我會跟誰做愛、不會跟誰做愛，能陪伴愛侶圈之外的誰，能帶誰進入愛侶圈。我們當時甚至訂了尼卡赫婚約。屈玉老實告訴我，他掙扎了很長的時間才開口，因為我惡名昭彰。消息傳到梅西耶這裡來了，騷擾亞琪的人有什麼下場，大家都知道。**我不會對愛侶那麼做**，我說，**除非受到嚴重刺激**。然後我吻了他。愛侶關係提供了溫暖和性愛，但那無法取代亞琪。我們幾乎每天都通話或傳訊，但我還是覺得自己和她分隔兩地。愛侶不同於朋友。

後來我拿到十天假，第一個念頭就是要和亞琪一起休假。在梅西耶的巴士氣閥與屈玉吻別時，他寫在臉上的失望我都看到了。這不是背叛：我在合約裡講得很清楚，我不會和亞琪做愛。我們是朋友，不是愛人。亞琪來到希帕提婭的鐵路盡頭跟我會合，然後跟我一路搭到南后，途中有說有笑。笑個沒完沒了。

她幫我規畫了好多有趣的行程！梅西耶又臭又擠，南后則是個稠密、嘈雜、多彩的城市。才過六個月，這地方就徹底改頭換面了。每條街都變長，每條隧道都變寬，每個斗室都挑得更高了。托特方樓最近才完工，外側有道玻璃電梯，亞琪就帶我去搭。暈眩令我站不住腳。方樓的地面有一小株矮樹的殘株，亞琪說尺寸正常的樹會長到天花板那麼高。那裡有家咖啡廳，我在那裡喝了第一杯薄荷茶，開始討厭那玩意兒。

這是我蓋的，亞琪說，**我種的樹**，**這是我的花園**。

我們忙著仰望上方燈火，它們不斷往上、往上延伸。

真是太好玩了！喝完茶，就去逛街。我得買件派對禮服，因為那天晚上我有個特別的派對要去，只有受邀者能參加。我們瀏覽了五家列印商店的目錄才找到我可以穿的衣服：非常復古——當時的復古指的是八〇年代，加墊又有束腰帶，不過遮住了我想遮的地方。然後是鞋子。

所謂特別的派對僅限亞琪工作小隊成員參加。附安全鎖的鐵道艙載送我們穿越黑暗的隧道，來到一個巨大又耀眼的空間，我差點吐在我的巴黎世家洋裝上。那是一個農場，亞琪最後的計畫。我人在高達一公里、寬五十公尺的豎井底部。月球上的地平線近在眼前，任何事物都有弧度，但地底則由不同的幾何原理主宰。這農場是我數個月以來見過最筆直的事物，也是最明亮的：鏡子組成的中核貫穿整個豎井，天然的陽光在鏡子之間不斷反射，照向牆邊的水栽梯田。豎井底部是魚缸拼成的馬賽克畫，走道縱橫其間。空氣溫暖、潮溼、刺鼻，二氧化碳令我頭暈目眩。在這些環境條件下，植物長得又快又高。馬鈴薯株變得像矮樹叢，番茄株高得不得了，糾結的葉片與果實讓我困惑萬分。這是高度精耕：這農場放在洞穴中顯得很大，但以生態系的角度來看，規模又很小。魚在水槽中掀起水花。我聽到青蛙的叫聲了嗎？那是鴨子嗎？

亞琪的團隊利用防水布和工程鷹架造了一個新池塘。池子，泳池。音響系統播放迦納的流行音樂，派對上還供應雞尾酒。這裡流行黃色，跟我的禮服很搭。亞琪的組員很友善，而且豪爽，稱讚我的衣服時舌頭從不打結。進泳池前，我把洋裝、鞋子和其他配件都脫了。我懶洋洋地泡在池中，盡情享受。頭頂的鏡子動了。亞琪游到我身旁，我們一起踩水、笑鬧。農場員工放了幾張塑膠椅到池中，製造出淺水區。亞琪和我擺動雙腳，徜徉在溫暖如血的水中，喝金黃色的野牛草伏特加。

隔天早上，我在床鋪上醒來，亞琪在我身旁。伏特加讓我頭痛欲裂。我還記得我們含糊地訴說愛意，笨拙地探索彼此的身體。我們顫抖，低聲說著蠢話，肌膚相親。手指觸碰私處。亞琪蜷縮在床右側，面對著我。她半夜把床單踢開了，一小片口水從她嘴角滴到枕頭上，身體不時隨著呼吸顫抖著。那畫面對現在的我來說，仍歷歷在目。

我看著她。她陷入酒醉的睡眠中，呼吸在喉嚨深處隆隆響。我們做愛了，我和我最親愛的朋友發生了性行為。我做了一件好事，也做了一件壞事。我做了一件無可挽回之事。接著我躺下來，湊近她。她嘟囔了幾個字，也湊過來。她的手指找到了要去的地方，我們又開始了。

我媽以前說談戀愛是世界上最簡單的事，愛情每天都在你眼前。她就是這樣愛上我爸的，每天經過他面前，經過他焊接的工作現場。

南后的派對結束後，我又過了好幾個月才見到亞琪。馬肯齊金屬派我去探勘汽海的新地形。遠在汽海的我和陽屈玉都很清楚，這段愛侶關係已經行不通了。我違反了合約，不過當時並沒有規定合約外性愛得罰錢。所有愛侶都同意廢止合約，讓我離開那段關係。沒怪罪我，沒主張什麼。一紙單純、規格化的合約，就這樣終止了。

回到南后後，我把長達數週的積假一口氣休掉，打電話給亞琪約她出去，但她在忑有新的開挖工作，阿沙默家要在那裡建造企業總部。我鬆了一口氣，但寬慰又帶給我罪惡感。性改變了一切。我開始喝酒，參加派對，跟人上床。我開始利用昂貴的頻寬跟巴拉的爸媽講好幾個小時的話。整個家族聚集到鏡頭前，感謝我寄錢回家，小孩子尤其感激。他們說我看起來不一樣了，變高，抽長了。他們在那裡過著快樂又安全的日子。我寄的錢供他們上學，支付醫藥費、婚禮費用、孩子的開銷。而我在月球上，我的名號是「另外那個小女孩」，永遠釣不到男人，但受了教育、拿到學位、順利就業，從月球寄錢回家。

他們說得對，我很不普通。天空中那藍色珍珠般的地球帶給我的感覺，從來就跟其他人不一樣。我再也不曾特地租用太空衣上地表看它了，而我在地表工作時總是對它漠不關心。

馬肯齊金屬派我到蘭茨貝格精煉區去，結果在那裡看到的畫面改變了一切。

有五部精煉機在作業。妳看過精煉機嗎？當然沒有，請原諒我。妳從來不曾到過地表。現在的精煉機很醜陋，內部構造暴露在外，當時也沒比較優雅。但對我來說，它們很美麗，骨骼和肌肉都棒呆了。我某天在地表上看到它們，那畫面帶給我的啟示差點令我仆倒在地。令我驚豔的，不是它們的作用（從月壤中離析出稀土元素），而是它們拋出的東西。巨大、緩慢的機器自兩側噴出高高的砂土流，畫出弧形彈道。

那是我每天都會看到的畫面。但人有可能碰上相似的體驗：某天妳在巴士上望向熟悉的男孩面孔，他突然引燃了妳心中的悸動；某天我望向噴射出的工業廢棄物，看到難以估量的財富。我的計畫就在當下冒了出來，而我回到探測車上時，它已經就定位了，所有錯綜複雜、安排巧妙又美好的細節都浮現了。我知道這是立刻就能執行的計畫，但要讓它動起來，我就得遠離所有會「讓我跟月壤廢土、美妙砂虹產生連結」的事物。馬肯齊別想分到半杯羹。我辭去馬肯齊金屬的工作，成了沃隆佐夫家的鋪鐵軌皇后。

我前往梅利迪安租借資料保存庫，並尋找最小編制、最新、最窮酸的法律事務所來保護我在蘭茨貝格精煉區想出的計畫。接著我在那裡與亞琪重逢。原本在忒的她被召回來處理奧布阿西農場的微生物問題，它讓豎井變成了一根發臭的黑色黏液柱。

同一座城市，一對朋友，一對愛人。我們一起去參加派對，結果發現玩不起來。我們穿的衣服很美，雞尾酒有失水準，夥伴很賤，迷幻藥多到令人暈眩，但在任何酒吧、俱樂部、私人派對上，我們最後都會一起窩到某個角落聊天。派對很無聊，對話很窩心，沒有盡頭，刻骨銘心。當然了，我們最後又一起窩上床了。我們等不及了。華麗、不實穿的一九八〇年代洋裝被我們扔在地上，皺巴巴的，等著進回收機。

我還記得亞琪曾問我：**妳有什麼打算**？她躺在床上，用電子菸吸著四氫大麻酚。我從來就沒辦法用那種玩意兒，用了會產生妄想。她還說：**儘管做夢吧，別怕**。

我回答：**我要成為龍**。亞琪笑了，搥了我大腿一拳，但那是我此生說過最真摯的一句話。

抵達月球滿一年半時，我們的小小世界產生了改變。拓荒早期的變動很快速，幾個月就可能蓋好一整座城市。我們有能源、有天然資源、有人類的野心。四家公司崛起，成為主要的四大經濟力量。四個家族，其中歷史最悠久的是馬肯齊，接著阿沙默遷了進來，提供食物與居住空間，沃隆佐夫家最後將他們的事業徹底外移到太空，營運循環太空船、月環、巴士，並且在月世界的各地建造鐵路。陽家不斷在月球開發法人的董事會內對抗人民共和國的代表，最後總算徹底擺脫了地球的控制。四家公司，四龍。而我將會成為第五龍。

我沒把我在蘭茨貝格精煉區想到的事告訴她，也沒提檔案庫和法律人工智慧小隊的事。我沒把那個妙點子告訴她，而她知道我有事情瞞著她，就此在她心中投下一道陰影。

我開始到新職場上班，鋪鐵軌。這工作很棒，簡單、純肉體勞動、有成就感。每次值完班，都會看到鞋印和軌道印之中冒出三公里長的閃亮鐵軌，而地平線的邊緣坐鎮著比任何星塵都耀眼的坩堝，行駛在昨天才鋪好的鐵軌上。你可以對自己說：那是我鋪的。工作成果有真實的基準：你讓馬肯齊金屬勢如破竹地移動在島海上。它比最明亮的星子還亮，如果盯著它太久，你的安全帽遮光片可是會燒出一個洞的。有數以千計的凹面鏡將陽光聚焦到融解坩堝上。十年內，鐵軌就會繞行月世界一圈，坩堝就能不斷追著太陽移動。到那時，我已經是五龍之一了。

亞琪打電話來的時候，我在燒結坩堝前方十公里處的鐵軌。叮鈴，洶湧的情緒淹來。亞琪的聲音阻斷了我的工作播放音樂，她的臉疊在梅斯特林溪的灰色骯髒山丘上。她說例行性健康檢查顯示，她的月球日就在四個星期後。

我搭工程車的便車前往坩堝。我等了兩個小時，窩在暗處，頭頂有數噸的熔化金屬與一萬開的陽光。就在這時，我察覺了諷刺之處。這樁買賣行不通。我躲馬肯齊的方法是在他們前方工作，我現在還潛伏在他們首都的陰暗處。我搭一輛速度緩慢的貨車前往梅利迪安，連續十小時緊攀著維修平台，在上頭連轉身的空間都沒有，更別說坐下了。我一路聽著我的巴莎諾瓦合輯，在頭盔內撥放〈科涅多〉，撥到我每次眨眼都會看到金星為止。我離線瀏覽家人的社群網站發文。抵達梅利迪安時，我已處於失溫狀態，體溫低於正常值兩度。我沒時間等待列車重新加壓，因此我採取大膽又草率的方法，搭彈運。我知道我一定會吐，我撐到第三次，也就是最後一次彈射才失守。我走出南后的運輸艙時，空服員那張臉可經典了。別人也這樣對我說，但我看不到自己的模樣。不過我既然付得起彈運的運費，當然也有錢沖個澡。南后一定也有人會樂意幫我清理地表活動衣上的穢物，賺個幾比西。在討人厭的沃隆佐夫家工作有個優點：薪資優渥。

我像個月球遊民似地搭長時間的列車，搭到失溫，然後被裝在自己的嘔吐物裡彈射——做出這一切是因為我清楚一件事：既然亞琪只有四個星期的時間，那我也差不了多少。

我們在新錢卓拉方樓的十二樓咖啡店見面，擁抱，親吻，哭了一會兒。那時我身上已經沒有異味了。我們腳下有幾台挖掘機在開挖泥土、形塑空間，每十天就會完成新的一層樓。我們扶著彼此的腰，四目相接。接著我們在陽台上喝薄荷茶。

我們並沒有立刻聊骨頭的事。暌違八個月見面，我們聊天、上網、分享彼此的體驗。我逗亞琪發笑，笑聲如輕柔的雨滴。我告訴她金東的事，說馬肯齊塵工和沃隆佐夫鐵軌皇后在沙上踩出圖像，就像小男孩在玩遊戲。她雙手掩嘴，表現出淘氣的欣喜，眼睛帶著笑意。好壞，好有趣。

亞琪目前沒有工作約。越靠近月球日，你接到的合約工期就越短，有時只會以分鐘為單位。不過她的狀況不太一樣。AKA不想借重她的才智了，他們直接從阿克拉和庫馬西雇人過來。讓迦納人替迦納人的公司工作。她向有意在梅利迪安建造新港的月球開發法人兜售計畫：你們可以打造一個三公尺深的方樓，雕塑而成的都市，感覺就像住在巨大教堂裡頭。月球開發法人很有禮貌，不過「計畫資金籌措中」已經掛在他們嘴邊整整兩個月了。她的儲蓄越來越少，醒來就會盯著鏡片上不斷跳動的四元素數字。她考慮搬到較小的地方住。

「我可以支付妳的每日開銷，」我說：「我有一大堆錢。」

接著我們聊到骨頭。在我收到我的報告前，亞琪下不了決定。罪惡感，總是令她覺得自己犯了什麼錯的心魔。如果我受她決定影響，選擇留下或回到地球，她會承受不了。我不希望她那樣。我不想坐在這陽台上喝尿味茶，不希望亞琪因為我才強迫自己去醫院。我不希望做決定。

接著奇觀來了，我記得好清楚：一抹金色閃過我眼角，不可思議的場面。有個女人在飛，飛天女。她大張雙臂，十字架似地掛在天上。我們的飛天夫人。接著我看到她的翅膀閃耀，透出虹光。翅膀本身是透明的，強韌如蜻蜓。女人在天空中翱翔一陣子後收起單薄的翅膀，向下墜。她不斷俯衝，頭下腳上，手腕抖動，肩膀縮攏。她接著微微張開翅膀減速，然後再徹底伸展手臂，下墜的身體立刻扶搖直上，飄在錢卓拉方樓上空的高處。

「喔。」我說。剛剛我一直沒呼吸，我的身體為奇觀發起抖來。如果人能飛，哪還會有什麼企求呢？如今飛行成了司空見慣之事，人人都可做。但在當年，它代表的是我們在此地的種種可能性。

我前往馬肯齊金屬的醫療中心，醫生幫我做了掃描。磁力場通過我的身體，機器做出骨質密度分析。結果顯示我比亞琪多了八天的時間。五週後，我就會從月球居民變成月球公民。

不然就是飛回地球，回巴西。

當晚，那金色的女人在我夢中俯衝。亞琪睡在我旁邊，我們住進一家旅社。床很大，空氣清新度已達南后的上限，水並沒有惱人的味道。

喔，那金色的女人，繞著我的確信飛行。

南后並沒有發展成三時段制社會，所以永遠沒有全然的黑暗降臨。我將亞琪的被單往旁邊一掀，走上陽台，憑欄望向燈牆。每盞燈後方都有形形色色的人生與種種決定。這是個醜陋的世界，所有事物都被標價，每個人都必須與他人進行協商。我在鐵路末端工作時，發現有樣新事物在地表工人之間流行了起來：他們會將大獎章，或者小小的祈願物塞進外縫口袋中。上頭有個女人，穿聖母瑪利亞的袍子，半張臉是黑天使，另外半張是裸露的骷髏。那是我第一次見到「月球夫人」。她的半張臉已經死了，但另外半張還活著。月球不是一顆死亡衛星，是活生生的世界，與我相似的一群人以我們的手、心、期望塑造了她。這裡沒有對抗人類意志的大自然與蓋亞，所有活物都是我們造的。月球夫人嚴苛、無情，但美麗。她可以是個女人，長著蜻蜓翅膀，乘風飛行。

我在旅館陽台一直待到太陽高升，然後回到亞琪身邊。我想再和她做愛一次，這全是為了一己之私。有些事情以朋友身分難以辦到，以愛侶身分比較簡單。

是亞琪提議要玩那個遊戲的。我們把手伸到背後，握拳，像是要玩剪刀石頭布，然後數到三，將拳頭攤在對方面前。我們的掌中將會有某物，某個小東西，就讓它明明白白地道出我們的決定。我們都不要說話，因為我們要是開口說出一個字，就會影響彼此。這是她唯一能承受的方式，快速又俐落，像在玩遊戲。

我們回到咖啡廳的陽台桌邊玩那遊戲。兩杯薄荷茶，我記得空氣中除了常有的電氣味和穢物味之外，還帶著砂石的味道。每五片天空模擬板就有一片在閃爍，一點也不完美的世界。

「我想我們應該要速戰速決。」亞琪說，她的手一下子就擺到身後了，我看了一時無法呼吸。就是現在了。我把手藏到身後，讓我選的小玩意兒從包包滑到手中，握緊拳頭。

「一，二，三。」亞琪說。我們攤開拳頭。

她拿著一個邪眼，阿拉伯護身符。藍、白、黑色月球玻璃製成的淚滴，上頭有同心圓，看起來就像眼睛。

我手中拿著月球夫人的小聖像：黑白雙色，生與死。

最後幾件事是小事，很快就能解決。我心想，所有道別都應該要來得突然。我幫亞琪訂了往地球的循環軌道太空船，回程班次永遠都有空位。她幫我向月球開發法人的醫療中心掛號。光一閃，眼幕就跟我的眼球永遠相連了。沒人跟我握手，恭喜我，歡迎我。我只是決定繼續做原本就在做的事。

循環太空船將會繞過遠端月面，三天內抵達月環。三天，它聚縮了我們的情緒，讓我們不至於哭得太誇張。

我和亞琪一起搭車前往梅利迪安，包下一整排椅子，依偎在一塊，像是潛伏地洞中的小動物。

我好怕，她說。回去的路上很痛。循環太空船緩慢地繞進地球重力場中，G力會壓下來。她可能得坐好幾個月的輪椅。據說對返回地球的人來說，跑在泳池中的感受最接近待在月球。他們恢復肌肉和骨骼質量的期間，水體可以支撐他們。亞琪很愛游泳。接著疑慮來了：如果她的報告跟別人的弄混了，事實上她的身體狀況撐不過回航該怎麼辦？他們會試著把她帶回月球嗎？她肯定也會承受不了，那就跟地球粉碎她的骨骼、讓她因自身重量窒息而死沒兩樣。那時我已明白她恨月球，一直都恨。恨那些危機、恐懼，還有人，最恨的就是人。他們永遠都用同樣的表情盯著妳，想從妳身上得到些什麼。索求，索求，索求。沒人過得了那種生活，她說，那太不人道了。因為我在，她才有辦法勉強在月球上撐下去。而我要留下，她要離開。

於是我把祕密告訴她：就是我在蘭茨貝格想出的計畫。我將因此成為龍。實在太簡單了，只要換個角度看待我每天都看得到的事物就行了。氦－3，後石油經濟時代的關鍵。馬肯齊金屬每天都扔掉氦－3。我心想，馬肯齊家怎麼可能沒發現這點？他們一定……我不可能是唯一一個知情者。但家族與企業都會表現出古怪的僵化與盲目，家族企業就更不用說了。馬肯齊開採金屬，也就只顧開採金屬，無法想像其他狀況，所以才會錯失眼下的事物。我可以搞定它，我這樣對亞琪說，我知道該怎麼做。但我不能跟馬肯齊金屬合作，他們會奪走那項技術。如果我試圖反抗，他們會直接埋了我，或殺了我，這樣比較省錢。克拉維斯法庭將確保我的家人獲得賠償，但我打造王朝的希望就幻滅了。我會實現它，建造一個王朝。我要當第五龍。馬肯齊，阿沙默，沃隆佐夫，陽，柯塔，聽起來很棒。

我在開往梅利迪安的列車上對她說這些。椅後螢幕映出地表的畫面。螢幕中、頭盔外的風景都一樣灰濛、柔和、醜陋，上頭布滿腳印。列車上有工人、工程師，有情侶、歐科，甚至還有幾個小孩。嘈雜多彩，飲酒笑鬧，咒罵與性愛。而我們縮在列車後座，抵著艙壁。我心想，這就是月球。

亞琪在月環門前給了我一個禮物，她擁有的最後一樣東西。其他都已經賣掉了。離境門前有八個乘客，朋友、家人、愛侶前來送他們一程。沒有人單獨離開。空氣中有椰子的味道，跟入境門前的嘔吐物、汗味、沒洗澡的體味差多了。飲料機供應薄荷茶，但沒人喝。

亞琪的禮物是一個竹製文件筒，她要我離開後再打開看。離境程序執行得非常快，就跟傳言一樣。VTO的工作人員將所有乘客固定在座位上，我和亞琪還來不及反應，他們就開始關艙門了。我看到她以嘴型說再見，看到她揮動手指，接氣閥門封上了，電梯將太空艙運至繫鏈平台。

我試著想像月環的模樣：二十公分寬、長兩百公里的M5纖維編成的輪子，轉啊轉的。上升器朝平衡器移動，調節重力中心，使整個繫鏈貼地運行。要到逼近的最後一刻，白色纜線才會映入眼簾，彷彿是自天空的繁星間垂直下降。抓具與太空艙連接，一把將它從月台上抓走。上方的其中一顆耀眼星辰就是上升器，它讓繫鏈下滑，接著再度調整中心質量，使整組裝置移動到較高的軌道上。抓具將在月環頂端鬆開，由循環太空船接走太空艙。全都是工程，程序，技術。於是，我得以將那可怕的空虛擋在心房外，它們就像我的護身符。我試著辨識出那些星星，念出名字：循環太空船，上升器，平衡器，運走我愛侶、情人、朋友的太空艙。物理學帶給我慰藉。我一直仰望著，直到新的太空艙被送入出境門，下一條繫鏈開始在地平線上方旋轉。

接著我去買了咖啡。

對，咖啡，售價是天文數字的那東西。我花掉了大半積蓄，不過那是真貨，進口的，不是有機列印機磨出來的玩意兒。進口商還讓我聞，結果我聞到哭了。對方也賣了相關器材給我，那些玩意兒根本不存在於月球上。

我帶著它們回旅社，磨了定量的豆子。煮水，等水降到正確的溫度，舉高水壺往下倒，追求最大的曝氣效果，然後攪拌它。我泡它的方式就跟泡這杯一模一樣，修女，這是給妳的。這些步驟是永遠不會忘記的。

等待期間，我打開了亞琪的禮物。是畫作，我攤平它們。為住居地設計的概念藝術，月球上的實用主義者永遠不可能讓她蓋這樣的地方。拓寬的熔岩管，四面雕滿人臉。奧里莎的臉，每尊都有一百公尺高，圓潤、平滑、寧靜，俯看著花園的平台屋頂與池塘，瀑布自眼睛與張開的嘴唇中傾瀉而出。涼亭和眺望台散布在寬闊的洞穴之中，垂直設置的花園自地面延伸至人造天空，像是諸神的頭髮。陽台（她好愛陽台），迴廊，拱廊，窗戶。水池，你可以從這尊奧里莎主掌的世界游到另一個去。她還題了字：獻給王朝的居所。

這就是亞琪的禮物，它環繞著妳。

進口商在我鼻子下方搓揉一小撮咖啡粉時，童年、大海、大學、朋友、家人、慶祝會的記憶淹沒了我。有人說嗅覺是跟記憶連結最深的知覺。當我聞到自己泡好的咖啡時，我有了新的體驗。我不再回憶，而是看到了一個畫面。海，還有亞琪，她回來了。她坐在船上，漂浮於海面。時間是夜晚，她划槳破浪，移動到海浪的彼方，沿著海上的月之軌道不斷前行。

我壓下手柄，倒咖啡，品味香氣。

飲下它。

味道還是跟氣味不符。

7

「我們要是開戰，誰會得利？」
「群龍交戰，人人浴火。」亞德里安娜說。這是陽家的諺語，最近才傳開，起源於月球。
「只要妳管好妳的人，我也會管好我的。」

「他們把我們的人當娘們似地扔來扔去。」羅伯特．馬肯齊那架維生椅的二十個監控螢幕採入橘光之中。「其中一個人還是女的呢。」

消息沿著坩堝的脊髓往下傳，副靈與副靈接力擴散：**鄧肯．馬肯齊要離開蕨溝了**。前所未有的狀況，難以想像，真可怕。將維生系統搬入運輸艙時需要精細的作業，婕德．陽在一旁監督著。她的嗓音輕柔、和善，帶有鼓勵的意味，令隨行工作人員嚇得臉色發白。運輸艙疾馳於熔煉鏡下方，免於高溫燒成灰的命運。它移動到第二十七號車，鄧肯的私人公寓。

「她是月光菜鳥。」鄧肯．馬肯齊說。

「你還要搬弄這類藉口嗎？」婕德．陽說，她隨時站在羅伯特．馬肯齊右肩後方，身影並不起眼。

「別鬼扯了。」

「問題不是出在鬥毆上，那他媽根本不是塵工鬥毆。」羅伯特．馬肯齊的嗓音在呼吸口罩中嗡嗡響，他吸了好幾年的月塵，肺已經變成了半個月亮。「他們逼我們彎下腰去，禸翻我們。你看社群網站了嗎？阿沙默、沃隆佐夫，甚至陽家都在笑我們。他媽的月之鷹也幸災樂禍。」

「親愛的，我的族人絕對不會嘲笑你的不幸。」婕德．陽說。

「嗯，你們真蠢。換作是我，我一定會哈哈大笑。去他媽的巴西人，騎什麼小鬼機車。」

「他們搶先偷跑。」鄧肯說：「我們只是受了一次挫敗。」**你的味道好噁心**，鄧肯發覺。令人作嘔的排泄物氣味，刺鼻尿味，消毒紗布與抗菌藥劑單薄地粉飾太平。他的皮膚有味道，頭髮也有味道。油脂，起泡的汗水，分泌物。他的牙齒有味道，噁心又醜陋的牙齒。鄧肯無法直視那些黃色的殘肢，他承受不了。要是揮出凶狠的快拳打掉它們，他就再也不用當心傷眼了，那該有多好。那男人就會死掉。直接打穿貨架般脆弱、崩解中的骨骼，直搗柔軟的腦漿。

「挫敗？」羅伯特．馬肯齊說：「我們整個西北象限的計畫都泡湯了，接下來的五年只能從這堆屎中精煉氦氣。阿德里安的線報是直接從月之鷹本人獲得的。他雖然是油滑的黃鼠狼，但也懂得要保護情報源。我們當中有人走漏風聲，馬肯齊家出了叛徒。我他媽最恨的就是叛徒，比什麼都恨。」

「我讀完艾歐因．基輔的報告了，我們的通訊加密很牢靠。」

「艾歐因．基輔是個懦夫，從來不為這家族擠出半點勇氣。」有道人影立在婕德．陽右肩後方一步之遙，輕巧又令人膽怯。是哈德利．馬肯齊。鄧肯很討厭讓父親進自己的私人房，但他爸是族長，是猩猩當中的銀背猩猩，他有權進門。他恨哈德利則是因為他代表蕨溝綠葉間的輕聲細語和呢喃，代表鄧肯並沒有參與的那些決策。

「哈德利取代艾歐因．基輔了。」婕德．陽溫和地說。

「你們無權定奪，」鄧肯說：「你們不能撤換我的部門領導人。」

「我他媽愛換掉誰就換掉誰。」羅伯特．馬肯齊說，而鄧肯明白自己處於何等劣勢。

「這應該要開會決定。」鄧肯喃喃自語。

「扯什麼會議！」羅伯特・馬肯齊用盡全身的力氣咆哮：「我們家正處在戰爭狀態。」

婕德・陽臉上是不是閃過了小小的微笑？鄧肯有沒有看錯？

「我們是商人，商人不打仗。」

「我就打。」羅伯特・馬肯齊說。

「現在的月球是個新世界。」

「月球不會改變。」

「跟柯塔家交戰沒賺頭。」

「我們會贏回面子。」哈德利說。鄧肯湊近他，跟他大眼瞪小眼，鼻息噴在彼此身上。

「你能靠面子呼吸嗎？你大可到外面去，對月球夫人說：**我拿回我的尊嚴了**。我們要用我們最擅長的方式跟他們交戰，那就是賺錢。馬肯齊金屬不是什麼尊嚴，也不是一個家族，是賺錢的機器，負責把利益送還給投資者，給地球上那些信任你的金主和投機的資本家，爸。我們要把他們的錢帶到月球來，滾出錢。這部機器才是馬肯齊金屬，我們不是。」

羅伯特・馬肯齊的石肺發出怒吼。

「我丈夫累了，」婕德・陽說：「喜怒哀樂會消耗他的體力。」羅伯特的維生椅掉頭了，鄧肯知道它並不是按照父親的意思在動作。通往運輸艙的氣閥門開了，哈德利向同父異母的哥哥點頭致意，然後跟著緩慢移動的一票人離開。

「我們得跟柯塔家維持和平。」鄧肯在他們背後大吼。

她發現華格納坐在椅子上，接著愣住了。

「這酒吧裡的所有人都是狼。」華格納說。她環顧四周：旁邊桌子坐了兩個女人，遠處桌子坐了一群人，吧台有落單的人在喝酒，雅座裡有一對俊俏的情侶轉過頭來看。酒保點頭致意，華格納指了指他對面的座位。

「請坐，要喝什麼嗎？」

她說出華格納沒聽過的草本雞尾酒名。他心想，妳進門前很害怕，但看到我後情緒轉為憤怒。妳擴大的瞳孔、完全固定的下巴線條、握酒杯時的手背線條、張開的鼻孔等一百種微線索都在透露消息，我解讀得出來。地球滿盈時期的強化知覺，有時會讓華格納籠罩在各種破碎印象的彈幕中，有時那些知覺產生的洞見就像戰鬥刀一樣銳利。他聞得出她那杯飲料的成分：羅勒、龍蒿汽酒、些許酸味酒。用的水是培利的冰泉。

「你做得很周全。」她說。

「謝謝妳這麼說，我可拚命了。我知道妳一定會調查我的背景。喜歡我的社群網站個人簡介嗎？極地狂人隊的小股東。妳搞不好連那個也查了，我就直說吧，我在那支球隊有職位。我的人馬說妳在門邊時，我就把位子賣回去給他們了。」他太多嘴了，這是腦袋光速運作帶來的危險。所有想法同時並存於他體內，字句搶著要穿過想法與嗓音之門。俗世的運作速度太慢了。

「你在研討班上從來沒那麼勤奮。」

「勤奮。對，勤奮。過去是沒有，我後來改變了很多。」

「我也是那樣聽說的，你通常都配戴這副靈嗎？」

「地球滿盈時，我全身上下都不一樣。」華格納說。

「我很怕你。」愛麗莎・史特基說。

「當然了，是。我不得不使些伎倆，妳才不會逃跑。但我只是要一些情報，愛麗莎。」

「我當初不知道它要被拿去做什麼。」

華格納湊向前，高密度的目光令愛麗莎身體一震。

「我不相信。不，我完全不相信。它試圖刺殺我哥耶？專為蒼蠅基底神經毒輸送系統設計的生化處理器耶？我不相信妳說的話。」

「如果我說我不知道客戶是誰，你會相信我嗎？」

「我相信妳一定會徹底盤查對方，就像盤查我這樣。所以我的結論是，真正的客戶也隱藏於空殼公司的巢狀結構中。」

「華格納，你說起話來真像根臭屌。」愛麗莎說，她的腳在桌子下方抽動了一下。就算他不處於狼的狀態，也解讀得出那動作洩漏的意義。

「抱歉，抱歉，妳把那東西交給了誰？」

「華格納，我安全嗎？」

華格納真希望自己能停止解讀她的表情。對方肌肉的無意識抽搐與緊繃，都觸發了他的同情和焦慮。有時候他真的很希望自己能停下來，不再持續不斷地感知事物，不再讀到那麼深入的情報。不再當華格納．柯塔，他才可能喊停。

「我們會保護妳。」

她丟了一個企業用上傳空間的位址給光博士，光博士進行搜尋，發現那是一家空殼公司，已經倒閉了。她肯定也知道這件事。華格納關心的問題是，她的檔案到底通過了多少空殼公司和祕密交換點才抵達組裝者手中。他的思緒已展開追擊，一次奔跑在十幾條不同的路徑上。華格納把自己在地球滿盈時的心智狀態想成是量子電腦，能同時探索許多平行宇宙中的可能性，然後使重疊的種種狀態陷縮成一個決定。他知道自己下一步該怎麼做了。

「華格納。」

華格納要花幾秒鐘才能重新聚焦到現實。不過對凡夫俗子來說，幾秒鐘只是一瞬間。

「去妳的。一進柯塔門，永遠都是他媽的柯塔人。沒人對妳說過『不』對吧？妳甚至不知道『不』是什麼意思。」

她猶豫了。只猶豫了一秒，但時間已夠長——她轉過頭去，發現酒吧內空無一人。華格納沒有權限用柯塔的帳戶雇用私家保全，不過他可以自費租下一間酒吧。他可以請朋友、家人、幫裡夥伴來充當工作人員。

當天晚上，他和幫裡的夥伴一起在城市屋頂奔跑。建築物頂端最接近地球光的地方有一些老舊的維修隧道，它們被開鑿成一個個房間，一個個小氣囊。酒吧，俱樂部，巢穴，感覺就像在肺中辦派對。這裡的空氣凝滯，很不新鮮。酒吧中散發出人體、香水、便宜伏特加（帶有工廠的聚碳酸酯味）的味道。燈光是藍色的，地球藍，音樂是真貨，不是副靈專為私人播放的，大聲到彷彿有實體。

南后的馬格達萊納幫來到梅利迪安了，他們是月球上歷史最久的狼幫，從夢世紀[4]起就由沙夏·凡喬諾克·埃爾明領導，**伊**據說是月球上最老的狼，仰望地球、向它嚎叫的第一匹狼，也是最早提出代名詞「**伊**」的狼。**伊**是第一代月球人，比幫裡的任何人都矮了一個頭，但**伊**的個人魅力煥發，讓酒吧亮得像排燈節。華格納認為**伊**很嚇人——**伊**對他漠不關心，認為他只是軟弱的紈袴子弟，不是真正

4　dream-time，澳洲原住民信仰中的創世時期。

的狼。伊的狼幫粗魯又激進，相信自己才是二性的真正後裔。不過他們辦的派對很棒。鬥士已在鬥籠中列隊，一絲不掛，等不及要和對手扭打。華格納動口不動手，而且他還在兔子窩似的隧道群中發現一個遠離歡呼也遠離ＤＪ的凹陷處，同時和擁有太陽月柵的機器人學家、一家物理學有限公司衍生性金融商品的代理人、擅長幫人訂做木頭家具的室內設計師通話。

一個馬格達萊納的女孩來到附近了。地球滿盈，月狼就會奚落世俗的衣著潮流：她穿著一件萊姆綠太空衣內襯，上頭以麥克筆畫滿狂熱、纏繞、蜿蜒的塗鴉，地球觸發的視覺想像。

「你好小，你好可愛，味道真好。」她低聲說，而華格納從寒暄之網中挑出字句。

「真好看。」他說。

「看一眼很順眼，接著又不怎麼樣，現在又很順眼了。」她說：「我叫伊莉娜。」她的副靈是長腳的骷髏，眼睛和鼻孔閃著火焰。再看一眼很順眼，接著覺得不怎麼樣，接著又很順眼了。華格納老是在想，塗鴉內襯衣這個短命的風潮到底是從哪來的？

「我……」

「我知道你是誰，小狼。」

她銜住他的耳垂，低聲說：「我喜歡咬人。」

「我喜歡被咬。」華格納說，不過她拖走他之前，他的手先按上了她的胸骨，他感覺得到她的每一下心跳、每次呼吸、血液在動脈中的每一次湧流。她身上有蜂蜜和廣藿香的味道。「我明天得去參加我媽的生日派對。」

「那就放尊重一點，別露出太多皮膚給她看。」

兩個穿保全衣的人站到路卡辛侯兩側。他不認得他們，但知道他們是誰的手下。

盧卡斯．柯塔坐在路卡辛侯充作床鋪的沙發上，打扮得體，拘謹，手輕放在大腿上。弗拉維亞蹲在角落，置身於一堆聖像間。她瞪大的眼睛寫滿恐懼，胸口激烈起伏，看得出她吸每口氣都費盡千辛萬苦。她的雙手在胸前亂揮。路卡辛侯沒看過她這模樣，但所有月球出生的人都知道這代表什麼。她的呼吸被減量了，她溺於乾淨的空氣中。

「把她的空氣還給她！」路卡辛侯大吼，蹲到弗拉維亞身旁，伸手環抱她。

「當然了。」盧卡斯．柯塔說：「托基尼奧。」弗拉維亞吸了一大口氣，胸腔振動，還發出哮喘似的嘶聲，接著變成咳嗽與噎到的聲音。路卡辛侯將她拉進懷中，她的眼神充滿恐懼。

「華格納支付——」

「我向月球開發法人提了更好的方案。」盧卡斯說：「這似乎是合理的預防措施呢。不會呼吸的人就不會大嘴巴了。」

「去你的。」路卡辛侯說。

「你一直沒上網，也許不知道我們打了威震四方的勝仗。柯塔氦氣，你的家人在蛇海取得了新的氦－3開採地。克拉維斯法庭認可了我們的所有權主張。我幫你打下未來了，兒子。你有什麼想法？」

「恭喜。」

「謝謝。」

弗拉維亞教母的呼吸變得平順了，但她還是瑟縮著，彷彿每一口呼吸都可能變成最後一口。

「喔，對了，我差點忘了。啟動金吉吧，快啊，你最好動起來。」

開機成功，金吉說，**各帳號完整連線已恢復**。

「有錢、有碳、有網路用的感覺很棒，對吧？」盧卡斯說：「托基尼奧。」盧卡斯肩膀上的音符圖案開始旋轉，潑灑出虛擬的音符。

我收到了合約轉讓書，金吉說，**弗拉維亞・維拉・諾瓦的四大元素帳號將轉讓給你，接受嗎？**

「你受教母照顧，」盧卡斯說：「你也要回報她才恰當。」

你接受嗎？金吉催促。

「弗拉維亞，」路卡辛侯說：「妳的帳號，爸要妳把帳號轉給我，我必須接受。」接著他對父親說：「我接受，錢還是你的。」

「對，但你小時候我從來沒買過寵物給你，對吧？」盧卡斯起身，撥掉褲子上不存在的沙，點頭，穿保全衣的人便移動到門邊。「最後一件事，要事，我過來這趟的理由。你喜歡派對，每個人都喜歡，所以我要邀請你出席你奶奶的生日派對。帶蛋糕來，你做的蛋糕很棒。我不在意你做蛋糕的時候有沒有穿著衣服，記得插八十根蠟燭就對了。」

葉瑪亞以音樂喚醒亞德里安娜・柯塔。〈三月水〉，她的最愛。伊利斯與湯姆翻唱版。

謝謝你，她低聲對副靈說。她沒掀開單薄的被子，仰望天花板，聆聽音樂並納悶：為什麼會在今天早上播這音樂？她想起來了，今天是她生日。她滿八十歲了。

葉瑪亞挑選了今天的裝扮：自己化身為三道新月，然後讓亞德里安娜穿皮埃爾・巴爾曼一九五三年款的翼領長袖西裝，緊身裙，左臂上有個巨大的蝴蝶結。手套，包包，優雅。穿在八十歲的肉體上相當討喜。著衣前，亞德里安娜在無盡的泳池中游了二十分鐘。她以琴酒和焚香向窗外的奧里莎像表達敬意。她服藥，而且差點噎到，最近每天都這樣。聽葉瑪亞簡報公司經營狀況期間，她吃了五片芒果。她心中浮現了上千個憂慮，但她不會讓它們降落，不會讓它們挑她生日這天。

最先來向她問好的人是海倫．迪．布拉加。親吻，擁抱。接著赫特．裴瑞拉恭賀她八十大壽，他穿著一件瘋狂的制服向她致意，上頭有繐帶、一大堆鈕釦、肩墊，要不是他威嚴十足，看起來一定會很可笑。擁抱，親吻。

妳好嗎？他們問。

我很開心，她說。死亡啃咬著她，範圍一天比一天大，她的繼承人也還沒決定。不過今晨醒來時，她滿心歡喜。為各種瑣事歡喜：陽光橫過眾奧里莎像臉龐，落在那特定的位置；她將身體浸入池中，感覺到水的湧動；芒果那又甜又酸的香味；派對禮服的纖維發出窸窣聲。這些司空見慣的事物太美妙了，這小小的世界中還是會帶來新的感受供我們品味。

接著她的孫子跑過來了。羅伯森有新的撲克牌魔術要變給她看——進電車再變，小天使。露娜帶了花來，藍色的小花束，跟她的洋裝很搭。亞德里安娜接下花，儘管她一碰到就起了雞皮疙瘩；它們曾經活過，現在已是死物。她用力嗅聞花，而露娜咯咯笑了：**奶奶，紫羅蘭沒有味道**。

接著是歐科們，博阿維斯塔只剩亞曼達．陽還在了。她擁抱婆婆，親吻對方的兩邊臉頰。

輪到教母們了。阿瑪莉亞、伊維特、莫妮卡，還有愛麗絲，她瞥了一眼羅伯森，幫他調整領帶結和衣領。拉法、盧卡斯、卡林侯老早就搬出博阿維斯塔了，但他們的教母都還在。亞德里安娜永遠不會趕走她們，因為柯塔家以她們的職責為榮。她也寧願她們待在同一個地方，待在她的天空下，好過任她們散落四方、到處傳播八卦和祕密。像另外一個那樣，她可真不忠誠。教母一個接一個擁抱、親吻她們的贊助人。

工作人員排在隊伍尾巴。整個過程拉得很長：握手，接受他們在這吉日獻上的祝福，不過亞德里安娜．柯塔的應對還是一絲不苟，一下子對這人噓寒問暖，一下子向那人微笑。保全人員自車站入口開始尾隨她，形成一道黑西裝路障，阻擋在亞德里安娜與孫子、她年紀最大的家臣、她的人馬之間。所有人，從財務長到園丁都將副靈的外型模組換成了適合派對的形狀與顏色。

車站門旋開了，那票護衛的手伸向刀子。亞德里安娜提議在博阿維斯塔之外舉辦派對時，赫特．裴瑞拉表達了他的畏怯，但前者還是堅持己見，說柯塔氦氣不會膽小地窩在自己的堡壘內。那些手放下了，來者是路卡辛侯，他手上拿著一個小紙盒。

「生日快樂，奶奶。」紙盒裡裝著一塊蛋糕，綠色糖霜圓頂上有精巧的巴洛克風糖衣蕾絲。「這是瑞典公主蛋糕，雖然我不知道瑞典是什麼意思。」擁抱，親吻。路卡辛侯的穿環在奶奶的皮膚上壓出小小的凹陷。

「做的時候有沒有穿衣服？」亞德里安娜問：「我衷心希望答案是沒穿。」路卡辛侯臉紅了，變得很可愛。「你現在有化妝？」

「有的，奶奶。」

「彩色眼線真的凸顯了你的金色眼珠，也許應該要再稍微強調一下顴骨。打你最好的牌。」他真是個討喜的男孩。

一行人將搭兩班私人電車移動。隨從先出發，亞德里安娜、近親、保全人員則搭第二班。羅伯森在三分鐘的行車時間內變了新學的撲克牌魔術給奶奶看，主題是一行人逃離空氣外洩的住居地——所有頭像牌都從牌頂逃脫了。大家都吃了路卡辛侯的蛋糕，所以手指變得有點綠綠、黏黏的。

神之若望是勞動之城。亞德里安娜從來就不肯幫那裡的人訂定集體休假日，因為會減損商業利益，就連她八十大壽這天也不例外。不過許多居民和簽約工人都請了幾分鐘的外出假，前來向氦氣第一夫人致意，看三輪摩托車隊載著柯塔家族奔馳於康達科娃大道上，登上坡道，來到盧卡斯舉辦生日午餐會的旅館。工人歡呼，有些人還揮手。亞德里安娜·柯塔舉起戴手套的手回應。以靜音微風扇操控的卡通動物造型小飛船穿過聖塞巴斯蒂昂方樓，有如神聖的馬戲團。亞德里安娜仰望時，M-Kat Xu的影子正好落在她身上。她微笑。

赫特·裴瑞拉的手下已工作好幾天，為的就是確保旅館安全無虞。早上九點起，他們就悉心地掃描所有賓客。歡呼聲來了，大家紛紛轉頭。亞德里安娜來到雞尾酒會會場中央，不斷轉身問候一張又一張臉，欣賞一件又一件禮服，吻一個接著一個。她的孩子，她俊俏的孩子穿著他們最高級的西裝。艾芮兒遲到了，她每次參加家族聚會總是遲到。明眼人都看得出盧卡斯很火大，但他不是妹妹的監護人。這世界沒有警察，就連家族中都沒有糾察隊。

親近的家人、關係較不密切的家人都到場了：露西卡·阿沙默獻出一個溫暖的擁抱，她始終是亞德里安娜最喜歡的媳婦；堂表兄弟姊妹，平輩姻親也都來了；卡羅斯那邊的索爾斯家族和其他小宗族；因尼卡赫婚約結成的盟友。接著是上流社會人士。月之鷹捎來致歉的信息——歷任月之鷹收到亞德里安娜生日宴會邀請都不曾赴約。亞德里安娜優雅地隨華爾滋起舞，身旁有忒來的阿沙默族人、恆光宮來的陽家人、沃隆佐夫家的顯貴、其他更次要的小名門代表、社交名人和潮流領導者、記者、知名人士、一對對愛侶和歐科。路卡辛侯的奔月夥伴也到了，他們極度在乎別人的目光，全待在自己的小社交圈內。亞德里安娜·柯塔和每個人都說了幾句話，她的守靈會觸發了上百個對話和互動。

最後是政客。月球開法發人的官員和遠端大學的院長，肥皂劇演員、暢銷歌手、藝術家、建築師、工程師。亞德里安娜總是讓自己的紀念日塞滿工程師。媒體界有社群網站記者、時尚評論家、意見領袖和內容創造者。宗教界有奧克傑紅衣主教、泰耶卜大穆夫提[5]、蘇美度住持，還有一身白衣的現主姊妹會成員。洛亞修女向她的施主行屈膝禮。

艾芮兒來到母親身邊了。她獻上一個吻和道歉之語，亞德里安娜揮手打發掉。

謝謝妳。

我要是錯過妳八十大壽，妳一定永遠不會原諒我的。

我不是為了這個謝妳。

艾芮兒手一甩，電子菸完全伸展開來，讓派對納入她。

音樂傳來，亞德里安娜開心地仰望。巴莎諾瓦。她走向音樂的源頭，人群自動為她開道。

路卡辛侯奔月派對的時候也是請來這組樂隊，亞德里安娜說，**真是太棒了。**

盧卡斯就在她身旁，始終沒離她超過兩步遠，一路跟著她繞來轉去，跟人寒暄。

全都是妳的最愛，媽。老歌。

亞德里安娜輕撫盧卡斯的臉頰。

盧卡斯，你真是個好孩子。

華格納．柯塔很晚才溜進餐廳，還在調整剛列印的西裝，找一個舒服的角度。它尺寸正確，但位置怪怪的，該寬的地方緊，摩擦，而非輕觸身體。

「小狼！」拉法張開雙臂，過分熱情地向華格納打招呼。他的擁抱像是要壓碎弟弟的身體，還重重拍打對方的背。華格納皺眉，是男人的氣息。華格納能夠辨識出他哥喝下肚的每一杯雞尾酒的成分。「今天是媽的生日，你怎麼能不刮鬍子？」拉法上下打量華格納。「你的副靈也不對。」

華格納動念，光博士消失了，「影子」跳了出來。不過，知道他擁有雙重自我的人都看得出他處於狼狀態——坐立不安，表現顯示他似乎同時聽著好幾個對話，臉上布滿鬍碴。

「她沒在接待隊伍中見到你。」拉法從托盤中撈了一杯雞尾酒來，塞到華格納手中。「總之先去見她再去找盧卡斯，他今天沒什麼度量。」

華格納差點沒趕上特快車，忙著和伊莉娜品味著每分每秒。她咬他，還用力吸吮他的身體，留下瘀痕。她又捏又扭，令他叫出聲來。她也滿懷愛意地用牙齒輕拉他的皮膚，性是他們歡愛過程中最不重要的一環，顯然做得很敷衍。她喚醒了華格納從未有過的感覺與情緒，他的知覺就像一整晚響個不停的鈴鐺。他在車站的列印機弄到那套西裝，然後在列車上廁所更衣，謹慎地拉好衣服和褲子，蓋住尚未癒合的傷口與瘀痕。每個小小的疼痛都代表狂喜。她聽從華格納的吩咐，沒在手、脖子、臉上留下痕跡。

「我查出一件事了。」華格納說。

「說來聽聽。」

「我認得其中一個蛋白質處理器。你們看不出個所以然，但對我來說，那就像寫了某人名字的霓虹招牌。」

「你說話速度太快了，小狼。」

「抱歉，抱歉。我見了設計師一面，她是我大學同學，一起上過同一個研討班。她傳了一個收件箱帳號給我，當然是死路，但我叫狼幫的夥伴一起查。」

5 Grand Mufti，伊斯蘭教的伊斯蘭教法典說明官。

「慢一點，慢一點，你叫什麼？」

「我叫狼幫的夥伴一起查。」

梅利迪安幫的成員有農業學家、塵工、機器人學家、美甲師、酒保、運動員、音樂家、按摩師、律師、俱樂部老闆、軌道工程師，出身社會各階層，每個人的技能和學識有很大的歧異，當他們聚在一起專注進行某項工作，不可思議的狀況就會發生。狼幫似乎會共有情報，本能地填補彼此不足，組成一支完美的隊伍，目的同一的整體，幾乎可說是一個完形了。華格納很少目睹這場面，自己也只參與過一次，這更是他第一次擔任召集者的角色。狼幫成員齊聚一堂，心智、才能、意志混合交融。五個小時內，他就知道打造刺殺蠅的是哪家工程商店了。這過程並沒有超自然的成分。華格納不相信超自然力量的存在，這是理性的奇蹟，是人類的新存在方式。

「那是只接過一次單的工程鋪，叫『最小鳥』。」華格納說：「位於南后，登記在約阿希姆．利斯伯格和傑克．天龍．陽名下。」

「傑克．天龍．陽。」

「那名字不代表什麼。那家公司只生產並配送過一樣東西，然後就解散了。」

「知道東西被送到誰手中嗎？」

「正在查。我更感興趣的是，誰委託他們製作的？」

「有任何線索嗎？」

「我可能會親自找傑克．陽談談。」華格納說。

「幹得好，小狼。」拉法說完又拍了弟弟背一下，讓他痛翻天。每個咬痕都發出尖叫。拉法把華格納帶到亞德里安娜行進路線的外圍，她還在接受祝賀。

「媽，生日快樂。」

亞德里安娜抿嘴，接著湊向他，邀請他吻自己的臉頰。他給了兩個吻。

「你可以刮個鬍子。」她說，隨行人群當中傳來輕笑，不過她準備轉身離去時在他耳邊呢喃：「如果你想待一陣子，你在博阿維斯塔的舊公寓已經準備好了。」

瑪莉娜討厭禮服，它卡卡的又會令人發癢，累贅又不舒服。有穿像是沒穿，脆弱——要是突然做個大動作，它彷彿就會滑下肩膀，直接落地。鞋子也很誇張。不過它們很時尚，而且在大家的預料範圍內。卡林侯把話講得很明：她如果穿褲裝或男性剪裁的衣服也沒人會說什麼，但亞德里安娜本人會注意到。

瑪莉娜此時被困在遠端大學大嗓門社會學者的沉悶對話漩渦中，他不斷和她分享第二、第三代月人的後國籍身分認同理論。

講這麼多，卻沒辦法幫月球居住者想個比「月人」還好的名字，瑪莉娜想，並在心中列出一串名字：月民、月地人；月樂閱人。都不好。**救救我**，她向主宰派對的奧里莎祈禱。

她發現卡林侯撥開擁擠的人群、節慶感十足的副靈和雞尾酒杯，朝她過來。

「我媽要見妳。」

「我？什麼？」

「她要求的。」

他沒等她回答就牽起她的手，開始穿過人群。

「媽，這位就是瑪莉娜．卡爾札。」

瑪莉娜對亞德里安娜．柯塔的第一印象攙雜了刀架在自己脖子上的回憶。不過她蒼老的程度似乎與這兩次會面之間的時間不成比例——不，不是老化，是變得憔悴、衰退，變得更透明了。

「柯塔女士，祝您歲歲有今朝。」

瑪莉娜以自己的葡萄牙文為傲，但亞德里安娜．柯塔切換成地語跟她說話了。

「我們家似乎又欠了妳一次人情。」

「就像大家說的，我只是做好分內的事罷了，女士。」

「如果我給妳另一項工作，妳也會盡忠職守嗎？」

「我會盡全力做好。」

「我是真的有工作要給妳，我要妳照顧某人。」

「柯塔女士，我從來就不擅長照顧小孩，我會嚇到他們……」

「妳不會嚇到這個小孩，雖然她可能會嚇到妳。」

亞德里安娜點了一下頭，帶著瑪莉娜穿過房間，來到艾芮兒．柯塔面前。艾芮兒在打扮得正經八百的法庭官員和月球開發法人技術官員團團包圍下，像是亮眼的火焰。她仰頭大笑，撥弄頭髮，電子菸的煙霧勾出一個個表意文字。

「我不懂您的意思，柯塔女士。」

「我需要有人來照料我女兒，我很擔心她。」

「柯塔女士，如果您需要保鑣，可以找受訓過的鬥士……」

「如果我要找的是保鑣，那我早就找到人選了，我有十幾個保鑣。我要找的是代理人，我要妳當我的眼睛、我的耳朵、我的聲音。我要妳當她的朋友，她的女伴。她會討厭妳，會跟妳起爭執，會試圖擺脫妳，會躲妳、冷落妳、惡毒地對待妳，但妳還是要待在她身邊。妳辦得到嗎？」

瑪莉娜沒說話。她不可能辦得到，也不可能拒絕。她穿著令人發癢的禮服，站在亞德里安娜．柯塔面前，腦中唯一的想法是：**可是這樣就見不到卡林侯了**。

卡林侯推了她一把，亞德里安娜．柯塔正在等待回覆。

「柯塔女士，我辦得到。」

「謝謝妳。」她展露真心的微笑，並親了瑪莉娜臉頰一下。那吻是溫暖的，但瑪莉娜還是打了個寒顫。那股永遠伺機而動的寒冷凍著了她。

她帶著他穿過派對會場，移動得像一支紅衣之舞。她回頭瞄了一眼，看他的目光是不是還在自己身上，是不是還跟著她，保持距離。拉法在陽台與她會合。動物寓言風氣球湧入餐廳，原地靜候，沿著天際線彈跳，有如未曾獲選進入眾神殿的原型神靈。

拉法不發一語地將她擁入懷中，兩人接吻。

「妳是世界上最美麗的事物，」拉法說：「兩個世界的美都相形失色。」

露西卡．阿沙默微笑。

「誰在照顧露娜？」她問。

「愛麗絲教母。她很想念妳，她希望媽媽回來。」

「噓。」露西卡．阿沙默的洋紅色指甲按上拉法的嘴唇。「你老是這樣。」他們再度親吻。

「露西卡，合約。」

「六個月內，婚約就到期了。」

「我要續約。」

「儘管我住在忒，你把女兒留在你身邊，我們只在社交場合見面，你還是要續約？」

「還是要。」

「拉法，科托科邀我加入。」

拉法感到佩服，同時也為ＡＫＡ的政治手腕感到困惑。科托科，即金凳議會，是八名家族成員組成的議會，代表各個阿布索。金椅、金凳、大酋長由議會成員輪流擔任，任期為一年，整個金椅議會也會在ＡＫＡ的住居地之間遷徙。對拉法．柯塔來說，這系統複雜得毫無必要，而且太民主了。政權的連續性由大酋長的副靈桑薩姆維持，歷任大酋長的記錄與智慧都會儲存在它那裡。

「這代表妳不會回博阿維斯塔了？」

「要等八年我才有機會再度坐上金椅。到時候露娜就十四歲了，這八年內會發生很多事。我不可能拒絕他們的邀約。」

拉法退後，隨之伸長的手還是按在她的身體上。他彷彿在尋找她封聖或發瘋的跡象。

「我想續約，拉法，但我不能回博阿維斯塔，還不能。」

拉法將暴烈的挫敗感嚥下肚，強迫自己花時間將口中的話語吞回去。

「夠了。」他說。

露西卡抓住他西裝外套的翻領，將他拉近。兩人的副靈融合在一塊，化為穿透彼此的幻象。

「我們不能從這派對溜走嗎？」

盧卡斯從派對外圍往內鑽，堵到亞曼達．陽。她正在和兄弟姊妹以及平輩親戚有說有笑。他的手按上她手肘。

「私下聊一下。」

他拉著她的手肘走，來到餐廳，生日餐會的場地，所有桌子都繞著高達天花板的群鳥飛翔冰雕擺設。他接著推開搖擺門，進入廚房。

「盧卡斯，你要做什麼？」

他們經過爐子、水槽、鈦金屬工作檯，經過冷卻器、食物冷藏櫃、起起落落的刀刃與壓碎機，進入儲藏室。

「盧卡斯，你有什麼毛病？放開我，你嚇到我了。」

「亞曼達，我要跟妳離婚。」

她笑了。那是即將被惹惱之際的輕笑，認定自己剛聽到的只是無稽之談。太誇張了，就像說月球墜入哈德遜灣。接著她說：「喔，我的天啊，你是認真的。」

「我什麼時候不認真過？」

「盧卡斯，沒人說你不認真。我也無法斬釘截鐵地說你的提案對我沒有吸引力，但我們無法自由決定不是嗎？我爸不會容忍別人侮辱他女兒。」

「當初堅持列一夫一妻制條款的人可不是我。」

「簽名的人是你。你到底有什麼盤算？」亞曼達盯著他的臉瞧，彷彿在尋找病態或錯亂的徵兆。

「喔，我的天啊。這跟愛情有關對吧？你真的愛上某人了。」

「對。」盧卡斯・柯塔說：「妳要我毀約，還是我們一起同意廢除合約？」

「你墜入愛河了。」

「如果妳月底前能將所有東西搬離博阿維斯塔，我會很感激妳。」盧卡斯站在儲藏室門邊回頭呼喚。廚房的工作人員專注地擺盤、裝盤、幫開胃菜淋糖汁。「路卡辛侯不構成問題，他已經成年了。」

盧卡斯大步穿過廚房。儲藏室內的亞曼達．陽笑了又笑，笑到都無力了，雙手撐住膝蓋還繼續笑。

「嘿。」

「那我就，嘿。」

「那妳為什麼一直封鎖我的訊息？」

亞別娜．阿沙默扭動芮恩緞面高跟鞋包覆的腳趾，別過頭去，撥了一下路卡辛侯耳朵上的飾釘。

「你還別著。化妝效果很好。」

他一路追到這雞尾酒吧來，將她逼進安靜的角落。他心中有個聲音說：**這是跟蹤狂的行為，路卡。**

「我奶奶也這樣想。」

路卡辛侯微笑，目睹亞別娜受觸動，她的臉上浮現小到不能再小的微笑。

「話說，如果我碰到真的很危急的狀況，就可以去找妳。」路卡辛侯拍了一下尖刺。

「當然了，這就是它具備的意義。」

「可是……」

「怎麼？」

「我在忒的泳池派對時，妳連看我一眼都不肯。」

「你在忒的時候整個人巴在亞．阿芙姆身上，而且神智不清，天知道你嗑了什麼。」

「我跟亞・阿芙姆什麼也沒發生。」

「我知道。」

「就算發生了什麼，對妳來說又有什麼重要呢？」

亞別娜深呼吸，彷彿要向小孩解釋一件艱澀難懂的事，例如真空或四大元素。

「你救了卡喬一命。剛知道這件事時，我願意為你做任何事。我很尊敬你，非常、非常尊敬你。你英勇又和善——現在也是。不過你去醫療中心探望卡喬時，滿腦子想的都是要進他公寓。你利用了他，就像格里戈里・沃隆佐夫利用你、把你當性玩具那樣。我不是老古板，但那實在好噁心。你需要某樣東西，就利用任何能夠提供那樣東西的人。你不再尊重別人，不再自重，我也不再尊重你了。」

路卡辛侯感覺臉好燙，他開始想各種藉口——當時我很氣我爸，我爸鎖了我的帳戶，我無處可去，我沒網路，我對那些人都有點感覺，我在探索身體，那陣子很瘋狂，那段時間很短。我沒傷害任何人——至少沒讓誰傷得很重。聽起來就像在發牢騷，也無法磨滅事實。他沒上亞・阿芙姆。但如果他出手了，就會在她公寓待個幾晚：柔軟的床，溫暖的肉體和笑聲。就像對待格里戈里和卡喬那樣。

「妳說得對。」

亞別娜站在他面前，雙手盤在胸前，霸氣到了極點。

「妳說得對。」

她還是沒說話。

「對，我對待人的方式很卑鄙。」

「很卑鄙地對待在乎你的人。」

「對，在乎我的人。」

「烤個蛋糕給我。」亞別娜說：「那就是你賠罪的方式對吧？烤蛋糕給得罪的人？」

「我會幫妳做個蛋糕。」

「我要杯子蛋糕，三十二個。我準備跟我的阿布索姊妹開杯子蛋糕派對。」

「什麼口味？」

「每種口味都要。」

「好，三十二個杯子蛋糕。我還會直播製作過程，妳就能看著我按部就班做。」

亞別娜裝出震怒的樣子，發出一聲小尖叫，脫下右腳的鞋子敲了路卡辛侯胸膛一下，力道不怎麼小。

「你真是個無恥的傢伙。」

「妳還試圖喝我的血呢。」

安全警報，金吉在路卡辛侯耳中說，**請保持冷靜，柯塔氦氣保安隊已在路上**。房間內的眾人紛紛按住自己的耳朵，臉上寫滿疑問：什麼狀況？哪裡有狀況？一個穿蒂娜．萊塞禮服的女人翻過吧台推開亞別娜，擋在路卡辛侯與危險源之間。她雙手各拿一把刀。

「發生什麼事了？」路卡辛侯說，接著賓客遠離餐廳門，向他揭示了答案。鄧肯．馬肯齊帶著六個企業刀衛來踩場了。

赫特．裴瑞拉大搖大擺迎向鄧肯．馬肯齊。馬肯齊總裁停下腳步，距離對方伸出的手只剩幾公分，不以為然地抬起一邊眉毛，盯著柯塔家男子的浮誇制服。兩個男人身後都跟著武裝隨行人員，手握在刀上。

拉法推開保全人員構成的人牆，盧卡斯跟在一步之後，兩側分別是卡林侯和華格納。盧卡斯瞥了一眼兒子，發現他推開保鑣，加入眾人行列。

「你來這裡做什麼？」拉法問。房間裡的眾人一動也不動，沒人啜飲雞尾酒，也沒人品茶。

「我今天是來向令堂祝壽的。」鄧肯．馬肯齊說。

「我們會把你們踢出去，就像北口那時候。」保全人牆中傳來吼聲。拉法舉起一隻手：夠了。

「哇哇哇，」亞德里安娜碰了拉法屁股一下，他便退到一旁。「很歡迎你大駕光臨，但怎麼帶這麼多人呢？」

「『信任』現在是一個賣空市場。」

亞德里安娜伸手，鄧肯．馬肯齊彎腰吻了它。

「生日快樂。」接著他用葡萄牙文低語：「我們得談談，以家族對家族的名義。」

「確實。」亞德里安娜也用葡萄牙文回覆，接著發號施令：「在我那桌加個位子，就加在我旁邊。請馬肯齊先生的隨從喝酒。」

「媽？」盧卡斯說，而亞德里安娜揮手打發掉他。

「你還不是會長，你們都不是。」

食物萬分美味，一道接一道、一盤接一盤上桌，氣味和諧，質地不一。有液狀、凝膠狀的食物，形狀與溫度各異，不過亞德里安娜只能用偵毒筷夾菜吃。憑香味、味道就明白烹調理論和技巧。坐她左手邊的鄧肯．馬肯齊吃得津津有味，讚賞不已——從頭到尾都沒說話，對食物表達出敬意。

「恭喜你們拿下蛇海。」鄧肯．馬肯齊說，舉起那杯薄荷茶。

「你不是真心那麼想。」亞德里安娜說。

「我當然不是，但你們的手法很伶俐，我很欣賞。你們毀了我們的氦-3發展計畫。你們是從哪得到授權消息的？」

「艾芮兒是白兔閣閣員。」

鄧肯・馬肯齊品嘗茶的餘味，嘴巴蠕動了好一會兒。

「我們早該掌握這情報的。」

「那你們是怎麼知道的？」

「月之鷹是個大嘴巴枕邊人。」

「能為己方人馬製造優勢的事，我都會去做。」亞德里安娜說。

「鐵律。」鄧肯・馬肯齊說：「對我們助益良多。我得跟阿德里安談談，叫他想些新花招用在月之鷹身上。」

「鄧肯，你為什麼要過來？」

鄧肯・馬肯齊坐在亞德里安娜左手邊，那是原本為盧卡斯安排的位子。盧卡斯被流放到一張矮桌去，不斷瞄向鄧肯，憎恨全寫在臉上。亞德里安娜和他對上眼：**這不干你的事**。

「生日是適合展望未來的好日子。」

「對我這年紀的人來說並不是。」

「遷就我一下吧。五年後，我們會在哪裡？」

「會在這裡幫我慶生。」

「但也可能在上城區賣尿，搜括食物和水，吸每口氣都得拚老命。聽著，月球正在改變，它已經不是妳和我爸交戰時的那個世界了。如果現在又開戰，我們兩邊都會成為輸家。」鄧肯．馬肯齊用私人頻道跟她交談，讓艾斯佩蘭斯對葉瑪亞送出唇語。亞德里安娜也用同樣的方式回應。

「我不打算回頭打企業戰爭。」

「但我們正在往那個方向前進。北口的交手只是一個開端，聖加大利那和雨海港也始終有狀況。將來有人會喪命。你們部署在托里拆利的地表工人試圖破壞馬肯齊金屬的探測車，被我們逮到。」

「你們怎麼處置？」

「目前拘留著她。準備向她索賠，但總比哈德利的提議好。他想把她扔到氣閥外。」

「我的孫子羅伯森很會使刀，高段得令人意外。你知道是誰教他的嗎？是哈德利。他就在那裡，有沒有看到他在對傑登．溫．陽變撲克牌魔術？他逃離坩堝後就一直在玩牌，如果有人碰他——」

「我向妳保證，沒人會碰他。不過妳的兒子還在，我女兒卻已經死了。」

「她的死與我們無關。」

無聲的談話越來越激動，咬牙切齒、綳緊的喉嚨、動個不停的嘴唇都洩漏著蛛絲馬跡。圓桌另一頭的艾芮兒望著他們。亞德里安娜知道她女兒非常擅長讀唇語，這招在法庭上很實用。

「我們要是開戰，誰會得利？」

「群龍交戰，人人浴火。」亞德里安娜說。這是陽家的諺語，最近才傳開，起源於月球。

「只要妳管好妳的人，我也會管好我的。」

「我看法相同。」

「包括妳家的人。」

這話的預設立場惹惱了亞德里安娜，她的嘴唇抽動著。拉法感受到母親的熾熱怒火，但她按捺住了，因為數十年的企業戰爭、在會議室的唇槍舌劍、募資簡報、法律方面爭執琢磨了她的性子。而上述那些事情他都不需要學，憤怒是他的特權之一。

「拉法是副會長。」

「我不是要妳把他拉下來，我永遠不會動那種念頭。我是想，也許他可以把一些責任分出去。」

「分給誰？」

「盧卡斯。」

「你對我家的了解深過頭了。」亞德里安娜說。

「我們並沒有試圖刺殺拉法。」鄧肯大聲說。

「我們也沒殺死瑞秋。」亞德里安娜說。眾人開始轉頭去看他們了。「先失陪了，鄧肯，我會幫你傳話的。大家現在等著要聽我發表演說。」她拿筷子敲雞尾酒杯，發出清脆的叮一聲，房間內的閒聊便止住了。亞德里安娜．柯塔站了起來。

「親愛的貴客、朋友、同事、合夥人、家人，我今天滿八十歲了。八十年前，我在異世界的巴西巴拉達蒂茄卡出生。當中有五十年，超過半輩子的時間，我都居住在這個世界。我是第一批定居者之一，我見證兩代月球人成長：兒輩，孫輩。如今我似乎成了創社元老。月球帶給我許多改變。它改變了我的身體，令我永遠無法回到我誕生的世界。對年輕世代來說，這是個陌生的想法。你們從來就不知道另一個世界到底長什麼樣子。而我提到的月球帶給我的變化，跟你們的變化根本就無法相提並論。你們好高！好優雅！而我的孫子們呢，哎，我得長一雙翅膀才能飛上去親你們了！地球改變了我的生命。巴拉來的女孩，他們口中的『另外那個小女孩』，普通的那一個，成了強大企業的領袖。當我登上觀測圓頂，以自己的肉眼觀測地球，將地球夜晚的燈光網絡收進眼底時，我會想：**這是我一手**

點亮的。這又是月球改變人類的一個例子：謙遜者沒好處拿。

「月球改變了家庭。在座有來自五龍的朋友、親戚、同事，我都看到了，另外還有家臣與教母。不過我跟你們不一樣。你們都是跟家人一起過來的，陽家、阿沙默家、沃隆佐夫家、馬肯齊家，還有一些不顯赫的家族。創立柯塔氦氣時，我向地球上的所有家人提供追隨我來到月球工作的機會，結果沒人願意來。沒半個人有勇氣和遠景，所以他們不願意離開地球。我只好打造自己的家族。找來我親愛的卡羅斯，以及他的家人，不過也包括某些朋友，他們跟我親近得像是家人：海倫，還有赫特。感謝你們多年的貢獻，以及你們對我的愛。

「月球也改變了我的心。我來時是巴西人，如今以月球女人的身分站在這裡。我放棄舊身分，打造了新身分。我想我們所有人都一樣。我們保留了各自的語言、習俗、文化、名字，但我們是月球人。

「不過最棒的是，月球自己產生了改變。我親眼見證它從研究基地擴充為工業基地，最後變成一個文明世界。五十年對人類來說是很長的時間，對新國家而言更是長。我們不再是一個低劣的衛星，現在已自成一個世界。地球上的人說我們強暴它，消滅它的自然美，利用軌道、列車、精煉機、太陽能電池、伺服器，還有數以億計的永恆腳印掠奪著它。我們的太陽能鏡讓地面上的他們暈眩，我們的金東冒犯了他們。但原本的月球始終是醜陋的。不，不是醜陋，是平凡。你得到地底才能看見這地方的美，得往下挖掘那些城市、方樓、住居地、農場。你得會會這裡的人。我參與了這美妙世界的建設。這是我最驕傲的成就，比我的公司，甚至我的家族更令我驕傲。

「八十歲，該是我享受成就的時候了。我的世界曼妙，我的家人意氣風發、受人敬重，我的公司越來越壯大，尤其我們最近還拿下了蛇海的礦田。因此，亞德里安娜．柯塔在最後，將享受她的安寧。我將走下柯塔氦氣的會長大位，讓拉法成為下一任會長，盧卡斯則擔任副會長。你們會發現一切都不會有什麼改變。過去十年來，我的兒子始終是公司的實質營運者。我該享受退休生活，享受家人和朋友的陪伴了。感謝各位今天前來祝賀，我將惦記各位的好意，迎向未來的日子。謝謝。」

亞德里安娜在一片驚駭中坐下。房間內所有人、桌邊所有人都震驚地張著嘴。只有鄧肯．馬肯齊例外，他湊向亞德里安娜低語：「如果是我，我一定會挑正確的派對來放話。」亞德里安娜以輕笑回應，不過那是開朗、清脆的笑，幾乎像是發自少女。重擔解除的笑。艾芮兒拉長身子和同桌人說話，拉法站著，卡林侯、華格納也是。所有人都在發問，直到有人發出響亮、節奏穩定的掌聲。盧卡斯起身，高舉雙手喝采。房間另一頭，有一雙手回應了，兩雙、四雙，接著所有派對與會者都起立鼓掌。歡呼聲如雨點般降在亞德里安娜．柯塔身上。她起身，微笑，鞠躬。

盧卡斯是最後一個停止鼓掌的人。

震驚過去後，問題接踵而來。

海倫．迪．布拉加在艾芮兒到場前偷偷開口。

「妳不是說在生日當天講這個太病態了嗎？」

「我只說我要退休了。」亞德里安娜說，並捏捏老友的手。「晚點聊。」

艾芮兒親吻母親。

「我一度以為妳要丟一個職位給我呢，太可怕了。」

「喔，親愛的。」亞德里安娜接著改用發號施令的口吻對隨從說：「我很累，今天很折騰人，我要回家了。」

赫特．裴瑞拉召來保全，讓他們拉起封鎖線隔絕亞德里安娜和不斷發問的賓客。

「恭喜妳退休，女士。」赫特說：「不過我的立場很尷尬，盧卡斯想擺脫我並不是祕密。」

「我只求自保，赫特。」

護衛退開，拉法走了進來，露西卡．阿沙默跟在他身後。拉法擁抱他的母親。

「謝謝妳，」他說：「我不會讓妳失望。」

「繼承人的問題，我思考了很久，絞盡腦汁。」亞德里安娜輕撫他的臉頰。

「繼承人？」拉法問，不過這時亞德里安娜已接受了盧卡斯的僵硬擁抱。

「媽，妳是怎麼搞的？」

「我總是受戲劇性吸引。」

「妳在那個姓馬肯齊的面前宣布。」

「他遲早會知道的，八卦一瞬間就會傳遍世界。」

「他是馬肯齊金屬的總裁，他們試圖刺殺拉法。」

「我向他保證過了，我們不會再像過去那樣打企業戰爭。」

「媽，妳不是會長了。」

「我並不是以會長的身分對他說話。」

「他們會打破承諾。鄧肯．馬肯齊也許願意擔保，但他父親不會原諒我們的作為。馬肯齊金屬會三倍奉還。」

「我信任他，盧卡斯。」

盧卡斯縮攏手指，低下頭去，但亞德里安娜知道他不會同意。接著卡林侯、華格納、教母和孩子們都來了，亞德里安娜在充滿響亮喝采與微笑臉旁的走道上前進，在門邊看到裝飾樹之間有一道人影。

「讓我過去。」

洛亞修女從身上那一大串飾珠中掏出十字架，亞德里安娜彎腰親吻它。

「妳什麼時候要告訴他們？」洛亞修女輕聲說。

「等交接妥善完成後。」亞德里安娜說。副靈聆聽著，它們聽得見低語，但無法解析機密編碼。洛亞修女拿出水瓶，灑聖水到亞德里安娜身上。

「聖耶穌與瑪莉、熱羅尼莫、我們的觀念夫人、聖喬治、聖塞巴斯欽、葛達二聖、墓地主、聖塔芭芭拉、聖塔安妮保佑妳、妳的家人和妳的一切計畫。」

摩托滑入大廳，安靜無聲，不偏不倚。

艾芮兒的鞋跟華麗又不實穿，但為她急行於大廳時的姿態增添了幾分優雅。不過瑪莉娜穿著地表裝，儼然是個長跑跑者。她抓住艾芮兒的手肘。

「我也不想要這樣，但令堂命令我……」

對方出手，牢牢抓住，一扭。瑪莉娜究其動作，明白自己不會脫臼或骨折。派對會場天旋地轉，下一秒她躺平在打蠟的木頭地板上，氣喘吁吁。

「妳要是有辦法這樣對付我，我也許就會需要一個保鑣吧。」艾芮兒說。摩托在她面前如手一般張開，而她跨入其中。

「但照料妳仍然是我的工作。」柯塔保全扶瑪莉娜起身，讓她站好時，她喃喃自語。不過摩托已經奔馳到康達科娃大道的後段了，它就像個明亮的廣告飾球，後頭拖著動物氣球。

「嘿。」

「嘿。」

亞別娜觸碰路卡辛侯的手臂。

「你有什麼打算嗎？」

「為什麼問？」

「就，我們有些人要去俱樂部。」

她大可透過金吉傳話，卻還是親自來找他、來觸碰他。

「誰要去？」

「我，我的阿布索姊妹，娜迪亞和謝尼亞．沃隆佐夫。我們要和則卡研討班的一些人見面。要來嗎？」

那班人望著他，身穿派對禮服和色彩繽紛的鞋子。他非常非常想去，想和亞別娜共處，找機會補救兩人的關係，在她心中留下好的印象。但他腦海中有兩個揮之不去的影像：父親手下那兩個穿保全衣的男人包夾他；弗拉維亞教母蜷縮在她的聖像之間，呼吸困難。

「我沒辦法去，我真的得花些時間陪我的教母。」

派對上眾人的話題耗盡。說話非常累人，菜都被夾去吃了，找炮打的人都找到或失手了，現在已沒人在聽音樂。工作人員開始清掃，一小時內晚餐服務時間就要開始了。

盧卡斯逗留在此，很清楚自己礙事，場地方只是勉強容忍他留下，不過他還是想跟人道謝，握握手，給個小費或獎金。

「我媽很高興，」他對餐廳老闆說：「我非常開心。」

樂團正在收拾樂器，似乎為自己的演出感到滿意。盧卡斯一一向每個樂手致謝，托基尼奧大方地給他們小費。他對荷西低聲說：**可以的話，讓我占用一下時間**。

盧卡斯使了個眼色，陽台便淨空了。

「又是陽台。」荷西說。盧卡斯倚靠玻璃牆，自高處俯瞰聖塞巴斯蒂昂方樓下方。慶生用的小飛船已飛至地表高度，渺小的人類手忙腳亂地以繩索和抓具拉扯那些浮動的神，並為它們放氣。

「謝謝你，荷西。」盧卡斯語調中的某種成分殺死了荷西表達出的所有譏諷與輕浮。某種率真，哽咽。

「謝謝你，柯塔先生。」荷西說。

「先生……」盧卡斯開口：「你圓滿了我媽的生日。不對，我不是想說這個。我是柯塔氦氣的副會長，我在會議上主張我的戰略，靠我這張嘴維生，我卻有話說不出口。我準備了開場白，荷西。我所有的藉口和領悟，全關乎我這個人。」

「當我手指凍僵，想不起歌詞，內心覺得演奏不對勁時，我就會想起一件事：我會在這裡，是因為我在做的事情，房間裡的其他人都做不到。」荷西說：「我跟大家不同，我是特別的存在，因此別人允許我驕傲。而你，盧卡斯，你完全有權利說出你所有想說的話、所有內心想法。」

盧卡斯嚇了一跳，覺醒的意念彷彿是插入他雙眼之間的釘子。他的雙手緊握玻璃扶手。

「對，很簡單。」他看著荷西說：「荷西，你願意和我結婚嗎？」

這次，他們把鄧肯．馬肯齊叫到玻璃屋去。**接駁列車進站了**，艾斯佩蘭斯宣告。鄧肯調整翻領、上翻的褲腳、袖口長度，然後透過艾斯佩蘭斯再次檢視自己的外表。口哨鑽出他的齒縫，他跨入接駁列車內。

他父親在高大如樹的蕨類植物間等待著，空氣潮溼而腐敗。鄧肯已完全無法從父親臉上讀取到任何情緒。每一吋肌膚都那麼老邁，布滿月球刻畫出的深邃皺紋。他輕輕鬆鬆就能拔掉插頭、扯掉線、拉出管子，目睹父親的生命外洩，流淌在他寶貝蕨溝的地面上，直至死亡。從有機物變成堆肥，植物的食物。醫療團隊會讓他重生，他們已經做過三次了。在他眼中光芒熄滅前承接住，再利用它重新點燃那身體廢墟。**我就只能指望這種人**。

羅伯特．馬肯齊身後站著婕德．陽。

「她的慶生會。你有沒有唱『祝妳生日快樂，亞德里安娜』？」

「她在，我不想談。」鄧肯瞥了一眼婕德．陽。

「你對羅伯特說任何話就等於是對我說。」婕德．陽說：「不管有沒有副靈記錄，我都會聽到。」

「她說的是。」羅伯特．馬肯齊說：「我以為我們是他們眼中的笑料呢。老天爺，你去了她的生日派對。」

「我去找她談，以龍對龍的高度談。」

「放屁。你會管好我們的人？我們的人？那是什麼娘炮協議？你綁住我們自己的手，讓那些小偷把我們扔到地表上露下體。我們那個年代的人知道要怎麼應付敵人。」

「那是四十年前的事了，爸。四十年前。現在的月球是個新世界。」

「月球沒改變。」

「亞德里安娜．柯塔要退休了。」

「拉法爾是會長，去他媽的小丑。盧卡斯會掌控全局，那娘們有兩把刷子，從來不簽合乎紳士風範的合約。」

「艾芮兒是白兔閣成員。」鄧肯說。眼前的老人發火了，流出的口水在月球重力環境下畫出優雅的長弧。

「我他媽知道了，我好幾個星期前就知道了。阿德里安告訴我的。」

「你沒告訴我。」

「沒告訴你也好，你要是知情就會四處逃、拚命躲。艾芮兒．柯塔不只是白兔閣成員。」

「她也加入月人社了。」婕德．陽說。

「什麼社？」鄧肯．馬肯齊搖搖頭，困惑又挫敗。這次爭吵中他沒有任何支點，沒有任何父親的小辮子可抓。

「月人社是影響力很大的工業界、學界、法律界能人組成的結社。」婕德．陽說：「他們提倡月球獨立。維迪亞．拉歐邀她入社，達倫．馬肯齊也是會員。」

「這件事你們瞞著我？」

「你父親的政治理念跟我們不同，陽家脫離人民共和國後一直是堅定的獨立派。我們認為是月人社將新礦田的釋出情報洩漏給艾芮兒．柯塔。」

「我們？」

「三皇。」婕德．陽說。

「沒有那種東西。」它們是月球傳說之一。太陽企業將人工智慧系統織入月球社會每個角落和所有公共建設的同時，風聲也傳開了：他們有超強大的電腦和超精密演算法，得以預測未來。

「我向你們保證，它們真的存在。我們幫懷塔克里・戈達德打造了量子隨機演算系統，而他們已經操作它一年以上了。你真的以為我們會放懷塔克里・戈達德操作我們的硬體，都不在上頭裝後門程式？」

「是啊，是啊。」羅伯特・馬肯齊說：「量子巫毒，白兔和月人。重要的是，我們要保有掌控大局、談成生意的能耐，要用我們的方法做生意。你威脅到我們的商業模式了，孩子。更慘的是，你令家族蒙羞。你被開除了。」

在這玻璃容器中，他發出的話語微弱極了，尖銳如鳥啼。聽得見，但感覺飄渺。

「這是我聽過最荒謬的發言。」

「我現在是執行長了。」

「你不能這樣，董事會——」

「別又來了，董事會——」

「我了解他媽的董事會。你開除不了我，因為我要辭職。」

「我說啊，你一直都是個任性的小廢物。所以我在五分鐘前就執行了，委任給你的經營管理權已撤銷，規矩由我一個人把持。」

接駁列車進站了，艾斯佩蘭斯剛剛說。

「我回來了，兒子。」羅伯特・馬肯齊說。他的臉上原本只有憤怒和無能為力，但鄧肯此時目擊了他的情緒變化。他的身體依舊傳出啪啦、嘶嘶聲，惡臭仍叫人反胃，但代表羅伯特・馬肯齊生命的目光熾熱、明亮地燃燒著。他的下顎緊咬，嘴型傳達出堅毅。鄧肯・馬肯齊落敗了，恥辱令他噁心。

他承受的羞辱是絕對的，但還非完成品。他轉過身去，穿過潮溼、沙沙響的蕨類植物，回到接駁車氣閥時，最後一波羞辱才來臨。

「需要我叫哈德利來嗎？」婕德．陽問。

鄧肯吞下苦如膽汁的怒意，他挫敗的鞋跟踩上月台的聲音，將會永遠迴盪在腦海中。

「都是妳害的！」他在氣閥內對著婕德．陽怒吼：「是妳和妳該死的族人搞的鬼，我一定會讓你們付出代價。我們姓馬肯齊，跟你們那些臭猴子差得遠了。」

8

我已經在法庭裡三天了，還是摸不透月球法律。我知道原則是什麼，大家都知道：這裡沒有刑法或民法，只有契約法。我簽過數十……數以百計的契約，大都是由海蒂代為處理，我甚至不知情。每天的每一秒，都有數以十億計的合約在空氣、岩石、人群間穿梭。合約，就是第五元素。

瑪莉娜奔跑著。梅利迪安的地形適合跑步，林木下有路，上坡夠陡，可測試她的大腿肌肉，需要更操的操練時也有樓梯可跑，狹窄橋梁兩側有可觀的全景，還有柔軟的草地。她從來沒跑過比水瓶座方樓還要棒的場地，同時也完全不想再回到那裡跑。第一次跑步時，她在身上塗漆，手腳套著奧貢的流蘇。她跑了好幾個小時，傾聽長跑隊列的吟唱，追尋肉體之浪的美妙律動。她碰到的其他跑者對她微笑，有些人彼此交頭接耳，咯咯笑。她不善交際，顯然是外地人。這裡沒有長跑，沒有人融入呼吸、肌肉、運動的一致性中，與跑步之神合一。

她買了較不暴露的短褲，以及較高雅的上衣。她將聖喬治的繐帶收在真空儲存槽內。

跑步就只是跑步。為了健康，為了養生。

我恨梅利迪安。這是我第一次感覺到對它的恨意，我想我甚至比沒空氣額度、賣尿維生那段日子還要恨它。

如果我往這方向移動，這樣子，你們看得到嗎？這是從我公寓望出去的樣子。水瓶座中央區西五十三樓，水瓶座方樓的獵角。跟我來，看，獨立用餐區。看到了嗎？我不需要把床拉下來，淋浴設備並沒有計時器。好，這裡跟你們住的地方比起來就像是兔子小屋，但就月球人標準來看，這是個宮殿。那我為什麼要恨這裡？

我恨的其實不是梅利迪安，是艾芮兒．柯塔。她是自大、愛慕虛榮的行動式衣架，意見一堆，而且根本沒她自己想的那麼優秀，差得可遠了。她還叫一票像是、像是**隨從**的人繞著自己打轉，告訴她她有多聰明、有多棒、衣服穿在她身上有多好看、她多有才華、多足智多謀。呃，艾芮兒．柯塔，我看穿妳了，徹底看穿了。我要說，妳根本沒那麼了不起。妳是柯塔媽媽唯一的掌上明珠，妳被寵壞了。妳是第一代月球公主。喔，艾芮兒公主一定不會碰上什麼麻煩的！還有那電子菸？我真想拿來塞妳屁眼。

對，報酬很優渥，比我跟卡林侯在地表工作時還要多得多。真希望我能回上頭，回博阿維斯塔。在那些地方我認得路。對，卡林侯……不過老闆大媽給了我這項特別的工作，拒絕亞德里安娜．柯塔是不可能的。但艾芮兒真他媽的爛。

至少我們對彼此看法一致。她恨我，比起恨，她更鄙視我。是這樣說嗎？鄙視？總之她就是那樣。彷彿我根本不是活人，連機器人都比我好用。我是廉價又骯髒的神之若望塵工，沒階級地位，更沒品味，是別人無視她意願扔過來的跟屁蟲，甩都甩不掉。我就像生殖器上的疣。

幾天後錢就會過去了，我保證。我們這裡的銀行跟你們那裡的起了爭執，月球的銀行做了某件事，讓自己更加脫離地球經濟體系，而地球的銀行不喜歡這狀況。不過錢就是錢，總是會轉過去的。

好啦，你們對這公寓有什麼想法？

「這樣根本就行不通。」艾芮兒說，並用電子菸的前端點瑪莉娜的肩膀、腰、大腿。點點點。瑪莉娜心想，也許她可以用後腦勺撞照料對象的臉。她前腦血液沸騰，怒氣爆發了。

「我的衣服有什麼不對？」

「妳穿得像福音派教徒。」艾芮兒說：「妳要出席的場合是克拉維斯法庭，我的客戶來自最上流社會階層——呃，最富裕階層。他們有他們的期望，我有我的期望。我的扈衛會打扮得更得體，所以妳這樣不行、不行、不行。」艾芮兒繼續用電子菸尖端點瑪莉娜，發現對方眼中有滾燙的熔岩。

妳剛說扈什麼？瑪莉娜想問，不過列印機已開始嗡嗡作響。

「我十一點進法庭，十二點有資產聽證會，下午一點跟我的研討班老同學用餐。」艾芮兒說：「下午三點到六點跟客戶開會，晚上八點安基迪開庭前會議，大約九點左右我會到巧拉結婚派對上露臉，然後十點接著去法律人首度露面舞會。現在十點了，所以穿上這些，試著不要從高跟鞋上跌下來。」

艾芮兒皺眉。

「現在又怎麼了？」

「妳的副靈。」

「別想動海蒂。」

「海蒂。它是……？」

「虎鯨。」

「動物——是魚嗎？」

「我圖騰化的阿尼瑪斯。」她說謊，不過艾芮兒不會知道。嘲笑海蒂太過頭了，它是不可褻瀆的。女人與副靈的關係之間容不下一時興起和時尚。

「了解，宗教。這應該就不涉及宗教禁忌了吧？」艾芮兒從列印機拿出一團布料，它柔軟、散發出剛洗好衣物的香氣。

「妳在找什麼？」

「可以調整的地方。」

艾芮兒的公寓比瑪莉娜原本想像的還要小、樸素。這是一道道白色牆面組成極簡版的避難所嗎？它把無止境的聲音、色彩和人潮、人潮、人潮阻絕在外。唯一的裝飾是大如牆面、已褪色的輸出大臉，那一定是瑪莉娜・卡爾札沒讀過的聖徒傳記中的某位偶像。閉起的雙眼、下垂的嘴角令瑪莉娜心煩意亂，令她想到迷幻體驗與性高潮。

她的手放到一扇門上。

「不是那扇。」艾芮兒反應速度快得不得了，瑪莉娜決定之後再查個明白。「這裡。」

瑪莉娜鑽進洋裝當中，褶邊和蕾絲的質量令她感到窒息。緊身胸衣也很荒謬，這樣要怎麼移動、呼吸？她要把武器藏在哪裡？泰瑟槍放在乳溝下方，刀子插到大腿內側的皮套上。可別破壞服裝的線條。

「腳。」

「怎樣？」

「剃毛，我會另外找時間讓妳做永久除毛。」

「去妳的。」

艾芮兒拿起一雙極薄的絲襪。

「好。」

瑪莉娜打開浴室門時，發現艾芮兒把她的舊衣物都扔進反列印機了。

「嘿！」

「衣服每天都要列印新的，至少一天一次。我弟是野蠻人，一件地表活動衣內襯穿半個月。」

瑪莉娜將煥然一新、光滑無比的腿伸進絲襪中，往上一拉，穿上鞋子。就算在月球重力下，她也無法穿它們超過一個小時。它們是武器，不是衣著。

艾芮兒上下打量瑪莉娜。

「轉身。」

瑪莉娜設法轉了個圈，她兩隻腳的足弓都已經在痛了。

「妳看起來就跟自慰派對上的修女一樣『自在』，不過妳會過關的。喏。」艾芮兒拿出一雙軟芭蕾舞鞋。「社交界機密。放進包包裡，一有機會就換上，別讓其他人注意到就是了。上工吧。」

瑪莉娜沒料到艾芮兒會露出一個小微笑。

「那是真的嗎？」

「什麼？」

「自慰派對。」

「甜心，妳現在人在水瓶座方樓啊。」

我已經在法庭裡三天了，還是摸不透月球法律。我知道原則是什麼，大家都知道：這裡沒有刑法或民法，只有契約法。我簽過數十……數以百計的契約，大都是由海蒂代為處理，我甚至不知情。每天的每一秒，都有數以十億計的合約在空氣、岩石、人群間穿梭。合約，就是第五元素。克拉維斯法庭的主軸似乎是閃避法律。他們最恨的就是創造新法律，因為那代表綁定事務，奪走協商的自由。律師很多，法律條文不怎麼多。審訊案件就等於是延長版的協商，原告與被告的律師會為法官人選以及相關費用爭論不休。他們更像是電影製作人，而非法律人。頭幾次開庭都是為了消除彼此的偏見：沒人假定法官必定公正，因此合約和案件都會將這點納入考量。有些法官得付錢才能坐到法庭上。一切都可以協商。為何月球上的性關係如此開放？對此我的理論是，順性別、同性戀、雙性戀、多性戀、無性戀這些標籤在這不重要，你是誰、你想做什麼才是關鍵。性是幹方與被幹方的合約。

克拉維斯法庭，聽起來很氣派對吧？彷彿滿屋子大理石，還有羅馬風的玩意兒。我告訴你，沒那回事。那是隧道、會議室、法庭連結成的迷宮，位於梅利迪安最古老的地帶。空氣汙濁，有月塵和黴菌的味道，不過最先擊中你的是一片喧囂：數以百計的律師、法官、原告、契約當事人都在喊自己的價碼，招攬顧客，就像古時候電影裡的證券交易所那樣，打領帶的男人推來擠去，大聲出價、提案。這是一個法律市場。好，你雇用你的律師、法官，租借法庭，接著決定審理方式——不只律師和法官，司法系統也是待售商品。然後呢，我終於知道什麼是扈衛了。扈衛是個壯漢，通常由月光菜鳥擔任，因為我們的體格比較強壯。透過決鬥來調解是完全合法的；而你自己如果不想打，你就雇個人來幫你打。那就是扈衛的工作。艾芮兒顯然在法界掀起一大風波，因為她提出決鬥審判的要求，當著全法庭人的面脫到只剩戰鬥褲。我覺得那場景很難想像。不過話又說回來，她是擅長結婚和離婚官司的律師，或許她的行為也不算怪吧。

好，說到我在法庭陪艾芮兒。大多數時間她都和律師、法官在房間裡說話，而我坐在外頭跟海蒂玩遊戲，或發文給你們，或設法解明月球法，同時小心別讓腦袋瓜燒壞。你們可能會想，合約能將所有事情都安排到位，但就連無懈可擊的合約都不符月球法的基本原則——萬事皆可協商，一切事物都是私有物。合約永遠有漏洞，一定會有破綻可鑽。月球法不具備罪惡、無辜的信念，也不認定絕對正確和絕對錯誤。我說，這不是在怪罪受害者嗎？結果艾芮兒說，不，月球法重視個人責任。在我聽來感覺有點無政府，不過事情就是擺得平。案件做得出判決，正義能獲得貫徹，當事人也會遵守結果。他們對法律系統的滿意度似乎高過我們地球人。沒有人會提出上訴，因為那就代表協商過程中有差錯，這對我來說就像是幽閉空間式的文化衝擊。因此開庭過程冗長，大家無止境地七嘴八舌，但似乎都懷抱著確信。有個狀況跟地球共通，那就是大多數工作其實是在午餐餐桌上完成的。

抱歉，我打瞌睡了，現在時間是凌晨兩點，我在接待會上——我認為這是一個接待會，但也許是午餐會。艾芮兒還在講話，我不知道她是怎麼辦到的，一天又一天講個不停。沒什麼比講話還要累人的。漫無止境，累死我了。我甚至不跑步了。

媽，我聽得到，妳說：也許瑪莉娜開始對艾芮兒．柯塔抱持幾分敬意了？呃，我也許有點尊敬她律師這個面向吧，但如果討論到人格，呃，我這樣說吧，她大概永遠不會有伴侶，甚至不會有炮友。沒有，永遠不會有。我深信這點。

「你得花兩千萬元。」艾芮兒說。

「對陽家來說是一大筆錢。」盧卡斯說。他把妹妹拖到博阿維斯塔來，已經惹毛了她，不過他絕對不會去忍受無尊嚴的折磨：律師、法官、訴訟人在克拉維斯法庭的走廊上一路咆哮，混戰成一片。柯塔家的家務事就該在遠離時事評論員的舒適會客廳內，邊喝雞尾酒邊處理。

「他們起先開價五千萬。」

托基尼奧讓合約浮在盧卡斯面前，供他細讀。而他正在瀏覽大綱。

「她可以見路卡辛侯。」

「這是我給她的甜頭。路卡辛侯要不要簽約一向是由他決定，過去是，未來也是。」

「兩千萬。」

「兩千萬。」

盧卡斯念頭一動，離婚合約就簽署完成了。想法再一轉，托基尼奧便從他帳戶轉出兩千萬比西給恆光宮的太陽企業財務人工智慧。他一直很欣賞「恆光」這名字挾帶的浩瀚尊榮，可惜自己只去過一次。婚禮結束後，亞曼達帶他拜會各路、各輩親戚，轉了半天。陽家首都是月球上最古老的城市，開鑿沙克爾頓隕石坑壁而成，距離月球南極只有幾公里。隕石坑中心的永恆黑暗之上是幾乎不間斷的日光，而那宮殿就攀附著光。下方是永久結凍的氣體與有機物，它們種下人類登月的基礎。盧卡斯討厭那裡，對比太鮮明、太不細膩了。高與低，黑暗與光線，冰冷與熾熱。亞曼達進行義務性導覽時，曾帶他到恆光閣去，那是興建於瑪拉柏特環形山頂的塔樓。高一公里，永晝光線穿過頂端燈室。和亞曼達搭電梯登塔時，盧卡斯咬緊牙關，想像輻射如霙，飄入金屬牆內，飄入他體內，解開陶瓷、塑膠、人類遺傳因子的化學連結。**去取個暖**，亞曼達邀請，而他跨出電梯，進入那淹沒玻璃燈室的永晝光線。**兩大世界中，只有這裡的太陽永遠不沉落**。每個平面、標語、物件都遭到光線漂白。盧卡斯覺得自己被光線穿過，整個人透明化，皮膚轉白還產生病變。他聞得到空氣月復一月、年復一年遭到灼燒的味道。無盡的光。**來看看吧**，亞曼達說，但他不會跟她一起走進燈室，欣賞月球南極的全景。他顧忌著漂白萬物的光、殘酷的紫外線，它小口地蠶食玻璃，一次吞下一個分子。他想像光線如扔入佐料的雞尾酒般爆開。**來看看光**。人體不是為永恆的光線創造的，人需要黑暗。

「完成了。」盧卡斯說，托基尼奧同時將合約複本傳給碧賈浮。「自由了，但也破產了。」

「別鬼扯了。」艾芮兒說：「我們所有人永遠都不可能破產。」

荷西以G9和弦結束〈嘉年華會的早晨〉，望向鼓手。鼓手以鼓刷奏出最輕盈的沙沙呢喃，為演出畫下句點。

俱樂部後方雅座的藍色生化燈光下，盧卡斯鼓掌喝采。G9和弦是巴莎諾瓦的經典和弦之一，薩烏達德式哀愁精神的體現，里約陽光下的憂鬱。懸而未決，因而令人心滿意足。這家俱樂部從來就不會客滿，盧卡斯的保全還在樂隊演奏時不斷安靜地清場，一下子拍拍客人肩膀，一下子低聲給他們指示。荷西瞥向藍光。

盧卡斯走向舞台。

「我們可以談談嗎？」

他的樂團注視著他；荷西點點頭說：「可以啊。」

雅座已有一杯莫吉托雞尾酒等待著荷西，是專為他的口味調的。

「很好的組合，你的獨奏水準又高過你們的合奏，團員限制了你。要是沒有他們，你就能盡情翱翔。那是你要前往南后的原因嗎？」

「這幾個月來我一直都有單飛的念頭，獨奏有市場。不大，但夠我活了。預定玩巴莎諾瓦。」

「應該的。」

「你算是啟發了我。」

「我很榮幸。我不想解釋成你是要從我身邊逃走。」盧卡斯碰觸荷西握杯子的手，動作細膩，幾乎透露著恐懼。「沒關係。等你停止聯絡我時，我再去猜答案。」

「抱歉，事情不是你說的那樣。你的行動出乎我意料——嚇壞我了。我不知道該怎麼辦，我得拉開距離才有思考的空間。」

「我重回單身了，荷西。我擺脫那邪惡的尼卡赫婚約了。花費兩千萬，而陽家還要求額外的兩千萬名譽賠償費。」

「別說出來，盧卡斯，拜託。」

「別說『這都是為了你』？不，你以為你是誰？我是為了我自己，但我愛你。我時時想念你，心中燃燒著熱情。我要你參與我人生的每一個部分，我也要參與你人生的每一個部分。」

荷西靠向盧卡斯，兩人頭輕觸，牽起手。

「我沒辦法，你的人生太壯闊了，你家……你是柯塔家的人，我沒辦法參與你的人生。我不可能坐你媽慶生會上那種大桌，坐你隔壁。不能讓所有人盯著我們看，閒言閒語。我不要他們注意我，不希望演奏時有人指著我說：**喔，那是盧卡斯·柯塔的伴侶。喔，難怪他有辦法排這場演出**。盧卡斯，和你結為連理，我就玩完了。」

盧卡斯心中浮現了十幾種回覆方式，但全都帶刺、殘酷。

「我真的愛你，我在博阿維斯塔看到你的那一刻就愛上你了。」

「請別說了，我得去南后。請讓我走，讓我在那裡過活。別找我了。我知道你想做什麼都辦得到，但請你讓我走。」

「你有沒有……」

「什麼？」

這也是帶刺的話，但它們鉤住了盧卡斯的喉嚨。

「有沒有……愛過我？」

「愛你？來到你音響室的第一天，我甚至無法幫吉他調音，手抖得好厲害。我不知道該怎麼唱出歌詞。在陽台上的那晚，你要求我留下來，那時我以為自己的心臟就要爆開了。我一直想，如果他想上我怎麼辦？我想上他。回家後，我要吉貝托叫出你的影像、合成你的聲音，對著它們自慰。很毛嗎？你問我愛不愛你？你是我的氧氣，我靠你燃燒。」

「謝謝你。不對，謝謝你太渺小、太虛弱了，言語無法正確傳達我的心意。」

「我不能和你結婚，盧卡斯。」

「我知道。」盧卡斯起身，順順衣服。「觀眾的事我很抱歉，我不該把他們攆走。我太習慣為所欲為了。如果你去了南后，我保證不會跟過去。」

「盧卡斯。」

荷西將盧卡斯擁入懷中，兩人接吻。

「我會留意你的消息，」盧卡斯說：「你曾帶給我無比的歡樂。」他在俱樂部外解散保全，一個人走向聖塞巴斯蒂昂方樓。長跑跑者正奔跑於十樓高的橋梁上，橫越奧喬亞大道。鼓聲，指鈸，吟唱的人聲。盧卡斯過去總是恥笑卡林侯對長跑的獻身，但今晚，那些顏色、節奏、健美的肉體拔去了他心中的尖刺。他得以迷失在另一個時空當中，離開自己，離開受困石頭監獄中的這具骨盔。他聽說有些長跑跑者如今抱持一個信念：是他們賦予月球繞行地球的動力。宇宙級跑步機。信仰肯定很能撫慰人心。

公寓歡迎他回家，並從盧卡斯個人收藏中選了馬丁尼斟給他。他前往音響室。那些音符、話語、呼吸，那些停頓、合音都被困在牆壁和地板中。月球上沒有鬼魂，但如果有，那就是它們會採取的形式：揮之不去的語言、低語、石頭的記憶。盧卡斯只相信這種鬼的存在。

因失落而緘默的盧卡斯將杯子擲向牆壁，房間傳來碎玻璃的回音，完美的音質。

密碼還是有效。電梯回應著他的指令，它在博阿維斯塔主入口埠旁一個很少利用的會客室內待命。他在地板上經年累積出的灰塵上留下腳印，想像機械裝置發出咆哮，在長期閒置後復工。圓頂不透光，是灰如塵土的半球，不過他知道自己已抵達地表。在他的副靈觸碰下，系統活過來了。他的手指拂過人工培養皮革沙發，在灰塵中留下指痕。椅子甦醒過來，轉向他。他嗅聞老舊灰塵中的人類汗漬，電子令人刺痛，多年光照轟炸的表面傳出些許焦味。

華格納緩慢、萬分拘謹地脫下所有衣物，全裸站在圓頂的尖端下方，稍微將重心往腳跟後方挪，這是鬥士的立姿。他的身體面目全非，青一塊紫一塊，一片片痂，瘀血。狼的示愛很激烈。他的呼吸深沉而穩定。

「透明化玻璃。」

圓頂變透明了。華格納赤裸地站在豐饒海地表，腳邊的灰塵連向月壤沙地，上頭是永遠不會磨滅的腳印與胎痕，還有月球上出現生命體前就存在許久的巨石，遠方是梅西耶隕石坑壁。

這些都不是華格納前來的理由。他攤開雙手，仰望天空，滿盈的地球向他灑下光輝。

他總是知道地球何時滿盈。七、八、九歲那年，他窩在博阿維斯塔牆內深處，躺在床上瞪著天花板睡不著，因為地球在他腦海中大放光芒。十、十一、十二歲，過動又易怒，地球滿盈時就容易冒出不切實際的炫目奇想。醫生開過動處方給他，弗拉維亞教母又把它們扔進反列印機。這孩子只是被地球深深感動罷了，沒什麼。沒有藥物可以捻熄天空上的巨大光芒。十三歲，在滿盈地球的呼喚下，他穿過沉睡的博阿維斯塔來到這電梯，然後搭到這觀景台來。關上門，脫掉衣服。十三歲是巨變期，他的身體加寬、抽長、肌肉鼓脹，讓他成了自己皮膚下的陌生人。在地球光的照射下，他感受到光芒的拉扯將他撕裂為兩個華格納．柯塔。他仰頭嚎叫。氣閥門開了。華格納觸動了十幾個保全系統，赫特．裴瑞拉發現他時，他裸體蜷縮在地，發抖，叫喊。

赫特從來沒對他在觀景台內看到的景象發表什麼看法。

華格納沐浴在藍色行星的光線中，感覺到光線麻木他的傷口，和緩他的瘀青，治癒著他。

呈碎形的白色卷雲飄過太平洋。地球海洋的蔚藍每次都令華格納心痛，從無例外。沒有任何事物比那還藍，而他永遠抵達不了那藍。他心中的地球是遙遠、無法碰觸的神明，狼是被流放到天國之外的動物。

夜晚已觸及地球的最下肢，畫下一條黑暗髮際線。接下來幾天，它將一路往世界的臉上爬。華格納的暗面生活逐漸逼近。他將離開此地，解散狼群，伊們變回他們與她們。他將覓得新力量：專注、集中、分析、推論。他會回到安妮麗絲身邊，而她會發現他皮膚遍布痊癒中的傷口。她不會開口發問，但問題將永遠懸在那裡。

華格納閉上眼睛，飲入遠方地球的光。

三十六小時以來，卡林侯不斷在危海上追捕敵方的襲擊隊。他們起先襲擊斯威夫特隕石坑，毀了三部精煉機，癱瘓另外五部的行動。錐形裝藥的爆炸痕跡是絕對不可能錯認的。儘管卡林侯已循著胎痕追上去，他們還是二度出手，襲擊了三百公里外北方的克萊奧邁季斯隕石坑。機動的再補給兼維修基地毀了，兩人死亡。卡林侯和他的獵人（他的菁英輕步兵，頂級的塵工與摩托騎士）抵達時，發現精煉機和住居地上都開了一個又一個直徑五公尺大的洞。穿入孔和穿出孔一樣大，是射彈。

一小時內發動兩次襲擊，兩個地點相距三百公里。月球上沒有鬼魂，不過另有其他事物會盤據堵起孔洞後重新加壓的機動基地：流言、迷信、怪物。有人說馬肯齊金屬已在使用傳送裝置，有人說他們施行澳洲密傳魔法，有人說他們擁有私人飛船。

「不是私人飛船。」卡林侯說，同時快速瀏覽衛星資料。「是VTO的運輸船，隼號。」從軌道的高度來看，散布在沙地上的痕跡模式相當清晰。卡林侯指定月環攝影機的時間。就在二號上升器第二度通過時，聖喬治發現克萊奧邁季斯隕石坑的陰影中有異常處，並放大畫面，直到那一小個點分解出形狀。不會錯的，那是飛船。「馬肯齊的人在駕駛它。」

卡林侯的獵人們跨上三輪摩托，飆上地表。根據聖喬治的預測，他們接下來最可能挑埃克特隕石坑的森巴線下手。那是六輛重點精煉機組的艦隊，朝蛇海西南角前進。獵人猛扭油門，擠出每一滴速度，直到他們目睹柯塔氦氣起重架的運轉燈光升到地平線上。卡林侯帶領車隊繞入緩慢移動的精煉機投下的陰影中，聖喬治運行於月球軌道上的眼睛向他報告：有輛飛船就降落在東南方地平線之後。卡林侯在安全帽下獰笑，他兩隻大腿上都別了刀鞘，這時他解開安全鎖。

三輛月球探測車，十八個襲擊者。

「等他們走出探測車。」他下令：「努內，你的小隊負責破壞探測車。」

「這樣他們會孤立無援。」葛利瑪抗議。他是摩托老手，沿著莫森山脊打造出最初的幾條騎車路線。「棄而不顧」是違反所有道德與傳統規範的行為。月球夫人是所有人的敵人。今天救人一命，改天你也可能獲救。

「他們有飛船不是嗎？」

代表探測車的記號分解成更小的圖示，襲擊隊隊員行動了。

「預備。」卡林侯趴著，以三號精煉機為掩護。「預備。」那些記號散開了，目標多，空間也多。

「上！」

六輛摩托催下油門，輪胎揚起沙塵。卡林侯壓車繞過挖掘機，衝向離他最近的圖示。穿地表活動衣的敵人震驚地杵在原地，而卡林侯抽出刀子。

「天陰。」露西卡・阿沙默說。

「舔。」拉法・柯塔說：「舔陰。這是法文。」

「法文。」露西卡說。

「這樣說，」拉法說：「舔陰。」

「我不確定自己說得對不對，親身體驗的學習效果會更好。天？」她翻到拉法身上，把腳塞到他肩膀下方，還費力地發出「嘿」的一聲，以大腿擠他的頭。

「舔。」拉法說，而她讓身體抵上他的舌頭。

拉法始終很愛忒。這裡嘈雜、無政府，設計上毫無道理可言——是住居地與農場的混沌迷宮。擁擠的隧道內是陡峭的筒田，低矮公寓的背面與果樹叢空地鄰接，隨太陽移動的鏡面投下光束，而植物在其中打哆嗦。流水潺潺，潮溼的牆面結滿小水滴，空氣中充滿腐敗、營養、發酵物的氣味，還有屎味。在這裡很容易迷路，迷路的感覺也很好。拉法十歲那年第一次到忒來玩，就大大迷了一次路。一個急轉彎，他就遠離了那些高個子組成的人群，進入只有葉片與光居住之地。柯塔與阿沙默家的保全人員找遍隧道，呼喚他的名字，機器人沿著天花板竄來竄去，也鑽入對成人來說太狹窄、但對孩童來說誘惑十足的管道中。後來是軟體找到了他。他趴在地上，試圖數清農場池塘中打轉的吳郭魚有幾隻。在這之前，他從來沒看過活著的生物。幾年後，拉法明白他那趟旅程攸關王朝的確立，亞德里安娜感覺得到柯塔氦氣與金凳聯姻的可能性。對拉法而言，不管從哪個角度看，他的收穫就是魚。

「這裡。」露西卡說。

「這裡？」他說。但她已經用新的金凳協定關上門了，還扭動身體脫下衣物。

他們碰面的藉口是球賽，神之若望青年隊對上黑星女子隊。羅伯森一輩子都是神之若望的球迷，現在也該讓露娜接觸手球了。另外，也因為比賽在忒舉行。小羅伯，我們可以去見蒂亞．露西卡，她是你外婆喔，小天使。那樣很棒對不對？露西卡在車站和他們會合，露娜從月台頭跑到月台尾，羅伯森變了很棒的撲克牌魔術給她看。拉法將她一把拉過去緊緊抱住，力道大到她倒抽了一口氣，而他從眼中擠出淚水。在ＡＫＡ體育場的中場休息時間，孩子們和保全一起去買糖。拉法將溫暖的手滑到妻子的大腿間，說：**我要幹妳幹到想死**。

來啊，她說。

於是，露西卡．阿沙默溫暖潮溼的地衣敷上拉法．柯塔的臉，而他仔細品嘗。舔陰。他的舌頭在她的陰蒂前端繞圈，哄它出來，然後再切換成綿長的撫觸。呵護它，折磨它。她讓陰部磨蹭他的臉。拉法噴了一口口水，笑出聲來。他鼻頂，探索，穿入，抽出。時快，時慢。露西卡隨著他的舌頭舞動，配合他的節奏，也尋找掉拍和不和諧音帶來的愉悅。他的動作維持了……感覺維持了好幾個小時。她高潮四次，而他根本不需要要求她口交回報。這段時光是上天的禮物。

「我好想念這個。」露西卡從拉法身上翻下來躺平，沐浴在葉片篩落的光線中。肥厚而溫暖的凝結水珠沿著柔軟的葉脈流下，珍珠般旋在尖端，膨脹，然後緩慢地落到她身上。「難道你一直在練習？」露西卡用手抓起水珠，甩到拉法臉上。

拉法笑了，他很擅長這招。尼卡赫婚約當中沒有守貞相關條款，但這方面的規矩還是有的。永遠不可談情人，將最好的留給彼此。領受饗宴後，他累壞了。下巴疼痛，而且需要漱個口，吐口水，但那是不可原諒的行為。他需要喘一下再吃下道菜，幕間休息。遙遠上方的反光鏡徐徐跟著拉長的太陽移動，在拉法臉上投下影子。

「一個小時後，愛麗絲教母才會帶露娜和羅伯森回來。就算他們回來了，我還是可以打電話給她，請她再照顧他們一、兩個小時，只要我給她理由。懂我意思嗎？」

拉法翻身躺平，對著燦亮的鏡子眨眼。露西卡滑到他身上。

「好啦，你還練了什麼招式？」

卡林侯打直持刀的手，刀刃與地面平行。馬肯齊派出來的鬧事者舉起雙手來擋。卡林侯．柯塔懂得使刀，更熟悉這把滿懷愛意磨出的刀。衝力驅動下，它直接從手肘處截斷右臂。沒救了。

卡林侯補踹一腳，將沙地摩托掉頭對準下一個目標。聖喬治在他的平視顯示器內標出一個個生命跡象：呼吸，血壓，腎上腺素，心跳速率，神經活動，視覺敏銳度，鹽分，血糖，血氧。卡林侯不需要聖喬治的圖像呈現，他整個人燃燒著。

他的摩托騎士團完成了第一次衝撞，五個馬肯齊的手下倒了，其他人逃之夭夭。探測車高速駛來，準備疏散他們。破壞小組逃生路徑已經排定了。卡林侯舉刀在空中畫圈：**繞過去，再攻擊一次。**

「放過他們。」葛利瑪對公用頻道吼道：「他們在逃了。」

探測車展開了，馬肯齊暴徒將破壞用的工具丟上車，擠進座位，扣好安全帶。沙地摩托可輕易追上他們。聖喬治在卡林侯眼前疊上沃隆佐夫飛船的符號，它從地平線另一頭升空，飛過來救人。來吧，飛船是值得對付的敵人。

兩輛探測車在沙地的弧面上加速駛離。其中一個暴徒蹲在第三輛探測車旁，拿一個長長的金屬裝置瞄準這個方向。那人抖了一下，因為後座力。法比歐拉．曼格貝拉的頭爆開，身體飛離沙地摩托。車子繼續前進，死去的女人則轉了個圈，四周是玻璃、纖維、骨頭、瞬間結凍的血形成的霧。她的名字在卡林侯的平視顯示器中變白。

「他們有他媽的槍！」葛利瑪大吼。槍手又找到了下一個目標，無聲地往後一彈。卡林侯的顯示器偵測到火紅的高熱小金屬塊。子彈擦過提亞哥．安德斯的肩膀，並非乾淨俐落的一槍，也沒射穿他的頭，但同樣致命。地表活動衣有自動修補的功能，但損傷到這地步就沒轉圜餘地了，密合速度不夠快。提亞哥倒在月壤上抽搐，手腳一陣亂揮，血液噴入真空中，凍結為光滑的厚冰。又一個名字變白了。

槍口旋向卡林侯。他放倒摩托，滑行於沙地上，接著看到葛利瑪全速撞上槍手，他是來真的，無比凶狠。槍手被壓到輪下，手腳胡亂擺動。摩托躍起，葛利瑪又將它往下壓。驅動車輪的沉重踩踏使地表話動衣、皮膚、肉、肋骨都撕裂開了。槍旋到了一旁。

卡林侯朝引擎尚未熄火的車子狂奔。

「追，追他們！」

第三輛月面探測車闔上門，加速駛離。卡林侯站在和緩落定的沙塵中，左右手各拿著一把刀，發出咆哮。

「媽的，放他們走啦！」葛利瑪吼道。

卡林侯走向槍手的屍體。纖維，骨骼，腸子。卡林侯盯著它看，心臟緩慢地跳動。這血漿肉糊多麼脆弱，生命毀滅得多麼徹底。在月球，任何皮肉傷都會致命。對方是女人，他猜測。女性往往會成為神槍手。接著他抬腳使勁一跺，踩穿安全帽，壓碎頭骨。葛利瑪抓住他的手，將他甩到一旁。卡林侯彈回來，已做好揮刀的準備。

「卡林，卡林，結束了，放下刀。」

他看不見，這人是誰？他的生命跡象數值都爆表了，顯示器上一片紅。他們在說什麼？跟刀子有關。

「我沒事。」卡林侯說，塵埃落定了。其他隊員站在一段距離外等著他，懷著敬意與恐懼混合成的情緒。某人幫他把車子牽好。地面震動著，一艘飛船乘著鑽石般的火箭推進器烈焰，從地平線另一頭飛升，燈光閃動，三輛月面探測車攀附著它的腹部。卡林侯的兩把刀子朝它的方向直捅，徒勞地對著空中亮光吼叫。它掉頭，離去了。「我沒事。」卡林侯放下刀子，一次放一把。

卡林侯年輕時就愛上了刀子。他的保鑣會玩一個遊戲：攤開手指，以刀尖戳刺指縫。八歲的他同時看出其風險與吸引力。他懂得欣賞那小小的致命性、單純的精準度，知道刀子這玩意兒沒有複雜性和非必要性。

卡林侯．柯塔就跟哥哥、姊姊一樣，曾被送去學巴西柔術。**他不肯專心學**，赫特．裴瑞拉曾向亞德里安娜報告，**愛開玩笑**，**裝模作樣**，**不肯認真做動作**。他無法認真，是因為柔術對他來說缺乏嚴肅性。太近身，太沒有尊嚴了，他也痛恨師徒的訓練關係。他想要快又危險的武器，想要優雅與暴力，身體的附屬品，人格的延伸。

弗拉維亞教母一發現他列印戰鬥刀，赫特．裴瑞拉就把他送到南后的七鐘院去，那是馬里亞諾．加百列．迪馬里亞營運的機構，傳授各種黑暗的技藝：偷竊、侵占、刺殺、詐騙、下毒、拷打、酷刑、使雙刀。卡林侯和那裡的自由接案保全及保鑣打成一片，彷彿與真正的家人團聚。他學會了單手與雙手的操作方式，攻守之道，用計與蒙蔽敵人視線的訣竅；制勝與殺戮的方法。他成長得很快，精瘦又結實，儀態有如舞者。**柯塔是西班牙文的「割」**，馬里亞諾．加百列．迪馬里亞說，**你現在該嘗試走鐘道了**。

七鐘院的中心是老舊維修通道組成的迷宮，裡頭一片漆黑，掛了七個鐘，學院因而得名。走入迷宮而不觸動任何一鐘者，即可畢業。卡林侯準備通過第三個鐘時，失敗了。他發了三天火，後來馬里亞諾．加百列．迪馬里亞把他找去，要他坐下，然後說：**你永遠成不了大人物，你是么子，永遠沒有機會在公司發號施令或掌控預算。孩子，你內心充滿憤怒，彷彿被怒火煮沸。如果今天是白癡來勸你，就會要你運用那憤怒，但白癡在七鐘院會丟掉性命。你不是最強悍的、也不是最聰明的家族成員，但你要為家族動刀。接受吧，沒有其他人做得來。**

卡林侯．柯塔後來又試了四次，第五次才順利通過鐘道，完全沒發出一點聲響。馬里亞諾．加百列．迪馬里亞給了他一對手工鍛造的月球鋼刀，重心位置很棒，造型美麗，磨得無比尖銳，連夢境都可以切開。

卡林侯花了五年時間才想通馬里亞諾．加百列．迪馬里亞的那番話。憤怒永遠不會消失，他永遠找不到擺脫它的方法。那是心理諮商。接受它，接受就對了。

他在基地內反覆把玩刀子，讓它繞著手指轉，旋轉它，拋接。同一時間，真空密封的屍體掛在外頭的架上。他們的碳和水已成了月球開發公司的資產。他很氣，還是很氣。

姊妹會令盧卡斯．柯塔失望了。在托基尼奧的帶領下，他走入哈德利山的阿姆斯壯方樓，來到東八十三的工廠區。玻璃，燒結面，落地窗，標準規格隔間，只具功能性的實用物件，快速列印型錄上的家具，普普通通的接待處人工智慧。樸素的全光譜燈投下柔和白光，空氣散發著白扁柏與葡萄柚的氣味。要說它是低價美容院或以小時出租的開發商農場，別人也會相信。哈德利山始終是個萬物皆低廉的地方，預算避風港。不過托基尼奧堅稱這裡就是現主姊妹會的母屋，她們的聖殿。

而且她們讓他等很久。

「我是聖母奧敦拉．阿波賽．艾德科拉。」說話者是個矮小、身材圓滾滾的約魯巴女性，穿著一身姊妹會白衣，脖子上掛了十幾條念珠和銀色護身符，手指套著令人眼花撩亂的戒指。她向盧卡斯伸手，但他沒吻她的手。「我們是瑪利亞．帕迪爾哈和瑪利亞．娜瓦哈。」聖母兩側的女子向他行屈膝禮。她們比地位崇高的女牧師還要年輕、高大，一個是巴西裔，另一個是西非裔。她們紮著紅色頭巾。盧卡斯想起阿瑪莉亞教母的教誨，知道她們是信使神埃舒與彭巴．吉拉[6]的聖子。

「我們是零副靈社群。」瑪利亞．娜瓦哈修女說。

「當然沒問題。」盧卡斯消除托基尼奧。

「很榮幸見到你，柯塔先生。」聖母奧敦拉說：「令堂是我們事業的一大資助者，我猜這也是您來訪的原因。」

「妳說話真直接。」盧卡斯說。

「中肯的態度有益亞伯拉罕的子孫。你冷酷殘忍地對待我們的弗拉維亞修女，我為此深感遺憾。

6　埃舒的配偶，人們將她和數字七、十字路口、靈魂附體、巫術聯想在一起。

你將那名可敬的女子拋入恐懼中，讓她擔心自己的呼吸……」

「那現在不干我的事了。」

「我已聽說。請。」

瑪利亞．帕迪爾哈和瑪利亞．娜瓦哈修女邀請盧卡斯進入隔壁房間。有沙發，價格略昂貴的列印家具，不強烈的白光。身穿深灰色西裝的盧卡斯以兩抹顏色蔑視著這空間。他並沒有疑神疑鬼地想：這些枯燥牆面的後方深處一定藏著一個聖殿，非信徒看不到它，只有信仰虔誠的少數教徒可一睹。

對方端了金屬杯來，裡頭裝著花草茶。

「瑪黛茶？」

盧卡斯嗅聞幾口，放到一旁。聖母奧敦拉高雅地用銀吸管啜飲。

「這是溫和的提神劑，有助提升專注力。」她說：「我們會研發並出口藥茶和瑪黛茶到地球——賣3D列印檔。什麼都賣，從溫和的欣快感到超強效迷幻藥都有，後者讓死藤水顯得像檸檬汁。檔案一放上網就會遭到盜用，但我們認為帶給世人新的宗教體驗是我們的責任。」

「過去五年，我媽捐了一千八百萬比西給你們的機構。」盧卡斯說。

「我們很感激她的義行，柯塔先生。在月球上，宗教團體會面臨各種奇特的機會與挑戰。信仰也得呼吸，我們的贊助者包括雅．狄德．阿沙默、月之鷹、地球上的草盟教派、拉哥斯的以法聖靈降靈教會，還有長遠當代基金會。」

「我知道。」

「她說你很勤勉。」

「別一副高高在上的樣子。」

陪侍一旁的修女坐挺身體，感覺受到了冒犯。

「請原諒我，柯塔先生。」

「我可以要求私下跟妳談談嗎？這是個有意義的要求嗎？」

「不行，先生。」

「但我是個勤勉的小孩，不會讓母親把錢浪費在騙子和神棍身上。」

「那是她自己的錢。」

「聖母奧敦拉，妳們的工作是什麼？」

「現主姊妹會是融合月球、非洲、巴西信仰的教團，致力於敬拜奧里莎、濟貧、奉行靈的紀律、行義舉、冥想。我們也從事家系研究和社會實驗，後者是令堂感興趣的部分。」

「說來聽聽。」

「姊妹會從事實驗的目的，是催生『可維持萬年的社會結構』，內容涉及家系學、社會工程、血統操作。歐洲人眼中的月亮上有人，阿茲特克人眼中有兔子，中國人眼中有玉兔。你眼中的月亮代表商業與利益，遠端學院眼中的月亮是宇宙之窗，而它在我們眼中是完美的社會實驗室。」

「一萬年？」

「人類到底需要多長時間才能脫離太陽系，進化成為真正的星際生物呢？」

「真是個長程計畫。」

「宗教處理的是永恆的問題。我們正在和其他團體合作，有的是宗教團體，有些是哲學學派，有些是政客——不過我們都有同樣的目標，那就是打造夠強健但又有彈性、能使人類擴散到各星球上的社會。我們正在發展五個主要的社會實驗計畫。」

「五個。」

「沒錯，柯塔先生。」

「我的家族不是妳的實驗室白老鼠。」

「我無意冒犯，但你們是，柯塔先生——」

「我媽絕對不會讓小孩蒙羞——」

「令堂是這個實驗的根本。」

「我們不是實驗品。」

「我們全都是，盧卡斯。所有人都是實驗品。令堂不只是一個偉大的工程師兼企業家，對社會的未來也很有遠見。國家、帝國野心、因認同結合的團體的部族主義至今對地球造成多少傷害，她都看在眼裡。月球是我們嘗試新方法的機會。有史以來，人類從來不曾居住在如此嚴苛，或說危險的環境中。然而我們還是來到這裡了，一百五十萬人，就生活在我們的城市與住居地中。我們存活下來，繁榮興旺。正是環境限制強迫我們去適應和改變。地球享盡殊榮，而宇宙其他地區的居民將會面臨我們的難題。你們是實驗品，阿沙默家是實驗品，陽家是實驗品，馬肯齊家是實驗品。沃隆佐夫更是極端的實驗：人體和社群若在零G力環境下歷經數十年會產生什麼變化？你們試驗，而且與彼此競爭。我猜這也是某種達爾文主義吧。」

這個假設令盧卡斯惱火。他是操控者，並沒有受誰操控。但他無法否認：在月球求生存、求繁榮的道路上，五龍各自走向非常殊異的結論。他的沃隆佐夫家同事從未正面肯定或否定那個傳說：貝科奴的老火箭研究者瓦列里・米哈伊洛維奇・沃隆佐夫在循環太空船「聖彼得與保羅號」的無重力中生活數十年後，已經變成了古怪的非人生物。

「為什麼妳們其中一個修女不斷來拜訪我媽？」

「那是應令堂要求。」

「為什麼？」

「你監視兄弟，卻沒盯著令堂嗎？」

「我尊重我媽。」

修女們面面相覷。

「令堂在向修女告解。」

「我不懂。」

「令堂的生命即將走到盡頭。」

艾芮兒．柯塔乘坐的三輪摩托闔上了門。她抬起一隻手，讓門留一小縫好說話：「不好意思，妳說什麼？」

「我的手指差點被夾斷了！」車門當著瑪利娜的面迅速又沉重地關上。

「我們會補償妳。親愛的，我們已經談好了，妳不能跟我來。」

「我得跟妳去。」瑪莉娜說。今天早上，3D列印機送出一件佛朗明哥風男性西裝到出口漏斗裡。瑪莉娜非常喜歡褲子，儘管她無法將外套拉下來蓋住屁股。她已經花一段時間在駭鞋子了。不是愚蠢的高跟鞋，那不值得駭。這裡指的是真正的鞋子：這裡加一行程式增加舒適性，那裡加一行提高合腳度，重寫鞋跟的編碼增添抓地力和加速度。行動便鞋。

「我在命令妳。」

「小姐，我不聽妳命令，我聽妳母親命令。」

「那就去聽啊。」艾芮兒關上摩托。她還沒騎到一個街區外，海蒂就招來了第二輛計程車追上去。

瑪莉娜乘坐的摩托開啟時，艾芮兒誇張地抽著菸。她們來到獵戶座方樓西六十五樓的老舊屋舍，這裡靠近中央區但光芒已不在，容易被忽略，挑這裡很聰明。是故意的，瑪莉娜心想。月人社，海蒂告知瑪莉娜。

「這是私人會員俱樂部。」艾芮兒說。

「俱樂部可讓保全人員進入。」

「這一個是例外。」

「我會跟著妳。」

艾芮兒轉身，發出憤怒的噺氣。

「好，好，但有件事妳得知道。」

「現在又怎麼了？」艾芮兒口沫橫飛。

「妳的左邊絲襪的小腿部位破了。」

艾芮兒瞬間瞪大眼睛，彷彿氣壓驟減，整個人就要爆開了。接著她笑到站不住，停都停不下來。

「幫個忙，跑到公用列印機去弄一雙新的給我。」艾芮兒下令：「碧賈浮已經把列印檔案傳給妳了。」

「有什麼好……」瑪莉娜開口，但沒把話說完。海蒂帶她找到最近的列印機，在樓下。艾芮兒一絲不苟地檢查絲襪，接著脫下舊的，換上新的。

「妳不該找個更隱祕的地方嗎？」瑪莉娜提議。她看到任何員工都不該看到的畫面了。

「喔，看在老天分上，別那麼地球人。」艾芮兒順了順洋裝，接著定睛凝看，就像是任何置身在公共鏡頭前的女人。「我一小時內回來。」

維迪亞．拉歐在大廳等待艾芮兒。艾芮兒在月人社內環顧四周，露出厭惡的表情。這裡有地毯，她痛恨地毯。眼前這張綠得噁心，上頭還有積年累月的踩踏及疏於照料所製造出的斑駁。人工培養皮革沙發上也有補靪，設計相當過時，曾經以品味、復古家具之姿服役，如今鬆垮下來，進入徹底的廢棄狀態。光線昏暗，有種大學氣、循規蹈矩感，像是鑽研過時學科的老舊研討會屋。艾芮兒懷疑某些氣流已經像神燈精靈那樣渦旋了好幾年。

「請。」維迪亞．拉歐指著矮桌旁圍著的一排沙發說：「要喝點東西嗎？」

「血腥瑪莉。」艾芮兒說，並甩開電子菸。一個機器人端出她點的飲料給她，並給銀行員一杯水。「還會有其他人嗎？」

「很遺憾，只會有我。」維迪亞．拉歐說。手安在膝蓋上，手指拱起，生龍活虎的儀態。艾芮兒啜飲血腥瑪莉。

「那就祝會談順利。」維迪亞．拉歐舉起杯子，艾芮兒回敬。「你們的功績相當不得了。令堂還好嗎？」

「我媽的事很難判斷，我們有了新的組織結構。」

「我知道。」

「你的三皇也預測到了？」

「我是八卦頻道的重度愛好者。」

「為什麼要找我來這裡，拉歐大人？」

「你記得我上次說要買下妳嗎？」

「開價吧。」

「月人社準備要發表一篇報告。這是我們的慣例，我們會概述月球獨立後的各種狀況；經濟、政治、社會、文化、環境方面的狀況。我們喜歡背書。」

「要我簽什麼？」

「政治報告，由我、瑪雅．易普、羅伯托．古鐵雷斯、尤利．安東涅科起稿。我們提議廢止月球開發法人，並提出三個替代結構，建立月球自家規矩。從參與式民主到微資本無政府主義都是選項之一。」

艾芮兒喝完她的血腥瑪莉，世界上沒這種早餐。

「上次碰面時，我記得我說自己是柯塔家的人，我們不玩民主那套。」

「一字不差。不過那只是一份報告，我們並沒有要妳用自己的血簽署獨立宣言。」

「嗯，如果我一個字都不需要讀，那就好說。」艾芮兒說，並將空杯交給一旁等待的機器人。

盧卡斯的機動車到了，葉瑪亞宣告。

「走吧。」亞德里安娜對赫特．裴瑞拉和海倫．迪．布拉加說。海倫輕觸亞德里安娜的手，向她道別。

「沒事的。」亞德里安娜說。盧卡斯不會像拉法那樣發火，不會吼叫、鬧脾氣、怒而不語。不過他一定氣炸了。亞德里安娜在奧旬下方的「我們的岩石夫人亭」等待他。

他親吻她的雙頰，就跟平常一樣按部就班。

「妳為什麼不信任我？」他講話當然也很直。一開始就亮出「針對個人的背叛」，很強的一張牌。兒子盡責，母親卻對他說謊。

「我一講，就得告訴其他人。我沒辦法幫拉法分擔痛苦。」

「我的思考一向周全。」

「對，你是，盧卡斯。沒人比你謹慎，或值得信賴。」

「我為公司做出的貢獻也是最多的，沒人比得上。」亞德里安娜知道他拿著什麼好牌，但現在攻罪惡感未免也太早了。「妳打算在什麼時候告訴我們？下一次家族慶祝會？露娜的生日？」

「盧卡斯，夠了。」

「那妳到底打算什麼時候說，媽？」

「接受事實吧，盧卡斯。我沒辦法幫你們分擔痛苦。」

盧卡斯吞下怒氣，低下頭。

「還有多久？」

「幾週。」

「幾週！」

「我原本打算挑個時間告訴你……」

「留個說再見的時間是吧，謝謝妳。妳原本以為我們知情後會做什麼？」

「一切都會改變。你現在看我的表情就變了，而你才知道多久？五小時？我不再是你母親，也不是亞德里安娜．柯塔了。我是四處走動的死人。」

憐憫的表情比「想置你於死地」的表情還來得糟糕許多。亞德里安娜無法忍受憐憫，無法忍受咳聲嘆氣的關愛，耐心十足的微笑所包裹的滾燙憎恨。**你們不會可憐我**。死亡專屬她一人。她將滿不在乎、毫不痛苦地潛入死亡的疆土。而她的孩子會奪走她的死亡，形塑它、管理它、控制它，直到她被「修枝」成椅子上垂死的老女人。

「我沒告訴其他人。」

「謝謝你。」

「我竟然是從現主姊妹會那裡得知消息。」

「你不該拿她們的資金要脅。」盧卡斯的列車離開哈德利山中央車站後，聖母奧敦拉便聯絡了亞德里安娜。盧卡斯得知洛亞修女造訪博阿維斯塔的理由了。盧卡斯威脅要在亞德里安娜死後取消贊助，才從她們口中套到話。亞德里安娜氣炸了。他始終是個手腕圓滑的惡霸。她自己也有其他小動作，但她絕對有權為他這個行為震怒。

「妳不該拿我們家人去玩什麼王朝遊戲。」

「盧卡斯，王朝就是一切，始終如此。我想要你們，你們每一個人都得到最好的。我是為了家族。」

盧卡斯認同那點。對他來說，家人永遠擺在第一位。他現在要打出他的王牌了，這是亞德里安娜逼他的。

「妳指定艾芮兒為柯塔氦氣的繼承人也是為了家族？」

「對。」

「不是拉法，也不是——」

「你？」

「拉法會害這家公司窒息而死，妳很明白。艾芮兒有她自己的生活與職業，妳認為她會想當柯塔氮氣的會長？」

「也許不會，但我已經決定了。我死後，艾芮兒將會成為這家公司的領導人。她不會是會長，我已經發明了新頭銜給她，也會給她新的領導權限。你和拉法都會繼續待在現在的位置上，扛既有的責任。你們要齊心合作。」

「這是姊妹會偷偷灌輸給妳的概念嗎？」

「盧卡斯，你不是那麼沒格調的人，別那樣說。」

「那我們呢？」

「你們？你和拉法？」

「我們。你和我，媽。」

「盧卡斯啊，盧卡斯。這就是為什麼我想等到自己安全斷氣才讓你們知情。」

「我想妳欠我一個解釋。」

「這裡是月球，沒人欠你什麼。艾芮兒將會成為柯塔氮氣的最高長。」

「我剛剛說了，我沒告訴任何人。還沒說。」

亞德里安娜知道他最終還是會這麼做，但他的操弄手段、他欣然的威脅都令她喘不過氣。

「盧卡斯，這就是為什麼我將王座放得遠遠的，讓你搆不著。」

這些話銳利如刀，將在他身上留下無法痊癒的傷。盧卡斯的嘴角抽了一下。

「我會跟妳拚了。」

「我不是你的敵人，盧卡斯。」

「如果妳的行動妨害到柯塔氮氣的利益，那妳就是我的敵人，妳是。妳不會是例外，媽。妳傷害了我，媽。我想不到比這更重的傷了，我不會原諒妳的。」

他起身，縮攏手指並鞠了個躬。博阿維斯塔傾瀉而下的飛瀑濺出大片水氣，空氣隨著懸掛其上的彩虹顫動。

「盧卡斯。」

他已經在前往接駁車站的半路上了。

「盧卡斯！」

我可以進去嗎？

盧卡斯，拜託不要，你說服不了我的。

我不想說服你。

他站在荷西家門口的監視攝影機前方，彷彿全身上下的骨頭都碎成了次級月壤，他是靠意志力才維繫著它們。

進來吧，喔，進來吧。

他沒說話，沒洩漏出心中任何毀滅性語言，不過荷西還是將他拉進懷中，擁抱他，親吻他。攬著他，久久不動地攬著他，在這有異味的小房間內，小床上。

之後盧卡斯將頭枕在荷西的肚子上。他的身材在音樂家當中算是壯的，體態顯現出平時的悉心維持。

這公寓可憐兮兮的，位於聖塔芭芭拉方樓的屋椽處，狹小又擁擠，呼吸的是好幾手的空氣。床占據了整個房間，吉他掛在牆上，宛如神像或另一個愛人似地俯瞰著他們。這令盧卡斯感到不自在。音孔像是獨眼巨人之眼，或是受驚之人的嘴型。

「你媽還活著嗎？」

「不在了，死於阿里斯塔克斯地震，」盧卡斯感受著荷西說話、呼吸、心跳的和緩節奏。「她幫你們家工作，月球學學者，研究岩石和塵土。」

月球經常有輕微的地震。潮汐應力，衝擊造成的餘震，冰冷地彀沐浴在新生日光中的膨脹造成溫和的晃動、長而緩的震顫，提醒爬在月球表面蠕蟲洞的人類：月球不是天空中的死亡石骷髏。它喋喋不休，翻攪著沙。每幾個月就會有較大的地震來襲：震源二、三十公里深，會癱瘓地底城市居民的一切活動，震裂牆壁、使瓦斯外洩、損害電線、重創鐵路。柯塔氦氣設於阿里斯塔克斯的維修兼研究基地因而坍塌，兩百人遭到活埋。那基地造價低廉，建得草率。有幾起相關的賠償金官司還在克拉維斯法庭那裡審理。

盧卡斯轉頭看荷西。

「我很抱歉。」

「你很幸運。」荷西說：「你的母親還在，你很幸運。」

「我知道。我會照顧她，保護她，坐在她身旁，牽她的手。」

「你愛她嗎？」

盧卡斯坐起身。他眼中閃著怒火，荷西一度感到畏怯。

「我一直都很愛她。」

「我不該問的。」

「你該問，沒人問過。每個星期我都去見我媽，但沒人問我：我這麼做是基於責任？還是因為我愛她？拉法情感豐沛，而盧卡斯．柯塔呢？比較陰沉的那個，謀士。我的孩子路卡辛侯對我來說就是一切，他是奇蹟、是寶物，但我和他說話時表達不出這份心意。它會扭曲，往錯誤方向跑。好難以啟齒。為什麼對這世界上的『拉法們』來說，示愛如此輕而易舉？」

盧卡斯坐到床的邊緣。房間小得不得了，他的赤腳已等於是踩在客廳上。

「至少讓我在皇后區弄間像樣的公寓給你吧。」

「好。」

「你答應得太快了。」

「我是音樂家，音樂家從來不拒絕免費住宿的機會。」

「我會來聽你演出，總有一天。」

「總有一天，現在還不行。如果你不介意的話。」

「我會照辦的。」

荷西手一拉，盧卡斯又在他身邊躺下，依偎著他，肚子貼背，睪丸貼著臀部，毫無雜念，而且短暫擺脫了過去與未來，歷史與責任。

「唱首歌給我聽。」盧卡斯低聲說：「〈三月水〉。」

馬林．歐姆史泰廚師病了，馬林．歐姆史泰廚師沒病。廚師是世界上最不健康的行業，工時長得病態，工作場所狹小、不舒適、充滿熱氣和油煙。他們是自己身體的連續虐待狂，但他們也從來不告假離開廚房一天。廚師永遠不會生病。當馬林·歐姆史泰廚師聲稱自己生病，要求艾芮兒代替他去鷹巢向月之鷹報告白兔閣會議內容時，她知道自己聽到的是天大的謊言。強納森·阿猶德想找她談。

保全機制相當嚴謹，而且是在碧賈浮招摩托計程車前往鷹巢時就啟動了。計程車連結上升器，爬上天蠍座α星中央區的西南牆時，艾芮兒和瑪莉娜已受到全面掃描和檢測。身穿短西裝外套、戴帽子的男僕請艾芮兒跟著他前進，沿著一層層花園往上爬。

月之鷹在橘亭內用茶，他的鷹巢是由一系列燒結玻璃小亭集合而成，坐落在一層又一層的花園當中，每個都以顏色命名。橘亭位於井然有序的柑橘樹林邊緣，橘子、金桔、香檸檬，在AKA的基因科技操作下，全都長成了人類可食用的侏儒尺寸。那裡的風景非常壯闊。鷹巢占據了中柱的上半部，天蠍座α星方樓住居地的交會處，高度足以欣賞全景，但也還是落在貴族生活的低層範圍內。艾芮兒有點喘不過氣，這就像跨上永恆的邊緣。天蠍座α星方樓的時間慢水瓶座方樓八小時，陽光線甦醒過來，投下金光照亮五條大道。光線閃耀於微明之中，灰濛如星子。這是月之鷹舉辦的預演，只有他一個人在。

「柯塔律師。」強納森·阿猶德摘下一顆香檸檬，指甲戳進綠色果皮，釋放出一片芳香汁液。「聞聞看。」艾芮兒彎腰湊近果實。

「我沒辦法描述它的味道。」

「不，根本不可能描述，對吧？知覺和情感根本無從表達，只能讓它們自我表現。」他扔開水果，而艾芮兒看不出它掉哪去了，也許飛下樓了。「可以請妳往這走嗎？」

月之鷹指向中柱邊緣的小圓頂涼亭，它的大小只夠放一張矮桌和兩張凳子。艾芮兒的多層次襯裙安放到椅面上。她今天穿的是迪奧圓裙洋裝，輕飄飄的，附腰帶；誇裝的女性感是她刻意營造的假象。男僕端了薄荷茶來給月之鷹，上等的乾馬丁尼給艾芮兒。某些方樓永遠會保留雞尾酒時間。艾芮兒亮出她的電子菸。

「會介意嗎？」

「妳是我的客人。」

此時天空已熙來攘往。纜車通過峽谷，腳踏車與摩托掠過天橋。艾芮兒還看到上層貧民區有幾道人影在操控繩橋。無人機與飛行器穿過金色的空間。

「很抱歉我沒出席令尊生日宴會，我誠心向妳致歉。世人一定會想念她擔任柯塔氦氣執行長的日子。」

「我媽跟世人的距離很遙遠，八卦網站上會有人為她哭泣嗎？我非常懷疑。」

「妳就不一樣了。」強納森·阿猶德說。艾芮兒首度感受到他的肉體質量：地球出生者的體重和肌肉。她稍微感受到威脅了。

「好啦，說說你想要什麼吧。」艾芮兒說：「說實話。」

強納森·阿猶德的微笑甜美得令世界暈眩。他放下茶杯，開心地拍著手。

「真直接！我要一場婚禮。」

「大家都可以出去透透氣。」

「我要柯塔家和馬肯齊家的婚禮。」

「我廢除了熊弘琳·馬肯齊和羅伯森·柯塔的尼卡赫婚約，根據是『家長忽視其性權』。露娜才五歲。」

「我是指，路卡辛侯和丹尼·馬肯齊的婚禮。」

「又一個布萊斯的小孤兒。」

「對。」

「你想知道盧卡斯會怎麼說嗎？」

「盧卡斯會說好，因為妳會先向他解釋：如果他拒絕，我就會指示月球開發法人重新審視蛇海那片土地的授權過程有無不正當性。」

「柯塔氦氣的口袋很深。」

「但並非深不見底。我們要是在偵查結束前暫時禁止貴公司出口氦－3，你們還會有多少軍費呢？」

「地球陷入黑暗後，你還能在這可愛的宮殿裡待多久？」

強納森．阿猶德湊上前去，握住艾芮兒的手。他的皮膚柔軟，非常溫暖。

「但這些事情都不必成真。讓路卡辛侯和丹尼．馬肯齊結為連理就行了，妳甚至可以幫他們訂立尼卡赫婚約。王朝婚約。我想要平靜，艾芮兒，我要一個安靜的月球。這陣子你們和馬肯齊金屬在蛇海搞些什麼我都知道，我不會容許有人在我的世界裡打企業戰爭。這是讓兩家人結盟的簡單方式，兩位俊俏的王子。我甚至會提供天蠍座α星中柱的公寓給他們，如此一來，你們兩方都不能宣稱這兩個少年的所有權在你們手上。」

「兩個俊俏的人質。」

「艾芮兒，妳這樣太虛偽了。妳立了多少尼卡赫婚約？」

艾芮兒吸了一大口電子菸，她的馬丁尼放在矮桌上，一口都沒沾。

「你也用類似的方法威脅馬肯齊金屬？經濟制裁？」

早晨正式到來，天蠍座α星方樓又迎來美好的一天了。

「我有時會忘記你們家族真正參與政治事務的時間有多短。」

艾芮兒緩慢呼氣，繚繞的藍色煙霧翻下奇險的絕壁，穿過諸樓層與平台、拱壁與柱子，來到輝煌的航鷹廣場。

「去你的，強納森。」

「我要妳把這消息轉達給令堂。」

「我不是我媽的指示器。」

「真的？我以為妳是相當狡猾的小蜘蛛呢。」

「如果我有機會做出對自己人有利的判決，我就會做。」

「當然了，妳的行動合乎道德。不過我知道，我確實知道蛇海的情報不是從白兔閣走漏的。」

艾芮兒淡漠地啜飲她的第一口馬丁尼，希望能重新啟動自己的鐵石心腸。他知情了。訴諸罪惡感，討價還價。她手套包覆下的手指將杯子放回矮桌上，沒掀起半點漣漪。

「月人社沒違反任何法律，諸神將來也不該容許箝制它的法律存在。法條過多只會讓正義無法實踐。這甚至無關利益衝突。」

「但它確實跟我的利益、月球開發法人的利益有所衝突。妳不是公民，是客戶，永遠別忘了這點。妳連署的那份短文，很迷人，相當迷人，也很無關緊要。政治理論？我們這些月球上的人是務實派。會讀那篇文章的人都是往常那些名嘴，不過妳要是開始將名字連結到真正會影響人民的議題上，例如四大元素……呃，那就會令人不安，甚至製造恐慌了。月球開發法人無法忽視這種狀況。妳嚮往司法制度。別否認了，艾芮兒。妳的野心令人欽佩，但永遠別忘了，克拉維斯法庭的人事由月球開發法人指派。」

「強納森，我再說一次……」

「去我的，對。去找令堂談一談，說服妳的兄弟，邀請我參加婚禮。辦大一點，我真的很愛盛大的婚禮。」

男僕來了，謁見時間已結束。強納森．阿猶德從果樹上摘下第二顆香檸檬，遞給艾芮兒。動作纖柔地像是捧著嬰兒或心臟。

「收下吧。放在妳家中央，芳香就會充滿每個房間。」

這場活動可能是莫迪企業接待會或第七十九屆研討班同學會，總之是五天內的第十場活動，而且現在時間是凌晨一點半，瑪莉娜好想家、好想床，想到都快哭出來了。身穿賈桂斯．費絲洋裝的她坐在吧台邊，手邊放著一杯茶，眼睛盯著瑪莉娜的一舉一動，看著她在一群又一群人之間移動，切換一個又一個話題。同樣的面孔，同樣的對話，這陳腐壓得人喘不過氣。這是一種記憶，瑪莉娜推測。說話內容不重要；誰是說話者，誰是傾聽者才是關鍵。瑪莉娜試圖從紅色細高跟歌劇鞋找出一毫米的喘息空間，接著擠掉鞋子。舒坦如洪水般浩蕩，但疼痛緊接在後。她的腳紅腫，劇痛。肌肉從緊繃的芭蕾舞姿中獲得解放，她差點哭出來。她皺著眉頭穿上較柔軟的無跟芭蕾舞船型鞋。

艾芮兒輕盈地穿行於隨行人群中。

瑪莉娜將極致舒適的鞋子往上拉，同時抬頭，看到了刀子。刀之暗示，手之動作，衣服後拉，人群中閃出的金屬光。刀子，出鞘。

前撲。

擁有月光菜鳥肌肉的瑪莉娜，從椅子上一躍，飛過四分之一個房間。正當襲擊者準備將刀子刺入艾芮兒．柯塔心臟時，瑪莉娜撞上了他，扭曲了他的攻擊路徑。刀子穿過一層層紀梵希蕾絲和緊身胸衣，沒入艾芮兒的背。血液。在月球上，血噴得半天高，速度緩慢。艾芮兒倒地了。襲擊者踉蹌了幾步，發動新一波攻擊。他是月球人，高大、輕盈、敏捷，手腳比瑪莉娜還快。他換了個握刀的方式。瑪莉娜的武器鎖在她愚蠢的衣服內，她尋找其他可殺戮的物件，有了。襲擊者衝向前，已做好出刀的萬全準備。瑪莉娜使盡全身上下的力氣將電子菸往他的下巴一捅，毫無保留的一擊。她的拳頭抵上他下顎的鬍碴，抖了一下。骨頭碎裂了，電子菸尖端穿破他的頭顱。刺客開始痙攣。瑪莉娜握著電子菸，握得牢牢的，讓他被串在上頭。她緊盯他的雙眼，直到自己確定裡頭已無半點生命力。她鬆開她的矛。血液沿著電子菸的白金尖端流得她滿手都是，屍體則癱倒在血泊中。艾芮兒傷口噴出的血濺到她臉上、衣服上。艾芮兒倒臥在黑色血液中，氣喘吁吁，抽搐不斷。人群圍成永恆之圓，俯瞰著她。我們嚇壞了，我們很憂心，我們不知該如何是好。

「醫生！」瑪莉娜大叫，蹲到艾芮兒身旁。該按住哪裡？該握住哪裡？如何止住血流？好多血，皮膚與肉振動著。「醫生！」

9

四十年來我都沒想到他們，但現在會想了。我經常回顧過去；有些畫面，我沒召喚也會自行浮現。我對自己說，我並不後悔當初的決定。但我真的不後悔嗎？

我忍不住想，就是那些歲月使公司成形。穿地表活動衣的時間比沒穿還多，不斷進出探測車，在精煉機爬上爬下，和卡羅斯窩在太空艙內，輻射線穿透我的身體……

他從頭到尾都在，坐在那裡等我打電話給他，聽我訴說我所有的故事和離題的插曲，還面帶微笑，因為我才是工程師，我才應該要不胡扯、直截了當才對。他面對差錯總是很有耐心。卡羅斯，你得再等一會兒，但不用等太久了。

亞琪離開了，我再也沒見過她，或跟她講話。我投入工作，有事情要辦，沒時間想念別人。看看我的生產力！我一點也不想念她。她離開是件好事，愛情只會令我分心。我有事業要打造。

那時我好忙，我好想念我的月球日。

騙妳的。我說我不想念亞琪也是謊言，我好想念她，失去她是我心中的痛。一片真空。我想念她可愛的嚴肅模樣，她小小的溫柔，例如每天早上在我床邊喝茶，或把我的地表太空衣摺疊整齊、收好。她熱愛井然有序，而我不修邊幅。她非常注重細節，總是煞有其事地把各種東西擺成一直線，彷彿我們住的是一間公寓，或旅館，或分離艙；也把牆上的東西擺得方正。她常常聽不懂我的笑話，發不出葡萄牙語中的音。我們經歷了好多！我將它們全部推到記憶深處，不再想起。因為一旦想起，我就會聯想到自己在月球上永遠失去的事物。免費的呼吸，照在我赤裸臉上的陽光，仰望就看到開闊的天空。遙遠的地平線，世界邊緣的月亮在大海上鋪出一條銀色小徑。水海，而非沙海。還有風聲，聽！

我像惡魔一樣不斷工作。打造模型、設計、規畫。行得通的，事情很簡單。但人只能在工作侵襲你的胃和靈魂前打住，無法做更多。我放了個假，亞德里安娜·柯塔式的假期。我從前採礦工程學院的同學一定會以我為傲。我將獵戶座方樓的十二家酒吧跑了一輪。進入第九家時開始踉蹌，第十家，我跟人打賭堆烈酒杯，最後堆了十五個。到了第十一家，我和一個可愛、大眼睛的桑托斯男孩窩在凹室內額頭碰額頭，興匆匆地把我所有計畫和野心都說出來，而他瞪大眼睛，假裝很有興趣。我沒抵達第十二家。我和桑托斯來的大眼男孩上了床，我是個卑鄙的愛人。我哭了整晚，而好心的他也陪我哭。

月球日過後，我有好一段時間沒打電話給家人。我擔心自己會清醒過來，發現自己做了一個糟糕的決定，無法一筆勾銷的決定。接著我想，人類歷史中大多數移民進行的都是單程之旅。老葡萄牙人會為前往巴西過新生活的孩子舉辦葬禮。我們永遠無法回頭。這就是我們的世界，我們只能盡量在這裡過好日子。不過我還是聽許多舊世界的音樂，我母親喜歡、常在屋子裡唱的歌。它們彷彿從下方的藍色行星浮了上來，窩到新地景上。我說的地景不是灰濛的山丘、破銅爛鐵、紋溝那些醜陋的事物，而是人。月球上唯一的美景是人。

就這樣，我成為月球的女人了。我將自己奉獻給新世界和新生活。我有想法，我有錢——如果你選擇移民，返航費減掉其他未支付款項和必要支出後的餘款就會退還給你。我買了月球開發法人的可轉換債券。安全，妥當，高報酬率。我有一票法律和設計方面的人工智慧，還有我躍躍欲試、想付諸實行的理論模式。我缺乏的是一個線索。更具體地說，我不知道該把這模型變成一樁生意，我沒有相關計畫，這跟我所知的工程性質完全不同。該如何策畫公司組織，讓它動起來？

這時我遇到了海倫。我暗中撒網物色可能的財務長人選——我的手下都不怎麼懂數字，我自己也不例外。我們偷雞摸狗得很愉快，使用加密訊息——當時還沒有副靈。我們還會在最後一刻更改祕密開會地點，進茶室談。不能讓馬肯齊金屬發現我的計畫，不能涉這種險。你以為我們現在的世界很狂野，但跟拓荒時期一比，差得可遠了。不過她出現了，這波多來的女人什麼都懂，也知道什麼問題該問，什麼不該問，不過……我該告訴妳嗎？我選擇她的真正原因是，她懂葡萄牙文。當時我學了英文，正在學地語——它正逐漸變成通用語言，尤其是因為機器能辨識它的音調。不過有些事你只能用母語表達。我和她聊得來。

從那之後，我天天和她共事。她是我來往最久、最親近的朋友。她從來不讓我失望，儘管我知道自己讓她失望過好幾次。她說，妳不要提錢的事，永遠別提。除非我叫妳付，否則別付任何錢。還有，妳需要一個計畫工程師，我剛好認識一個，巴西男孩，保利斯塔諾人，剛上來三個月。

那人就是卡羅斯。

喔，不過當時他是個自大的混帳。高大，英俊，對此也有自知之明。他有保利斯塔諾人的優越感：受較好的教育，吃較好的食物，聽較好的音樂，職場道德比人好。卡羅斯家住海灘，常圍坐在一起喝整晚的酒。沒做過半點工作。我們在一間酒吧內相遇，一起吃蒟蒻麵。妳大概會想，我竟然記得我們吃蒟蒻麵。那次會面的一切我都記得。我的打扮走一九八〇年代休閒風，而他穿斜紋棉褲和夏威夷衫。他把我說的一切視為前所未有的荒謬言論。他自大、惱人又有性別歧視，令我氣炸了。我有點恨他。

我說：「你從來都不好好聽任何女人說話，還是你只針對我？」

接下來的一個小時，他把他的商業規畫攤在我眼前詳述，而那後來就成了柯塔氦氣的基礎。

喔，不過那時實在太好玩了。那年我們在月球上到處跑，想讓理念付諸實行。天知道我們為何有辦法繼續呼吸。我收到的退款是一大筆錢，但它仍像沙子般不斷從我指縫溜走，儘管我的財務長和計畫工程師只使用四大元素、睡在朋友家地板上。會議，自薦，企畫書，承諾。然後是遭到駁回，發現對方迅速說不總比拖半天的「也許」來得好。搞定一個真正的投資者、嘗到她美味的比西時，我們內心好激動。我當時把話講得很清楚：我不要地球的投資者和股票基金，我不想像陽家那樣，不斷奮力擺脫北京的控制。我想向馬肯齊家看齊，他們是合乎嚴格意義的月球企業。羅伯特・馬肯齊把地球上的所有事業都賣掉，資金移轉到月球，然後對其他家人說：馬肯齊現在是月球家族了。搬上來，或者說搬出去。我已向月球獻身：我再也無法回地球了，我不要地球跟來。地球人將會是我的客戶，不是老闆。柯塔氦氣將成為我的孩子。海倫・迪・布拉加是我最親密的朋友，也是董事會一員，但她從來就不是所有人。

海倫和我找錢的同時，卡羅斯在研發機械原型和商業模式。當時月球比現在小得多，有個狀況無以避免：我們要是打造、拖運精煉機，消息一下子就會到遠端月面又繞一圈回來，頭盔都還沒扣好就舉世皆知了。於是我們前往遠端月面，向學院租了幾個空間。當時他們還不是大學，不過是個天文台兼致命病源體研究的前線基地。那是距離地球最遙遠的地方，如果出了什麼意外，大可直接拋下那裡，撤離人員，用放射線照射全境。那裡的隧道實在太靠近地表了，我每夜都會想像輻射滲入我的卵巢內。我們一天到晚在咳嗽。也許是沙塵害的，但我們懷疑那是病原體實驗室給我們的小禮物。

卡羅斯打造了原型精煉機。我說「打造」的意思是，他雇用了承包公司、機器人、品管團隊一起來做這件事。他把成品展示給我看，而我說不行不行不行，那行不通的，不夠耐用，程序也不夠有效率。維修管道又該怎麼辦？我們瘋狂大吵，吵得像夫妻。我還是不愛他。我把這點告訴海倫，說了一次又一次，形容他有多蠢、多自大、多固執。她肯定快被我逼瘋了，但從來不曾對我說：閉嘴，跟他睡就是了。因為我為他癡狂。他的個性跟亞琪天差地別。我和亞琪從朋友變成情人，而他只能當情人，永遠不可能當我的朋友。他散發的吸引力完全不同，很不對勁，但非常、非常真切。我會在床上想他，想像他裸體的模樣，想像他採取一些愚蠢、不尋常又浪漫的行動，比方說在設計圖前彎腰細究這氣惱的女人想搞什麼，偶爾親我一下。我會向他比中指，我想他有注意到。吸引力到底是怎麼一回事？

修女，我第一次吻他的地方，是他幫我在豐饒海蓋的小圓頂屋內。不，那甚至不是圓頂屋，是我們用月壤在探測車拖艙旁築堤而成的小空間，拿來當作基地或實地試驗場。我們拆除原型機，利用彈運運送到不知名的隕石坑去。一跳再跳，讓旁人以為路徑是隨機的，但最後還是會在我們指定的時間內抵達我們指定的地點。我們用探測車把機器零件載到小基地去，然後整個小組一起組裝它。這裡是荒郊野外中的僻壤，完全不會有人注意到我們的行動。

當時我們燒錢的速度已經和消耗氧氣一樣快。我們的經費只夠做一次實地測試，一次微調，還要預留跟大人物打交道的錢。非成功不可。我們全都窩在艙內看著精煉機行駛於月海上，一路震動。我啟動精煉頭，選礦器的螺鑽，接著按下選礦器開關。鏡子轉動了，將陽光照射到選礦器上，我的淚水泉湧而出，那是我此生看過最偉大的場面。

一小時後，計量器收到了第一批資料。我想我整整六分鐘內沒呼吸過一口氣。氣體分計跳出線段圖了：氫，水，氦4，一氧化碳，二氧化碳，甲烷，氮，氬，氖，氡。都是可以販賣給AKA和沃隆佐夫家的揮發成分。不是我們要的，不是我們在尋找的：圖表上的小小尖刺，它會比其他數據都小得多。我放大比例尺，所有人都擠在顯示器前面。有了，有了！氦-3，果然存在，比例也一如我們預期。攝譜儀上可愛到極點的小尖刺，我們採集到了。我尖叫，跳上跳下。海倫親吻我，淚水奪眶而出。接著我親吻卡羅斯，然後我又吻了他一次，再一次，停不下來。

我們喝VTO生產的便宜伏特加，窩在小小的艙內醉得一塌糊塗，這很蠢也很危險。接著我把卡羅斯拉到我的床位上，趁所有人在我們身旁睡著時做愛，安靜、猛烈，咯咯笑個沒完。

我們在那床位上構想出一座城市，在那月壤包覆下的兩個分離艙內。那想法後來成就了神之若望。

我並沒有立刻和卡羅斯結婚。我得好好簽署尼卡赫婚約才行，再說，豐饒海實驗結束後，我們要做的事實在太多了。我打電話給大人物，幫他們安排交通。地球到月球的來回票券，六個人。其中兩個來自法國電力／阿海琺，兩個來自印度電力金融公司，另外兩個來自關西核融合發電廠。我已經聯絡他們好幾個月了。視訊會議，簡報，兜售。我知道他們想逃離美俄對地球氦-3的雙頭寡占體制。寡占使得核融合電力居高不下，也扼殺了發展的可能性。地球等於重返石油時代。

這就是我們那時面對的最大風險。地球上的三家小型核融合電力公司的主管同時來到月球？就算是馬肯齊金屬也看得出事情有蹊蹺。問題不是他們會不會採取行動，而是何時採取行動。我們唯一的優勢是身分未曝光——尚未曝光。如果我們能在羅伯特．馬肯齊放出刃衛前完成實機展示、談妥條件並簽好合約，之後我們就能在克拉維斯法庭為自己的合約辯護。

我們讓所有貴客入住梅利迪安最高級的旅館，支付他們消耗的四大元素，買紅酒給法國代表團，買威士忌給印度代表團，日本代表團也是塞威士忌。就像我說的，我們燒錢的速度就跟消耗氧氣一樣快。

當天晚上，預定載貴客前往豐饒海的時間還未到，馬肯齊金屬就掌握了我們的行蹤。我收到豐饒海基地傳來的訊息：身上有馬肯齊金屬商標的塵工炸毀了原型精煉機，此刻正在破壞揮發物質儲存槽。他們朝基地過來了，他們到了……接著我再也沒收到消息。

我還記得自己坐在房間內，六神無主。坐在自己的房間內，不知該做何感想。我的心麻木了，我的身體彷彿在下墜，自由落體。我好想吐。精煉機，我們所有的心血都毀了。更糟的是人命，這比失去機器糟太多了。我曾經和那些人一起笑鬧、酒醉、共事。他們信任我，也因信任我而死。我害死了他們。我發現我們只是一群屁孩，在玩經商遊戲。馬肯齊則是成熟大人，他們來真的。我們是兒童十字軍，正朝我們的無知行進。我坐在房間內，想像馬肯齊刃衛搭電梯、站在門外、守在窗外。

是卡羅斯救了我。他讓我重新踏上土地，他是我的重力。**我們拿下生產合約就贏了**，他說，**打造出柯塔氦氣就贏了**。

那是我第一次聽到那個公司名稱。

卡羅斯用自己的錢雇用了自由接案保全人員，來保護我們的人與物。我用自己的錢幫貴賓訂票，請他們上月環，說計畫變更了。我們將請他們搭上繫鏈，讓它繞行月球，將人送到遠端月面。我們在那裡部署了第二部氦-3精煉機的原型機。

卡羅斯在他管理專案的第一天就立下了原則：絕對不能只造一台原型機。

我們讓貴客坐進太空艙，將他們甩到月球另一頭，接著自己也跟進，然後向他們示範精煉機如何運作，再將精煉出的氦－3注入飄浮偶極實驗反應爐，使它啟動。

我們用最後一點錢雇用法律人工智慧擬定生產草約，當晚就正式簽署。

錢還沒徹底花完。卡羅斯和我又花最後一點錢請人工智慧擬定婚約，再用最後一丁丁點錢舉辦了婚禮。

喔，不過它還真是廉價而歡樂啊。海倫是我的伴娘，另外還有一個參加者是月球開發法人派來的見證人，沒了。接著我們去冷凍卵子和精子。沒時間談戀愛或組家庭了，我們得打造出一個帝國。不過我們想要孩子，想要一個王朝。為他們打造出一個安全的未來後，就會想進一步守護那未來。

創立柯塔氦氣跟壯大它的艱難相比，只是小巫見大巫。我到處奔波，連續好幾個月見不到卡羅斯。時間允許的情況下，我就睡覺、吃飯、運動、做愛，實際上機會非常少。卡羅斯說，我們需要盟友。我試著和其他勢力打好關係。陽家對我們漠不關心，忙著搞自己的計畫和政治角力。沃隆佐夫家已經將注意力放到太空，不過我還是跟他們談到滿意的月環發射費率了。馬肯齊家是我們的敵人。而阿沙默家——也許是因為我們的事業對他們不會造成威脅，或者因為我們都兩手空空來到月球起家，或因為他們認同位居劣勢者，總之他們成了我的好友，至今交情依舊。

我地球上的客戶取得穩定又便宜的燃料後，很快就取得市場龍頭的地位，而他們的競爭者被逼入絕境：跟我們談生意，不然就等著破產。不久後，美國和俄國的氦－3市場崩盤了，我打敗了美國和俄國！同時撂倒他們！不到兩年，柯塔氦氣便壟斷了這個市場。

看吧？沒什麼話題比金錢和商業更無聊的了。我們打造出柯塔氦氣帝國，把我們做愛的陋屋擴張成一座城市。光榮時刻，這是我們最輝煌的時刻。我們激動到無法呼吸，來到這個地步，我們的成功已會自己繁殖出新的成功。我們光是存在就會賺錢。精煉機鏟起土，月環將罐裝氦－3送往地球。我們站在地表上，頭盔相觸，看著地球的燈火。這實在簡單得太荒謬了，任何人都想得到。但想到的人是我。

看出這一切狀況如何使人麻木了嗎？在匆忙、激動、不斷工作的過程中，我遺忘了死在豐饒海上的那些人，我的團隊。他們為我付出，但永遠無法見證我們的成功，也無法分一杯羹。大家說月球是個嚴苛的環境，錯了。嚴苛的是人，永遠是人。

我還是會寄錢回家。我讓他們成了大富豪、成了名流。《瞭望》雜誌會報導他們：吾輩的氦氣夫人的兄弟姊妹，「鐵手」、「照亮世界之女」的家人！他們住在棒呆了的公寓裡，開大車，有游泳池、私人家教、保全，後來有天我說：**停止這一切**。你們不斷、不斷需索，利用我的金錢和名聲吃大餐、上派對、越長越胖，連句謝謝都不說，也沒有人認可我在上頭的成就，目光中沒有絲毫感激和謝意。你們的孩子，我的姪兒姪女甚至不認得我長什麼樣子。既然你們稱我為鐵手，嗯，那我就要做出鐵的決策了。我來自月球的最後一個禮物：我在一個安全的帳戶中存了飛往月球的單程交通費。你們如果想要柯塔氦氣的錢，就來為柯塔氦氣工作，與柯塔氦氣同在。不奉獻心力，我就永遠不會再寄錢給你們，連零頭都別想。

來月球吧，加入我們的行列。來這裡打造一個世界，一個柯塔王朝。

沒半個家人接受提案。

我就此中斷金援。

四十年來，我沒再跟他們說過話。

我真正的家族就在這裡，這是我的柯塔王朝。

妳會認為我很苛刻嗎？我說錢的事。那沒什麼，他們當中的任何人都不可能再變回窮人。妳會認為我一句話都不說、想都不想就中斷金援很過分嗎？我可以搬出那些老理由：這裡一切都可協商。不工作就沒得呼吸，月球使人冷血。真的，月球會改變一個人，它就徹底改變了我的體質。我要是回地球，肺就會塌陷，雙腳萎縮，骨頭剝落碎裂。還有那三十八萬公里的路程。當你跟老家通話，回應會延遲二點五秒抵達，那段沉默會拉開你們的距離，你永遠無法填補那空隙，那是宇宙結構的一部分。真正冷酷無情的是物理。

四十年來我都沒想到他們，但現在會想了。我經常回顧過去；有些畫面，我沒召喚也會自行浮現。我對自己說，我並不後悔當初的決定。但我真的不後悔嗎？

我忍不住想，就是那些歲月使公司成形。穿地表活動衣的時間比沒穿還多，不斷進出探測車，在精煉機爬上爬下，和卡羅斯窩在太空艙內，輻射線穿透我的身體……

修女，我病情惡化的程度其實比我告訴妳的還要快。只有馬卡拉格醫生知道這件事。我知道盧卡斯去找修道院院長，得知我的病況，但他並不知道擴大範圍。聽我說：這些都是委婉說法，什麼惡化程度、擴大範圍。我感覺得到死亡，修女，我看得到它小巧的黑眼睛。修女，不管盧卡斯怎麼說，不管他怎麼威脅，都不要告訴他這點。他只會想試圖做點什麼，但沒什麼他能做的。他總是得在我面前證明自己的能力，而我傷害了他，喔，我傷他傷得好重。還有好多錯誤得糾正，燈就快熄了。

但我還沒提到跟馬肯齊金屬持刀決鬥那段！

那是個傳說，我呢，是傳奇人物。也許妳沒聽說過？有時候我會忘記自己已經有兩代子孫了。不是忘記，我怎麼可能忘記孫子的存在？應該說，我是不敢相信那一天已經過那麼久了。無法相信，因此會不小心忘記。那段日子真棒！

我們有錢雇用私人保全後，馬肯齊就停止發動具體的攻擊行動了。當年有個巴西前海軍軍官，在巴西因財務問題決定撤裁海軍時丟了飯碗。他原本在潛水艇內服役，而他有個理論：月球上的所有戰爭都是潛艇戰。所有交通工具都在加壓、可能致命的環境中。我雇用了他，而他如今仍是我的保安隊長。我們認為，發動一次無畏的行動就能終止戰爭。我們攻擊了坩堝。當時馬肯齊金屬和VTO才剛蓋好赤道一，坩堝得以不間斷地精煉稀土。這在當時是一大成就，現在也是。我忘了自己曾經參與興建工作——就在離開馬肯齊金屬後，我去當沃隆佐夫的鋪軌道皇后，籌措柯塔氦氣的創業基金。卡羅斯構想出計畫：我們應該要破壞赤道一，癱瘓坩堝。我還記得會議上大家的表情，震驚，詫異，恐懼。赫特說不可能辦得到；卡羅斯說，**我們會辦到的，你的工作就是告訴我們該怎麼做**。

我們靠六輛探測車執行任務，兩輛一組，分成三小隊。我們趁馬肯齊金屬預計執行他們與小米科技的合約時發動攻擊。卡羅斯跟第一小隊行動，我跟第二小隊。那次經驗真是太刺激了！兩輛探測車載滿結實又高大的保全，另一輛載破壞小組。行動內容真的滿簡單的。我們在東風暴洋攻擊坩堝。保全排成一個圓陣；破壞小組同時襲擊坩堝前方三公里與後方三公里處的鐵軌。我看著炸藥爆炸。鐵軌飛得好高，都像是要進入月球軌道了。我看著它們翻飛，反射陽光，那就是月球上最接近煙火的事物了。所有人都歡呼、叫好，但我沒辦法，因為我討厭看傑出、美好的工程結晶在閃光中灰飛煙滅。我搞不好參與過它的興建工程。我們蓋出值得驕傲的建設，沒多久就遭到破壞。

巧妙的地方在於：儘管馬肯齊金屬的探測車追著我們屁股跑，我們還是發動了第二波攻擊，挑前方二十公里和後方二十公里處的鐵軌下手。VTO的維修小隊得先搞定這兩處，然後才能重建較靠近坩堝的那段。就算VTO在這小時內就派出維修小隊，坩堝還是得在黑暗中待上一個星期。他們將錯過交貨期限。

東風暴洋戰役結束後，馬肯齊金屬把他們的攻擊火力轉移到克拉維斯法庭上。

我想我還寧願他們派刃衛、丟炸彈呢。

他們的戰術不一，但戰略明瞭又簡單：讓柯塔氦氣支付過多法律費用，失血而亡。他們告我們嚴重違約、侵犯著作權、個人傷害罪、造成企業損失、抄襲，並對我們發動攻擊那天待在坩堝上的每一個人都提出損害賠償告訴。一告再告。大多數告訴很快就被我們的法律人工智慧掃開了，但我們每打發掉一個，他們的人工智慧就再提十個。人工智慧為數眾多，使用費低廉，但並不是免費的。我們共同聘用的法官最後總算否決掉瑣碎的提告，要馬肯齊金屬搬出最可能有勝算的罪名來提告。

他們照辦了。他們控告亞德里安娜・瑪莉亞・多・瑟歐・茂・迪・費洛・艾利娜・迪・柯塔設計的精煉機有四十處侵犯馬肯齊金屬的專利權。

人工智慧、律師、法官開始打長期戰。

我並沒有抄襲。

我知道這件事可能會拖很久，而馬肯齊金屬將會訴請法庭禁止我們出口產品。我們擺平一次，他們就會再訴請一次。他們希望造成商品瑕疵，希望讓我的名字和名譽掃地，希望使我們地球上的客戶猜疑，猜到最後決定投資一點小錢給老字號的公司去精煉氦-3。這家公司站得住腳，有辦法妥善送貨：馬肯齊核融合。

我得又快又狠地擺平這件事。

我聲請決鬥審判，對象是羅伯特．馬肯齊本人。

我沒告訴律師，沒告訴海倫，也沒告訴赫特，不過他可能猜到了，因為我要他教我用刀。我沒告訴卡羅斯。

這世界上有怒意、忿恨，以及無以名狀的盛怒，蒼白、純粹、冰冷的怒意。在我想像中，那就是基督教上帝對原罪抱持的情感。當卡羅斯發現我打算怎麼做時，我在他眼中看到了盛怒。

這樣就可以了事，我說，**一勞永逸**。

妳要是受傷怎麼辦？卡羅斯說，**要是死了怎麼辦？**

柯塔氦氣要是死了，我也保不住性命，我說。**你以為他們會放過我們嗎？馬肯齊家總是三倍奉還。**

決鬥當天，月球上半數人口都聚集到法庭競技場來了，至少我看起來像是如此。我來到交戰樓層，舉目所及都是臉、臉、臉，環繞我四周，不斷向上延伸。臉牆圍繞下，我穿著一條慢跑褲和小可愛，手持保全那裡借來的刀。

我並不害怕，一點也不怕。

法官傳喚羅伯特．馬肯齊，稍後又傳喚了一次。他們把他的律師團叫過去商量。我站在法庭競技場中央，手拿另一位女性的刀子，仰望那些臉。我想問他們：**你們為什麼要來？你們是來見證什麼的？勝利，還是鮮血？**

「我要你出來，羅伯特．馬肯齊！」我大吼：「自己出來答辯！」

心跳一拍的短暫時間內，競技場陷入完全沉默。

我再度呼喚羅伯特．馬肯齊。

接著是第三次，「我要你出來，羅伯特．馬肯齊，為你自己而戰，為你的名譽和公司而戰！」

我呼喚他三次，最後還是一個人站在交戰樓層上。法庭爆出歡呼，法官也叫喊著，但在一片騷動中沒人聽得到他在說什麼。我被人群扛到肩膀的高度，運出克拉維斯法庭。我一路笑個不停，手還是緊握著刀。回到柯塔小隊設為總部的旅館後才鬆手。

卡羅斯不知道該笑還是發飆，他哭了。

妳早就知道會這樣了，他說。

打一開始就知道，我說，**羅伯特．馬肯齊絕不可能跟女人打**。

十天後，克拉維斯法庭建立了決鬥審判的代理鬥士制度。馬肯齊金屬試圖再度提告，但月球上不會有任何法官受理了。柯塔氦氣贏了，我贏了。我向羅伯特．馬肯齊提出持刀決鬥的要求，並且獲得勝利。

現在沒人記得那回事了，但我可是個傳奇人物啊。

死亡與性愛，不就是這麼一回事嗎？人會在葬禮後做愛，偶爾甚至在葬禮上做。那是生命發出的巨大呼喊。製造更多小孩，製造更多生命！生命是死亡的唯一解。

我在法庭競技場打敗了羅伯特．馬肯齊。沒出人命（那天還沒），但這件事確實磨利了我的意志，利得非同小可。柯塔氦氣站穩了腳步，現在該打造王朝了。我告訴你，世界上沒什麼比「手拿刀的同時被人抬出法庭競技場」還要催情的狀況。卡羅斯的手無時不刻黏在我身上，像是被附身了，變成一台重量級屌機。我知道，一個老女人這樣說話並不恰當，但他的確成了一頭種馬。招招致命，不停歇。那是我生命中最棒的一段時光，只有那段期間，我得以躺下來對自己說：妳很安全。所以我當然會提議：**我們來生小孩吧**。

我們立刻開始面試教母。

那時我四十歲了，喝了不少真空，吞了不少輻射，吸入的沙有一整片月海那麼多。天知道我的器官和生理機制還有沒有正常運作，能不能健康、正常地懷孕滿期也是未知數。不確定性太高了，我需要規畫妥善的解決之道。卡羅斯和我意見一致：宿母。支薪的代理孕母，但她的角色遠不僅是一個子宮出租者。我們要她們成為家族的一分子，接手種種育兒工作。那部分我們根本沒時間處理，老實說也不感興趣。嬰兒很乏味，小孩子從五歲起才開始演化成人。

我們不斷面試年輕、精瘦、健康、生殖力強的巴西女性，肯定有三十個人跑不掉，最後才找到伊維特。她就是我聯繫上姊妹會的關鍵。巴西人社群說，去找聖母奧敦拉談談，每一個移居月球的巴西男女的家族樹、族譜、醫療史都在她的掌握中，甚至也有不少阿根廷人、祕魯人、烏拉圭人、迦納人、象牙海岸人、奈及利亞人的資料，她可以幫妳擺平。而她確實辦到了，我給她相應的獎勵，後來……嗯，剩下的事妳都知道了。

我們立約，讓她的法律人工智慧過目，聖母奧敦拉也給了一些意見，然後我們達成協議。當時我們已經培養了一些胚胎，便從中挑選出一個，然後問伊維特想要怎麼進行。直接到醫學中心植入胚胎，還是她想和我，或卡羅斯，或我們兩個人做愛？好讓這件事帶點人味，產生熱情和情感連結。

我們在南后的旅館待了兩晚，然後就去動了植入手術。它立刻就著床了，聖母奧敦拉非常會挑教母。伊維特跟我們一起來到神之若望，我們給她自己的公寓和全程的醫療協助。九個月後，拉法出生了。八卦網站上塞滿照片和激動的發言──對了，照片的權利金也包含在伊維特的酬勞之一。不過那些喝采並不溫暖，我嗅得到其中的反感。代理孕母，出租的子宮。他們三個人在南后的旅館裡瘋狂做愛一個週末。妳也知道，就3P嘛。

拉法斷奶前，我就已經在為第二接班人盤算了。卡羅斯和我開始尋找新教母，我同時也對目前所在之處有了初步想法。神之若望不適合成家。那裡現在有小孩居住了，不過當時還是拓荒前線的城鎮。礦城，粗陋而未開發，染有鮮血。我想起亞琪離別時送給我的禮物，輕易就找出了那個竹製文件筒——她已經離開十年了。時間過得好快！瀑布，石雕臉孔，月球中心開鑿出的花園。我發包給月球學家，而他們找到了這裡，它晶洞般在石頭內潛伏數十億年。一座宮殿，一個小孩，另一個在梅利迪安醫療中心裡成形。我創立了企業，打響了名號，終於成為了鐵手。

後來卡羅斯就遇害了。

妳聽到我說什麼了嗎？卡羅斯不是意外身亡，是被殺死的。他的死亡背後有人為意圖，有目的和病態的意志。我這看法從來沒有證據支持，但我知道他是被殺死的。

抱歉，我太激動了。事情過去了好久——我人生中有一半的時間沒有他陪伴，但他的身影對我來說還是歷歷在目。他會來到我身邊，站得離我極近。近到我能看見他皮膚的質地，他膚質很差。我也聞得到他，他有非常獨特的氣味，甜得像是糖。甜如糖的男子。他的孩子們也遺傳了他，汗水帶有甜味。我也聽得到他的聲音，聽得到鼻子傳出的小小吹哨聲。他缺角的牙齒。我見到的一切充滿細節，但又不像是真實的。不真實度就跟里約一樣。我真的住過那裡嗎？我的腳趾頭曾在海水中搖擺嗎？我們在一起的時間好短。我活過三段人生：上月亮前，卡羅斯時期，卡羅斯離去後。三段人生差異極大，都不像我真正活過的時光。

我還是覺得這件事難以啟齒。我還沒釋懷，甚至不明白：為什麼我要扼殺自己真正的感受？為什麼我要寬恕不公義？為什麼我應該要捧著他曾受的所有痛苦說：**這些都不要緊了，卡羅斯。我已經釋懷了**。虛偽的鬼扯。寬恕是基督徒的觀念，而我不是基督徒。

那次他外出五天，在雨海上的新礦田視察。結果他的探測車在高加索山碰上失控減壓的狀況——妳知道那代表什麼嗎？爆炸。那是四十年前的事了，工程水準不如今日，但當時的探測車已經相當堅固，耐操，不會突然**失控減壓**。有人破壞了車子。只要丟個小裝置就行了，內部加壓會完成剩下的工作。我搭沃隆佐夫的救生太空船到現場，發現探測車的殘骸散布在方圓五公里內，甚至沒有足夠的碳量可回收。妳有沒有聽到我的嗓音？有沒有聽出我努力保持淡然、清晰，選字像選工具一樣力求精準和實用？唯有這樣，我才能談論卡羅斯。我在那裡留下了記號：雷射切割成的鈦金屬柱。永遠不會生鏽、褪色、老朽、變髒。它將永恆地矗立該處。很對，我心想，那樣就夠久了。

羅伯特．馬肯齊，你殺害了卡羅斯．馬休斯．迪．馬德拉斯．卡斯楚。我連名帶姓地托出來。你等待，花時間研擬傷害我最深的方法。你摧毀了我最珍愛的事物，你三倍奉還。

三個月後，盧卡斯出生了。我對他的愛始終沒有我對拉法的愛深，我就是沒辦法那樣愛他。上天帶走卡羅斯，還給我盧卡斯，這生意感覺划不來。這樣想不對，不公平，但公正的人心本來就很少。不過聽到我在床邊輕聲說出弒父仇人之名的，是拉法。他在陰影中成長，心中懷著恨。柯塔是「割」，我們的姓氏是我們的起點，也是終點。

拉法，盧卡斯，艾芮兒，卡林侯是小卡羅斯。華格納，我不能仁慈對待那孩子。我們腦中有些觀念，接著環顧四周，一生就過去了，觀念成了教條。還有艾芮兒……為什麼我不要……那樣沒意義。一日工程師，終生工程師。我花了一輩子的時間才明白，生命不是待解決的問題。我的孩子們是最令我驕傲的成就。錢——在這上頭要怎麼花錢？買速度更快的列印機？買更大的洞穴？建立帝國？外頭全是沙呀。成功？它的半衰期是任何已知物質當中最短暫的。不過我的孩子們……妳覺得我創立的王朝夠不夠強大，能撐一萬年嗎？

葉瑪亞女神在海上鋪出一條銀色小徑，而我走上前，最後來到了月球。奧里莎最令我欣賞的部分，是他們精妙的智慧：他們不會提供太多。不談論神聖、天國，只給你一個機會，就給一次。錯過它，機會就永遠不會再臨。接下機會，你就能一路走到星星之上。我喜歡這種感覺，而我媽了解我。

我的故事說完了，其他細節不過是史實。不過妳知道嗎？我不是普通人，不是外頭的尋常小妞。我是**非凡人物**。

修女，不好意思，葉瑪亞接到緊急電話了。

10

「我完全不懂你們下面的人在搞什麼。」

「下面的人」？憤怒如刀子般刺向瑪莉娜。這個高傲又有錢的賤胚律師是怎樣？

你通過了神之若望外圍二十公里處的第一道安檢線。你可能在搭火車、巴士或探測車，也可能在彈運太空艙內，落向豐饒海二十七號捕捉器，不過你的車輛、乘客清單、你本人都將受柯塔保全人工智慧盤查。第一道絆足線非常細，你根本不會知道自己跨過了它。除非它被你觸動。

第二道防線不是線，而是一整個平面，一個領域，涵蓋神之若望各大道、樓層、走道、電梯、輸送管、管線、通風管道。機器人伏行、攀爬、飛掠各處，從隧道鑽掘機、燒結機等龐然大物到昆蟲尺寸的偵查無人機都有。這些耳目以及機器人才具備的感官指向外界，戒備而忙碌。

第三道防線是保全人員，有男有女，穿著敏捷的保全服裝，配戴利刃，還有人配備長程武器，可在生化或機械刺客進逼到致命距離前搶先擊倒他們。毒藥，空中無人機，泰瑟槍，標靶昆蟲。赫特揮霍經費，部署範圍廣大。他有月球上最棒的軍械庫。

層層保全機制的中央是艾芮兒．柯塔，她人在阿帕西達聖母醫療中心的加護病房，處於醫療程序引發的昏迷狀態中。

柯塔家成員從月球四面八方趕來，醫生堅決不讓家人進加護病房。沒什麼好看的，不過是俊俏女子躺在維生床上，連接各種管線、電線，機器人感應器和掃描機在她身體上方穿梭，像是印度舞的手印。碧賈浮飄浮在她頭上方。亞德里安娜將她的王宮遷到神之若望來了，柯塔氦氣在加護病房樓上徵用了幾個房間。原本的房客都獲得了一大筆賠償金，如果必要，柯塔氦氣還會幫他們訂下其他醫療中心的床位，並花錢運病人過去，提供最完善的照護，升級療程。博阿維斯塔的工作人員列印出家具、布料、找來外燴業者。媒體和八卦網站的記者守在醫療中心外，赫特·裴瑞拉已經逮到三十枚間諜無人機了。

副靈已經向大家報告攻擊事件的詳情以及造成的傷害，不過他們還是向彼此重述、追述、補充。唱咒似地談論這起刺殺行動。

「骨刀。」亞德里安娜·柯塔說。

「凶手帶著它直接通過派對的掃描器。」拉法說。他直接從忒過來，彈運三次，還非常鎮定。儘管經過彈運的洗禮，他的打扮、衣著、鞋子、髮型還是完美無瑕。「他們從頭到尾都沒發現武器。」

「武器樣式在網路上廣為流傳。」卡林侯說，他在危海打了一場小戰役後搭十二小時的探測車過來，不熟悉的襯衫和西裝令他發癢，他還試著弄鬆領口。「我有半數手下會攜帶那種刀，幾年前很流行。把自己的DNA當作模板。」

「心懷怨懟的訴訟當事人。」亞德里安娜說。

「這期貨交易不算短期呢。」盧卡斯說。

「荒唐。」亞德里安娜用氣音說：「如果你談離婚談出爛結果，不該找律師出氣，應該找你的前任歐科才對。」

「這解釋有可信度。」盧卡斯說：「巴羅索對羅哈尼，克拉維斯法庭有判決記錄。他退出協商，告上法庭，結果被艾芮兒慘電。」

「而他竟還是派對的賓客。」亞德里安娜說：「荒唐，荒唐！」目前沒人點出顯見的凶手人選，在艾芮兒脫離險境前也不會有人開口。月球上的其他人可能會編出傳言、陷入狂熱、在網路上義憤填膺。這將使柯塔家成為矚目焦點，但他們的面子也岌岌可危。

「華格納呢？」亞德里安娜問。

「南后，」卡林侯說：「他有發現。」

「如果他想成為我們的一分子，他就該待在這。」

「我會試著再聯絡他一次，媽。」

不過盧卡斯抬起眉毛，向哥哥使了個眼色：**我們待會再談這個**。

馬卡拉格醫生到了，所有人的副靈都宣告。

艾芮兒的醫生在敞開的門前猶豫了一下，因為柯塔大軍一起望向她，使她卻步。她坐到會議桌另一頭，柯塔家族一大票人則繞著這一頭就座。

「情況不妙，」馬卡拉格醫生說：「我們已經讓傷勢穩定下來了，但她嚴重失血，非常非常嚴重，還有神經損傷。刀子切斷了部分脊髓，已造成失能。」

「失能？」拉法咆哮：「妳在談論的不是機器人，我媽要知道艾芮兒發生了什麼事。」

馬卡拉格醫生揉揉眼睛。她累壞了，此刻最於事無補的就是拉法．柯塔的爛脾氣。

「刀子在L5區脊髓造成B類損傷，運動功能消失，感覺功能正常。L5區與腳、腿、骨盆的運動功能相關，這部分發生了失能，也導致患者無法控制腸子與膀胱。」

「無法控制腸子與膀胱是什麼意思？」拉法說。

「大小便失禁。我們已做了結腸造口術。」

「她無法走路。」卡林侯說。

「半身不遂，你姊姊臀部以下癱瘓了。我們也擔心大量失血造成腦部損傷。」

卡林侯低聲念出烏班達祈禱語。

「謝謝妳，醫生。」亞德里安娜．柯塔說。

「你們能做什麼補救？」拉法問。

「艾芮兒的病況穩定下來後，我們會立刻開始幹細胞療程。成功率很高。」

「我不懂，好的成功率？卡喬．阿沙默兩個月就長出了新腳趾。」盧卡斯說。

「培養出新腳趾和修復脊髓神經是天差地別，後者工程非常棘手。」

「要多久？」亞德里安娜問。

「可能會花個一年。」

「一年！」拉法說。

「也許可以壓到八個月吧，如果移植手術一次就成功。接下來是復健，從頭開始學習運動系統的運用，銘印神經通路。我們不能趕，要力求精準。一旦出了任何差錯都是無法改正的。」

「一年，總共就一年。」盧卡斯說。

「你們需要什麼，我們都會弄來。」亞德里安娜說：「器材，或來自地球的新科技，儘管開口。我都會讓艾芮兒使用。」

「感謝，不過我們的醫療科技比地球的任何地方都進步得多。我們會盡自己所能，柯塔女士，一切所能。」

「當然了，謝謝妳，醫生。」第二句**謝謝**是為了打發醫生。她轉身對兒子們說：「拉法，卡林侯，可以請你們暫時離開嗎？我得跟盧卡斯談談。」

「如果我說這情況對我沒好處，那我就是笨蛋兼騙子。」盧卡斯等到套房淨空才開口。

「你以為我會欣賞你這心境？」

「我不覺得會。我的想法應受指責，但能帶來利潤。不過這不是我最操心的事。婚禮，媽。沒有艾芮兒來做尼卡赫婚約的協商，馬肯齊家會生吞活剝路卡辛侯的。」

在盧卡斯看來，他母親正試圖接受這全新的前景，就像一台精煉機需要一大片土地才能轉彎，火車必須在跨過地平線前煞車。如果在過去，她的動作會像舞者般輕盈，一次到位。迅速擠出機智，理解全局。長久困住他和亞曼達．陽的婚姻將不再占據王朝聯姻的位置，接下來的生意要由艾芮兒來談。她執業生涯中最了不起的婚約。盧卡斯還沒告訴路卡辛侯。合約準備好前，他不打算讓兒子知情。兒子正從梅利迪安過來，盧卡斯想到接下來兩人得談一談就憂心。

「我們可以怎麼處理？」亞德里安娜問，盧卡斯聽出她嗓音中的疲憊與舉棋不定。

「拖延時間。」

「馬肯齊金屬絕對不會讓我們拖的。」

「我會研究一下人選。艾芮兒的合約由碧賈浮管理。」

「對。」亞德里安娜說，不過盧卡斯看得出來，她的心思已飄到樓下去了。「我們會盡全力保障路卡辛侯的權益。」

「媽，我很同情艾芮兒，真的，但公司……」

「你照料公司，盧卡斯。我來照顧艾芮兒。」

「嘿。」

「嘿。」

他在走廊上晃來晃去，試圖尋找食物、茶，可以打發等待時間的事物。醫療中心出手可闊綽了，每次都撥一大段等待時間給你。她踉蹌地從某房間中走出，剛剛才聽完赫特．裴瑞拉的報告。問題，問題，問題，連續數小時的問題轟炸。細節，回憶。再告訴我一次，再一次，再一次。任何偶爾瞥見的畫面或細枝末節都可能讓我們更深刻地掌握那起攻擊行動。她又累又覺得噁心。

其他保鑣抵達現場時，襲擊者早已徹底、徹底、徹底死透了。有人撬開她的拳頭，取走電子菸。有人將她拉離血泊。機器人最早抵達，它們靠風扇離地飄浮，四處奔走。它們檢驗失血到臉色發青的艾芮兒．柯塔，將各種管線插入她手臂，壓緊洞開的肉，打上固定針，列印出人工血液，幫她調整成復甦姿勢，並呼叫人類醫生。碧賈浮緊急雇用的維安人員將派對清場，柯塔氦氣開始運用他們的資源扭轉局勢。一輛沃隆佐夫家的月球飛船抵達水瓶座方樓的地表氣閥，載送艾芮兒前往神之若望。沒人問任何問題。保全傭兵將輪床和醫療小隊送進月球飛船內。瑪莉娜繞著他們打轉，像一顆染血的衛星。她從來沒搭過月球飛船，裡頭好吵，所有東西都在震動，感覺比搭卡林侯的沙地摩托還要不安全。飛行時間是二十分鐘，她從頭暈到尾。搭下行電梯前往阿帕西達聖母醫療中心時，她移動到角落安靜地嘔吐，並恍然大悟：是衣服上的血液惡臭令自己暈眩的。

赫特．裴瑞拉在門口逮住她，匆忙移動到遠離急救小隊的角落。她回頭瞥了一眼，艾芮兒的母親和兄弟們在人群中。

告訴我們所有詳情。

攝影機一擁而上。

我們需要知道，所有細節。

我他媽救了她一命。

「妳的，呃，衣服。」

瑪莉娜仍穿著賈桂斯．費絲洋裝，乾掉的血液使布料變得僵硬，散發出鐵與死亡的氣味。

「他們不讓我……」此刻她停止移動，各種動靜的衝力、人聲、面孔彷彿就要傾倒在她身上了。疲憊、震驚、眼花撩亂令瑪莉娜暈眩。

「來吧，我們給妳點東西。」

大列印機都在列印醫療器具或柯塔氦氣的家具，不過醫療中心茶館後方有一台小小的公共列印機。

「別再瞪著我看了！」瑪莉娜大吼：「他媽的別再瞪著我看了！」

反列印機拒絕接收瑪莉娜的洋裝。**受汙染材料**，海蒂告知，**請與查巴林簽約回收**。

「喏。」卡林侯端了一杯茶給等待列印機的瑪莉娜。休閒經典款：連帽衣，內搭褲。平底鞋。

「你會介意嗎？」瑪莉娜拉下肩帶。

「我看過了。」卡林侯開玩笑。

「可以讓我喘口氣嗎？」此時沒有說笑、要輕浮的餘地。

洋裝黏在她皮膚上了。她以冷茶沾溼布料，弄鬆血塊。她的內衣泡滿了血。她整件剝下，就在茶館後方的小亭子。全部剝掉，弄下來。她聞到自己身上的氣味，一陣反胃。現在要是吐，一定就停不下來了。剛列印好的內搭褲、連帽衣貼上她的肌膚，清潔感幾乎帶有宗教性。

「來吧。」

卡林侯拉她的手，而她跟著他進入九樓的安靜房間。沙發，人工毛皮罩，可以歇息、窩下來的空間。

「飲料？」

卡林侯兩手都端著一杯藍月。

「你怎麼可以……」瑪莉娜哭了。「抱歉，抱歉。」

卡林侯坐到她身旁，腳大開。瑪莉娜瑟縮成一團，雙手抱膝。

「妳做得很好。」

「我只知道要採取行動，就這樣。沒多想什麼，沒什麼能思考的，做就對了。」

「在那種時刻，會有東西接掌我們。不是身體，不是靈魂，是別的。也許是直覺吧，但那不是與生俱來的本能。我不覺得我們有字句可以描述那東西，即時而純粹的東西。純粹的行動。」

「那並不純粹。」瑪莉娜說：「別用純粹形容它。我現在還看得見那個人，卡林侯。他當時非常意外，彷彿碰上了自己最設想不到的狀況。接著他憤怒了，而且很沮喪，因為他即將死亡，無從得知自己計畫的成敗。他現在還在我眼前。」

「妳做了該做的事。」

「卡林侯，閉嘴。」

「妳只是做了該做的事，所以我才說純粹。這是必要性問題。」

「卡林侯，我不想談這個。」

「妳做得很好。」

「我殺了一個人。」

「妳救了艾芮兒，她原本會死在他手上。」

「卡林侯，現在別談這個！」

「瑪莉娜，我明白妳的感受。」

「你什麼都不懂。」瑪莉娜說，接著開始上氣不接下氣，因為真相就寫在他眼中、肌肉上，甚至蘊含在汗味之內。那是無意識透露的實話，可供深讀。「你明白。喔，天啊，你懂我的感覺。退後一點，退後，我聞到你身上的血味了。」

瑪莉娜推開卡林侯。月光菜鳥的肌肉力道使他重重撞上牆，即使瘀血也不奇怪。

「瑪莉娜……」

「我跟你不一樣！」瑪莉娜尖叫：「我跟你不一樣！」接著她轉身就跑。

狼不是隻身行動的獵人，但華格納．柯塔是。他發現自己的雙人格性已產生了變化，但其他夥伴沒注意到，因為他們忙著談論身分認同，爭論代名詞和去勢代名詞的使用。事實是：他並不會從普通狀態切換成狼，再切換回來。兩個華格納．柯塔同時存在，有如光明與黑暗，兩個自我完全獨立，各有獨特性，人格、特質、技藝、才能皆不同。普通狀態的華格納．柯塔十二年前就死在博阿維斯塔的日光觀景罩內了。存活下來的是狼與黑暗人格。

他鑽入比賽散場人潮中，以肩膀頂出一條路，沿著福爾康西七十三樓前進。他的副靈也遁入南后安全網深處。他花了好幾個小時寫入侵程式，讓自己得以順利跟蹤傑克．陽。他已花了好幾天的時間觀察這男人，了解他的習慣、儀式、行為模式、可預測性。拉法不斷打電話給他，打了一通又一通：艾芮兒，艾芮兒遇刺，受了重傷，快來神之若望，現在就動身。他得忽略兄長的呼喚，集中精神。全神貫注地追躡他的獵物。

傑克．陽在一個街區外，位置也低他一層，看完比賽正準備從太陽體育場離開。老虎隊擊敗青年隊，三十四比十七，又一次大勝。拉法的球員表現很糟，他有得煩惱了。老虎迷的心情棒透了。傑克．陽正和朋友有說有笑，開心、放鬆、無防備。華格納三兩下就能收拾他。朋友提議一起喝一杯，吃晚餐。傑克將會拒絕，因為他跟柔依．馬丁尼茲有約——他在南后的情人。而他將在這裡搭電梯到三十三樓去。華格納也搭其他電梯前往對方目的樓層的下一樓。柔伊．馬丁尼茲的公寓在三十三樓的邊街，陰暗而隱祕。華格納加快腳步，逼近獵物。獵物轉進較安靜的區域了。

「傑克．天龍．陽。」

傑克轉身，發現華格納．柯塔手中有刀。電光一閃，華格納嘗到前所未有的痛楚，接著倒地，全身僵硬。彷彿有手伸進他體內撕碎他每一條肌肉。他躺平，發現有好幾把刀指著他，是陽家的保全。

「小狼，你的行動實在比我想的還要容易預測啊。」泰瑟槍在傑克．陽手中發光。「三皇一個星期前就預測你會出手襲擊了，而你實在湊得太近了，抱歉啊。」

狹窄的街道內爆出狼嚎，陽家的殺手們分心了一瞬間。一瞬間就夠了。人影躍下陽台，竄出門扉，從下方樓層翻過欄杆。保全一個個倒下，有隻腳踢向某人的頭側邊。有刀刺向華格納眼睛，他翻身閃避。刀尖插入柔軟的路面。保全花了短短一瞬間拔刀，就被穿運動服的女人刎頸了。有人抓住華格納手腕，將他拖到安全的地方，扶他起身。陽家有兩個刺客倒地，其餘寡不敵眾，已護送傑克．陽撤退。

「還好嗎？」

針刺般的劇痛攫住了華格納，不過他的眼睛還能對焦，也還能說話。是伊莉娜，愛咬人的姑娘。

沙夏・埃爾明。馬格達萊納幫。

「來吧，走，走。」沙夏・埃爾明說，一群手下催促華格納前進。他身體麻木、發癢，而且失禁了。

「你們這小鬼還得做很多功課才能當幫的一員。」伊莉娜說：「你太習慣一天到晚在頭上頂著地球了，地球暗去後還是繼續當狼。」她看起來不一樣了，味道也變了，髮型不同，穿著標準的運動裝。上千種差異指出：她現在不是狼。

「我們聽說有打手要出來收拾你。」高大、肌肉發達、穿運動緊身褲和慢跑鞋的男人說。華格納剛剛看到他單手翻過欄杆，腳踹女打手的腎臟，直接將對方撂倒。

「謝啦。」華格納說。蠢話一句，但也沒有更真誠的謝詞了。

「一定有比『人人天天自掃門前雪』更好的做事方式。」沙夏說：「我們帶你去幫屋『維修』一下。」

「我得去神之若望，」華格納反對：「我得去見家人。」

「我們現在是你的家人了。」伊莉娜將他遺落的刀還給他。

瑪莉娜從客廳端茶來，坐下，邊喝邊看男人的睡臉。性愛每次都會賞她失眠。男人打呼、嘟囔、口齒不清地遁入夜的深處，而她會抽離男人肚子壓住的手，或調整他們腳的位置，或從男人肩膀下方溜走，然後失眠到天亮。

瑪莉娜喝著茶。房間轉暗，唯一的光是偶爾從廁所、街道溜進來的，卡林侯的肌膚在這空間內化為天鵝絨。他擁有全世界最美的肌膚。所有塵工都會將體毛剃個精光，他也不例外。脫地表活動衣時扯下背毛的疼痛難以言喻。她輕巧地觸碰他的肌膚，擔心會吵醒他。感受到的活生生的情愫，足以讓她小憩片刻。光在他的背部地景投下細微的影子，有如低角度的太陽揭露古老隕石坑與紋溝的記憶。她的側身，髖部，雕像般的臀部弧度都掩在細線織成的網絡中。是疤痕。

魅力，算計，口才，鬥士。

他呼吸得像個小嬰孩。

有個肌肉男當對象多麼棒啊。高大，結實精壯。而且是月球人等級的高壯，有辦法一把將她撈起，籠罩她，壓制她。她喜歡這樣。讓那大男人躺平，騎上去。她碰過的其他男人都有很濃的書卷味，宅男和工程師，賭徒和業餘跑者。雪板和滑板的愛好者，板男孩。她碰過一個運動狂，游泳的，身材很棒，地球男子。而她眼前的是月球男子。瑪莉娜曾看過卡林侯裸體，一次是長跑結束後梳洗，另一次是在北口那珍貴的池子旁穿穿脫脫，就在奧旬的眼睛與爪子之下。不過在這之前，她從來不曾把他當成一個月球男子。此刻他在她的床上俯睡，頭轉向一旁。他好不一樣，是月球人。身高比她高一個頭又多一些，但在月球第二代中不算高，平均而言，細瘦如樹的月球第三代也都比他高。他的皮膚就近在她眼前，下方肌肉組織跟地球人完全不同。就跟所有地景一樣，由重力造就而成。他的腳趾長而有彈性，可抓握。他的小腿圓而緊實——瑪莉娜學習月球人走路期間，小腿痛了一整個月。跑步的習慣使卡林侯的大腿肌肉變得輪廓分明而細長，不過以地球標準來看有點發育不良。強健大腿肌肉提供的動能對月球人來說太強了，會害你撞牆、撞入人群，或高高彈起撞上屋頂，頭破血流。他的屁股棒呆了，瑪莉娜好想咬一口。屁股和小腿能讓你吃得很開，讓你大搖大擺地走在加格林大道上。這就是一九五〇年代復古風在本季如此受歡迎的原因。那些裙子、襯裙、箱型外套在街上晃呀晃，像是公然的色誘。

他的腹部朝向另一方，但她知道它緊實、有塊狀肌。他的脊椎埋在肌肉的深谷。上半身和下半身相比，有點壯得不成比例。壯碩的肩膀，巨大的胸大肌，二頭肌、三頭肌激凸。他頭重腳輕。在月球上生活，你會仰賴上半身力量多過下半身。他在床上躺成大字形，像個落敗的卡通英雄。張嘴氣喘吁吁。

怪男人，美男子。你適合這個世界，而適合就是美。不過我跟你一樣壯，我在醫院受你驚嚇時，將你摔向牆壁。我捉住壓向我的你，將你翻身。你笑了，因為從來沒有愛侶對你這樣做，接著我壓向你。

瑪莉娜的茶變溫了。

那時她奔跑，穿過一條又一條走廊，無法逃離醫院，逃離這座城市，逃離月球。後來她找到了一個小角落窩著，手環抱膝蓋，感覺石頭天空壓在自己身上，數十億噸的重量。後來他找到了她。他坐到她對面，不說話，沒碰她，除了待在那裡之外什麼也不做。在上城區，絕望的天空下，有個持刀男子曾當著她的面取走捕霧器，喝掉上頭的水。刀羞辱著她，但後來恐懼、盛怒、腎上腺素令她面對那把刀。她拿一塊鈦金屬尖刺插穿他的頭骨，埋入腦中。

「卡林侯，」她說：「我好怕。」

怕？

「我跟你是同一類人。」

在她房間內，同一片石頭天空下，她的臉頰抵上卡林侯的中空脊椎，感覺他的呼吸起伏，心臟與血流的節奏，妙不可言的皮膚觸感。她感覺不到那些疤。

「喔，天啊，我們接下來該怎麼辦？」

「他多大?」路卡辛侯問。

「二十八。」盧卡斯說。

「二十八!」

對路卡辛侯這年紀的人來說，對方等於是死人。盧卡斯想起自己十七歲那段時光，恨得牙癢癢的。拉法的影子籠罩著他。少數幾個朋友都搬走了，他和他們解除合約的同時，覺得自己太笨拙、忸怩了，無法交新朋友。四周的一切都不對勁：朋友，愛人，衣服，笑聲，以及十七歲少年所理解的愛情。拉法卻向淋雨般，全身浸泡在魅力當中，受到滌淨。他當時落單，現在也落單。

他嫉妒自己的兒子，輕易就能找到性愛對象，魅力四射，對自己的身體感到自在。月球夫人別針就別在他的翻領上。

盧卡斯在車站與兒子會合。他穿上所有穿環(因為要參加正式場合)，手抓著一個蛋糕紙盒。盧卡斯看到那盒子差點就要露出微笑了，這孩子的體貼是從哪裡學來的?保全在緊追名流的狗仔隊之間開出一條路。在月球上，刺殺行動是八卦價值最高的新聞。路卡辛侯捧孩子似地拿著蛋糕盒，無人機在他頭上盤旋。

他們一起在加護病房窗邊站了十分鐘。副靈可以向他們顯現艾芮兒的清晰身影，並疊上圖表與病歷，但那些不過是虛像。玻璃才能展現實體：艾芮兒躺在病床上，昏迷不醒。碧賈浮緩慢地劃出拓樸學迴旋。接著盧卡斯把路卡辛侯帶到他房間去。金吉已將圖表傳送給醫院列印機，而博阿維斯塔的工作人員幫路卡辛侯打造了一個舒適的房間，完全是他梅利迪安研討班教室的複製版。盧卡選擇在那裡告知婚禮的事，這是謹慎思考的結果：在盧卡斯的房間太不體面，在他辦公室又太正式、太專橫了。

「我娶你媽時，她二十九歲，我二十。」

「你看結果如何。」

「結果有了你。」

「別逼我。」

「在這些方面，我們沒有自由可言，路卡。」表現親密度，用綽號衍生的綽號稱呼他——盧卡斯在前往車站的路上都預演過了，他試著去適應字句卡在喉嚨中的不快。他原本擔心自己會結結巴巴，但時候一到，字句就會順暢地滑了出來：「這是月之鷹下的命令。」

「月之鷹是月之鼠——你自己說的。」

「他在我們上位，路卡。他可以搞垮我們公司。」

「公司。」

「我們家族。我原本也不想娶亞曼達．陽，我從來沒愛過她。合約裡沒有半個愛字。」

「但你花錢脫身了，那就花錢讓我脫身。」

「我沒辦法，我也很希望我有辦法，路卡。如果可以花錢讓你脫身，我願意付出任何代價。這是政治問題。」

紙盒內裝的是馬卡龍，光滑，完美，色彩排列成光譜。這讓盧卡斯覺得自己成了大叛徒。它們天真，善良，溫和，而且遭到了背叛。

「我現在有尼卡赫婚約的初稿。」盧卡斯說。

「艾芮兒還在仰賴維生裝置。」

「這不是艾芮兒擬的。」盧卡斯說。路卡辛侯的臉頰抽動了一下。

「什麼？」

「這是初稿，路卡。我大可命令你，為了家族付出之類的。但我現在要用問的：你願意和丹尼・馬肯齊結為連理嗎？」

「老爸……」

現在換盧卡斯動搖了，小地震襲向他的世界：他想不起路卡辛侯上一次用「老爸」這種親暱的稱呼是什麼時候。

「為了家族？」

「還能為了什麼？」

「妳在這裡待多久了？」

那聲音將瑪莉娜從溫暖、無菌的瞌睡中喚醒。加護病房是催眠效果強大的場所，溫暖、嗡鳴、機器跳出的魅惑之舞，淡淡的藥草味令她回想起森林、山地、老家。

「妳醒多久了？」

「太久了。」艾芮兒・柯塔說。碧賈浮升起病床的上半部。她的頭髮蓬亂、不淨、垂掛在臉四周，皮膚無光澤、蠟黃帶灰，眼睛深陷眼窩之中。線路和插管從她的手腕連向醫療器械的光滑白臂。

「我認為妳不應該——」

「去他的**應該**。」艾芮兒說，並調整床鋪，面對瑪莉娜。「妳在這幹啥？」

「我負責盯著妳，記得嗎？」艾芮兒脫離人為誘發的昏迷狀態後，家人就繞著她狂打轉。完全沒人在病榻旁的時間永遠不會超過一小時，總是會有一個或以上的親戚在場，握她的手，對她微笑，甚至她根據醫療團隊規畫進行治療睡眠時，也有人在陪她。時間一小時、一小時流逝，一天、一天過去，公司職責將這些家人拉走。守夜變成了採訪，門邊蜂擁的媒體記者散去了，人群消失。最後，剩瑪莉娜在加護病房內連坐好幾個小時。她怕獨處，獨處就無法逃避那張被尖刺穿過的男性臉孔。不過她發現守在這裡時內心很平靜，能獲得療癒。遠離人群與他人需索的時光。她可以接受自己對刺客做出的行為了，也許最後還會認可它的正當性。

「嗯，妳看起醜爆了。」艾芮兒說：「妳穿這是什麼？」

「這是乾淨的衣服。我喜歡它，它很舒服。妳大可批評無妨。」

艾芮兒的笑聲又乾又酸，吠叫似的。

「噢，對了，行行好幫我化點妝好嗎？我不能這樣面對全月球。」

「我已經想到了。」瑪莉娜勾出椅子下方的化妝包，放到床上。這不過是月球芮魅推出的旅行包，只比低價版高一級，不過艾芮兒不耐、激動地打開它，彷彿在拆新年禮物。

「妳真是個寶。」艾芮兒的眼神變柔和了，她透過碧賈浮凝視自己的臉，審查重建工程。為了化妝品拚命道謝，救妳一命的事卻隻字未提，瑪莉娜心想。「我最心愛的家人呢？」

「準備婚禮。」瑪莉娜說。艾芮兒的上半身從床上彈起來，又痛得倒回去。「妳還好嗎？」口紅從艾芮兒手上滑落。

「不，我他媽一點也不好。我猜我撕裂了某個地方。醫生呢？我要人類來幫我看病。幫我弄些止痛藥。」

「簡單。」

一位護士迅速抵達，將瑪莉娜趕離床邊。床鋪重新調整位置時，瑪莉娜瞄到艾芮兒疼痛不堪的表情。護士確認顯示器上的資訊，投下藥劑。化妝品又被裝起來，放到她搆不到的桌上了。

「給我那個。」護士離開後，艾芮兒下令。她搽粉底，畫眼影和眼線，塗睫毛膏的手法慎重又精準。艾芮兒儀式性的變臉讓她取回身體，以及身在環境中的些許掌控權。環境是她掌控外的另一個身體。最後，是嘴唇。艾芮兒不斷轉頭，從各個角度觀察她修補後的臉。

「好，有關我姪子的事。尼卡赫婚約是誰弄的？」

「盧卡斯。」

「盧卡斯！那小鬼完蛋了。叫他過來，立刻辦。他簽訂任何合約了嗎？拜託上天別讓業餘媒人得逞。」

「醫生說妳還很虛弱。」

「我會炒掉那些醫生，雇用一個比較懂尊重之道的。不然他們要我怎樣？躺在這裡瞪著天花板看，讓碧賈浮播子宮音樂給我聽？是我的腳不能動，不是腦。這是療程的一環。碧賈浮，叫盧卡斯過來。」

醫療設施禁止外部通訊，碧賈浮用一般頻道說。艾芮兒發出惱怒的尖叫，護士又回來了，結果被艾芮兒的成串吼叫趕出門外。瑪莉娜轉過身去，掩飾自己的竊喜。

「瑪莉娜，親愛的，妳能去幫我叫盧卡斯嗎？」

「已經辦妥了，柯塔小姐。」

「我不是一直說了嗎？叫我艾芮兒。」

叫聲驚醒了瑪莉娜。她在走廊上，海蒂送出的警報還沒止息，她就跑向艾芮兒．柯塔的房間了。艾芮兒已從加護病房轉到單人房，房間位於柯塔家原本進駐的那層樓。通風良好，安靜，安全。機器行走或飄過來，嗅聞到艾芮兒的生命跡象後就飄走了。瑪莉娜製造出的衝力將她甩進房間，重重撞上病床旁的牆面。醫療機器人從牆壁內探出來檢查她。皮膚表面瘀青，沒留下持續性傷害。

「妳還好嗎？」

「沒事。」

「我聽到了，海蒂也送出警告。」

「沒事！」

床鋪再度讓艾芮兒．柯塔呈現坐姿。海蒂顯示症狀，不過瑪莉娜自己看得到艾芮兒瞪大雙眼中的恐懼，呼吸急促，咬緊的牙關表現出她的忿恨——別人不該發現她這模樣的，太不得體了。

「我不會走。」

「沒事，沒什麼。我看到他了。」

「巴羅索……」瑪莉娜開口，艾芮兒舉起一隻手。

「別說了。」她發出盛怒的嘆息，拳頭緊握。「我隨時都會看到他的身影。只要有東西移動……機器人、走廊上的人、妳，我就會看作是他。」

「妳需要時間。妳有心理創傷，嚴重的創傷，需要療癒記憶……」

「別跟我說什麼心理治療、療癒之類的屁話。」

瑪莉娜把她想說的話吞回去。她在充滿正能量語彙的環境中長大，耳邊都是平衡、結盟、重生等概念。晶體變幻，查克拉發光。傷害折損你，創痛打擊你，冒犯重挫你。她發現自己從未檢驗這理念背後的原則和信念。它們全是類比。但痊癒，真正意義的痊癒，也許只屬於肉體，不屬於情緒。情緒也許適用的是另一種過程——但說這話的前提是：受傷的部分真的是「情緒」；**傷**在這裡也不是另一種類比，借代範圍根本沒超出「情感體驗」之外，不需其他名字或詞彙去形容。又或許，情緒根本不會歷經什麼變化過程，只有時間不斷流逝，記憶衰敗。

「抱歉。」

「自我成長狗屎。」艾芮兒咆哮：「我需要什麼？我需要能夠走路，我需要能夠自行撒尿或撇條，免於感覺到我的屁股旁有一包溫暖的玩意兒。我需要下床。我需要一杯該死的馬丁尼。」

妳很氣，瑪莉娜想開口這麼說。不行。「我弟弟史凱勒待過軍隊。」

「真的？」艾芮兒以手肘撐起身體，床鋪隨她的動作位移。人的故事，某人做的某事——會引起她的興趣。

「他當時駐紮在薩赫爾。那陣子只要一有任何緊急狀況，政府就會動用軍隊。例如數起反抗運動同時爆發，或難民湧入，或饑荒，或乾旱。」

「我完全不懂你們下面的人在搞什麼。」

「下面的人」？憤怒如刀子般刺向瑪莉娜。這個高傲又有錢的賤胚律師是怎樣？月球上的有錢賤律師。她中刀，動彈不得了。讓情緒離開吧，冷靜，痊癒。

「他是去做資訊支援的，要處理任何危機都需要資訊支援。不過那些畫面還是會縈繞他眼前。『小孩，小孩是最可怕的。』他只說這麼多。他不肯談，體驗者從來都不會談這些。他後來被診斷出創傷後症候群。不，他說，我不是受苦的那一方。別把我當成受害者，不然其他人只會看到這個標籤，它會變成我的全部。」

「我不是受害者。」艾芮兒說：「不過我不要再看到他了。」

「我也是。」瑪莉娜說。

「不和其他人做是什麼意思？」

兩點了，瑪莉娜和艾芮兒再度於醫療中心的房間內失眠。她們聊人、聊政治，談法律、野心，細數各自的故事和個人史，然後話題轉到性愛。

「其他人對我來說沒有性吸引力。」艾芮兒說。她躺在拱起的床上抽電子菸。馬卡拉格醫生已經放棄了，不再勸戒或警告她。親愛的，妳的氧氣是誰付錢的？電子菸是新買的，比瑪莉娜拿來捅巴羅索那根更新、更長、更致命，它飄移的尖端令瑪莉娜陷入迷茫。「我根本懶得跟他們做。一下子渴愛，一下子尋求別人注意，一下子又要想那個根本不想妳的人。還得做性愛協商，進入或離開一段性關係。省省吧。跟隨時在身邊、了解妳需求、愛妳比任何人都還深的對象做，是一個好太多的選項。我說的對象就是『自己』。」

「這想法……呃，哇。」瑪莉娜說。她剛抵達月球，菜得像剛列印出來的月光菜鳥時曾探索月球的性愛多樣性，不過這生態系（根本是個性愛雨林）當中有一些她從來無法想像的隱祕角落。

「妳的想法好地球。」艾芮兒說，並輕揮手中的電子菸。「跟其他人做愛永遠都是一種妥協。永遠都是亂撞、亂塞，試著把東西拼好，然後還有誰先到、誰喜歡什麼的問題。妳不喜歡他喜歡的，他不喜歡妳喜歡的。永遠會有某部分想法受到抑制：妳愛或想嘗試的祕密行為，做了就能解放一切、叫到發狂，但妳不能說出口，因為妳擔心對方會看著妳說：**妳想要那樣**？那眼神不是在看愛人，而是在看一頭怪物。沒有什麼地方比人的頭殼內骯髒。當妳自慰、愛自己、輕彈豆子、釣珍珠、玩女子手球、自摳時，沒有其他事情好顧慮的，完全不需有所保留。沒人會評判妳，拿妳跟人比較，沒有誰明明腦中住著其他人卻不告訴妳。『我性愛』是唯一誠實的性愛模式。」

「『我性愛』？」瑪莉娜說。

色。」

「自我性愛聽起來太骯髒了，自動性愛是機器人在一起，任何含有『情色』的詞彙在定義上就不

「但妳怎麼——」

「做？親愛的，什麼都做。」

「妳不讓我進去的房間，公寓裡那間……」

「就是我上自己的地方。器材在裡頭，樂子也是。」

「主管和員工聊這個恰當嗎？」

「妳不是一直提醒我嗎？我不是妳上司。」

「老天保佑喔。」瑪莉娜說。老奶奶用語，不過她想得到的詞彙中，也只有這個最能表達她的驚奇了。她彷彿在那狹小、單調的公寓中打開了上鎖的門，發現裡頭有一個無盡寬闊的仙境，草地、彩虹、抹了油的肌膚、柔軟的肉、高潮唱詩。

「妳在想誰？」艾芮兒問。

「我沒——」

艾芮兒打斷她：「有，妳有。一旦讓別人知道我是無性戀，別人立刻就會開始拿『自慰時最強的快感』和『目前對象提供的最大快感』相比較。每次都會。妳想到誰？」

因為天色黑暗，黎明將近，月球機械永不間斷的喀啦、嗡嗡聲在這房間內似乎特別巨大；因為她覺得全世界彷彿只有她和艾芮兒存在，她才有勇氣開口：「妳弟。」

喜悅的賊笑在艾芮兒臉上泛開。

「喔，妳這小妞還真有野心，看上我們家族的一員。這就是我欣賞妳的原因。卡林侯？當然是

卡林侯了，他帥呆了，真的很自立自強，話也不多。如果我是對上其他人感興趣的女孩，我會想上他。」艾芮兒的電子菸在湊向她唇邊的途中定住，雙眼大睜。她往前湊，抓住瑪莉娜的手。儀態透露出她的震驚。藥效尚未退去，她的皮膚還很燙、很乾。

「喔，我的甜心啊。」艾芮兒說：「你們做了對吧？可別說妳愛上他了。喔，妳這蠢女人。我媽沒告訴妳該怎麼看待我們家的人嗎？別靠近我們，別在乎我們。最重要的是，別愛我們。」

艾芮兒．柯塔耗盡全身力氣，痛苦地緊咬下唇，才將自己的身體甩到床邊。瑪莉娜看得很難受。

「我可以幫忙嗎？」

「不，妳他媽不可以。」艾芮兒說，並將自己推到床的最邊邊，腳垂下，然後拉上襯裙，並將連身洋裝的裙子拉到大腿四周。「腳來。」

房間角落的雙腳發出咻咻聲，動了起來。柯塔氦氣的機器人學家在一年內就完成了設計與製造——他們停擺所有計畫，聽令研擬出讓艾芮兒．柯塔行走的辦法。那雙腳大步邁進，來到床邊。它們的步伐自然、輕鬆、人味十足，彷彿是從人體內跨出的骨骼。瑪莉娜覺得非常、非常可怕。它們頂住艾芮兒下垂的大腿，陷阱般張開，扣住整條腿。「我現在需要妳的幫助了。」艾芮兒說。瑪莉娜環住艾芮兒的腰，一邊肩膀撐在她手下方，扶她起身，神經連結同時沿著她的脊椎往上竄，尋找外科醫生在她背後裝的凹槽。這女人輕得像沒有實體的想法，只有空氣和骨頭。不過瑪莉娜感覺得到那金屬線緊縛般的力道。蜘蛛在皮膚上、隆起的衣物纖維下疾走，將連結器送入凹槽內。艾芮兒不適地發出吁氣，兩滴血流了出來。

「我們來試試。」

瑪莉娜跨到一旁，艾芮兒踩上地面。機器腿彎折了，她看起來一度就要仆倒在地，不過後來陀螺儀與伺服電動機跟她的意志融合為一，使她站穩腳步。

「拉著衣服。」

艾芮兒上前一步，毫不猶豫也沒畏縮。她帶著艾芮兒繞房間。艾芮兒拉著她的裙襬，彷彿變成了侍臣。

「感覺像是變回七歲，而我穿著我媽的鞋。」艾芮兒說：「好啦，幫我打點一下，讓我能夠出去見人。」

瑪莉娜放下洋裝下襬，順好打褶和層次。義肢完全沒露出來。艾芮兒利用碧賈浮檢查自己。

「現在還可以混過去。」義肢的結合恢復了她對膀胱與腸子的些許控制力，不過寬鬆的衣服遮住了預防萬一的結腸造口裝置。「我不會一輩子都穿下襬及地的衣服。除非我引領了新風潮。請跟在我後面，我要進去了。」

艾芮兒輕快地穿過接待室門，第一個鼓掌的人是盧卡斯，不過瑪莉娜發現他臉上閃過一絲掃興。親吻，接著亞德里安娜擁抱了自己的女兒，並退後欣賞柯塔工程師的智慧結晶。

「喔，我的愛女。」

「暫時湊合，」艾芮兒厲聲說：「純粹裝飾用。」

第三個來到醫學中心的家族成員是華格納，他對瑪莉娜來說是最神祕的柯塔氏。博阿維斯塔派對結束後，瑪莉娜只見過他一次，在生日派對。他跟卡林侯一樣，在會議桌之外的地方為家族奉獻，但瑪莉娜覺得這不是性格的影響，而是政治考量。他有一雙黑眼珠，皮膚黝黑，睫毛長，顴骨高，副靈是一個油膩的橡膠尖球。有他在場，拉法和卡林侯就不會在場。

艾芮兒坐下，翹腿，點燃電子菸。瑪莉娜站到她身後，等著看好戲。

「盧卡斯，這是恰當版的尼卡赫婚約。」資訊傳輸，副靈雙雙閃光。「它會確保那孩子過著安全、快樂的生活。別讀了，簽名就好，也別把手伸進你不懂的領域胡攪。」

「馬肯齊同意了嗎？」

「他們會的，不然他們還得花好幾年的時間逐條跟我們協商。但強納森．阿猶德的耐心已經用盡，等不及要參加一個華麗的婚禮了。」

盧卡斯低下頭去，不過瑪莉娜又讀到他忿恨的表情了。

「華格納有事情要向我們報告。」亞德里安娜說。

「艾芮兒，妳的保鑣。」盧卡斯說。

「瑪莉娜要留下來，」艾芮兒說：「我信任她，命都託給了她。」

「她救了我兩個孩子的命。」亞德里安娜說。

盧卡斯望向母親。

「我知道我在家族中樞沒有地位。」華格納說：「奔月派對的襲擊事件後，我跟拉法談妥了。我要做一些偵查工作。我有特殊的……身體狀況，所以能看見你們看不見的事物。」

「陽家人是我們的盟友。」亞德里安娜說。

「媽，我無意冒犯。」盧卡斯說：「但陽家是他們自家人的盟友才對。」

「為什麼陽家要派出這裝置試圖刺殺我兒子？」亞德里安娜說。

「媽，正是為了把我們逼到今天這位置。」盧卡斯說：「差一步就要跟馬肯齊家開戰的這個位置。」

盧卡斯在托基尼奧呼叫他的前一刻醒來。「現下」只是一種幻覺，他小時候讀過這麼一段話。人類意識比所有決定與經驗都還要緩慢半秒。手指無意識地移動，心靈准許動作，並想像動作展開。

海倫・迪・布拉加，托基尼奧說。她的副靈希望瑪麗亞出現在他眼前的黑暗。

「盧卡斯，你媽要我打電話給你。」

那就代表時候到了。盧卡斯不覺得害怕、疲憊、焦慮，他已為此刻預做準備，讓情緒排演了一次又一次。

「你可以來博阿維斯塔嗎？」

「我在路上了。」

海倫・迪・布拉加在機動車月台和盧卡斯碰面，兩人正式地親吻彼此問安。

「馬卡拉格醫生一告訴我，我就打電話給你了。」

盧卡斯從來就不尊重馬卡拉格醫生，醫生是沒必要存在的行業。機器施打藥劑的手法更好，乾淨且不具人性。

「你媽的病況惡化了。」馬卡拉格醫生說。盧卡斯將他冰冷到底的視線挪向她，而她一驚。機器比她高明的地方又多了一個：只說真話。

「什麼時候開始？」

「從她生日前開始。柯塔女士要求我們……」

「馬卡拉格醫生，妳有什麼雄心壯志嗎？」

醫生大吃一驚，慌亂不已。

「我不怕說出來丟臉。對，我想要進一步創立諮詢公司。」

「很好，沒什麼好謙遜的，大家對謙遜這種特質的評價高過頭了。希望妳能達成目標。我媽肯定跟妳提過她的狀況了，妳卻還是徹底瞞著我。妳認為我該如何回應？」

「我是柯塔女士的私人醫生。」

「妳當然是，對。我為什麼不能見我母親？有任何醫學上的原因嗎？」

「她非常虛弱，她的身體狀況——」

「那就好，她在哪？」

「她在地表觀測站。」馬卡拉格醫生說，並溜出盧卡斯的視線範圍外。柯塔家的員工在管家尼爾遜・努恩斯的召集下群聚於修剪整齊的草地。盧卡斯・柯塔無法回答他們的問題，不過姓柯塔的人是他，他才是老大。他點頭向每個人致意，每個都是懷著善念的人。接著是教母，他向每位都寒暄了幾句。

「她到底還剩多少時間？」盧卡斯問海倫・迪・布拉加。

「幾天，也許只有幾小時。」

盧卡斯靠著電梯大廳的光滑石門楣，任時間流逝了一會兒。

「醫生只是聽從媽的指令，我不能怪她。」

「她要見你，而且是單獨見你。」海倫・迪・布拉加說。

「妳！」盧卡斯的目光被一道移動的白色人影吸去——洛亞修女的衣服如紙片般翻飛在大廳的梁柱間。「滾出我家！」

「我是令堂的精神導師。」洛亞修女面向盧卡斯・柯塔。

「妳是騙子兼寄生蟲。」

海倫．迪．布拉加觸碰盧卡斯的手。

「姊妹會帶給她很大的安慰。」洛亞修女說。

「我已經叫保全人員過來了，我沒命令他們下手輕一點。」

「聖母奧敦拉警告過我，說你態度不是很好。」

赫特．裴瑞拉和一群穿著保全衣的人來了，修女揮手打發掉想逮捕她的人。

「我要走了。」

「我禁止這女人進入博阿維斯塔。」盧卡斯說。

「盧卡斯，我們不是你們的敵人！」洛亞修女呼喊。

「而我們不是妳們的研究計畫。」盧卡斯嗆回去，並趕在海倫．迪．布拉加追問這話是什麼意思前跨入電梯。

最後四分之一塊地球懸浮在豐饒海上方，亞德里安娜已經將座位安排在可正眼瞧它的位置。灰塵中的胎痕透露醫療機器人的存在，就低調地藏在牆壁中。亞德里安娜的靠牆小桌上有杯咖啡。

「盧卡斯。」

「媽。」

「有人最近上來過。」亞德里安娜說。她的聲音很輕，很虛弱，是意志的外殼。盧卡斯聽得出來，她的病況真的比他或馬卡拉格醫生料想的嚴重。

「是華格納。」盧卡斯說：「保全看到他了。」

「他上來做啥？」

「跟妳一樣，看地球。」

亞德里安娜的側臉浮現了一個微笑。

「我過去對那孩子太苛了。我完全不了解他，但也從來沒試著去了解。只因為他太讓我氣惱了。不是因為他的行為，而是因為他的**身分**。他的**存在**本身不斷對我說：**妳是個蠢蛋，亞德里安娜．柯塔**。那是不對的，你要試著讓他融入家族中。」

「媽，他不是——」

「他是。」

「媽，醫生說——」

「對，我又瞞了你們一件事。如果我說出來，你會採取什麼行動？召集家人？把所有人從月球各個角落找來？我死前所見的最後一個畫面將是你們站在一旁，瞪大眼睛、嚴肅地盯著我？可怕，太可怕了。」

「至少拉法——」

「不，盧卡斯。」亞德里安娜的嗓音仍催得出發號施令的語氣。「看在老天的分上，牽我的手。」

盧卡斯雙手捧住風箏般的薄皮膚，為它的乾燥高熱震驚。眼前的女性命在旦夕。亞德里安娜閉上眼。

「最後還有幾件事。海倫．迪．布拉加要退休了，她為這個家族做得夠多了。我要她遠離我們，安全地離開。她不是局內人。盧卡斯，我好為大家擔心，在這關頭奄奄一息實在太糟了。我不知道接下來會發生什麼事。」

「我會照料公司的，媽。」

「你們都會，我就是那樣安排的。別破壞制度，盧卡斯。那是我選的，我選的。」

亞德里安娜握緊她的拳頭，而盧卡斯鬆開他的手。

「我好擔心你。」亞德里安娜說：「來，我有個祕密只跟你說。在公司草創期，情勢一度岌岌可危，馬肯齊感覺就要把我們鏟平了。那時卡羅斯託人製作了復仇武器：坩堝的精煉控制系統內植入的木馬。它現在還在，小巧的編碼，躲得過掃描，能適應變化，也會自我更新。簡單又優雅。它能讓坩堝的精煉鏡轉向，使陽光照在坩堝自己身上。」

「老天啊。」

「說得對。喏，盧卡斯。」

葉瑪亞轉瞬間就把檔案傳給了托基尼奧。

「謝謝妳，媽。」

「別謝我。你只能在我們失去一切，家族遭到毀滅時使用。」

「那我永遠不會用它了。」

亞德里安娜握住盧卡斯的手，力道大得驚人。

「喔，你要不要喝點咖啡？巴拿馬翡翠莊園藝妓特選豆，巴拿馬是中美洲國家。我叫人寄上來的。我還能把錢花在什麼地方？」

「我一直都不愛喝咖啡，媽。」

「真可惜。我不確定你現在有沒有辦法學會品味。喔，你看不出我想做什麼嗎？陪我坐坐吧，盧卡斯。放些音樂給我聽，你的音樂品味好極了。要是你想結婚的那個男孩願意點頭就好了，家族裡有音樂家一定很棒。」

「我們家對他來說是過大的負荷。」

亞德里安娜輕撫盧卡斯手背：「不過你和亞曼達．陽離婚仍是正確的決定，我始終不喜歡她在博阿維斯塔內溜來溜去，我從來沒欣賞過她。」

「你同意我們簽婚約。」

盧卡斯感覺到亞德里安娜的手抖了一下。

「我同意了，對吧？我認為那婚約對家族是必要的。對家族而言有必要性的唯一事物，就是家族本身。」

盧卡斯無話可說，於是命令托基尼奧播放音樂。

「是他嗎？」

「是荷西彈的，對。」

淚水柔和了亞德里安娜的目光。

「我惦記的都是一些小事，盧卡斯。咖啡和音樂，露娜最喜歡的衣服，拉法向我報告手球隊的事，好壞我都愛聽，我房間外的水聲，滿盈的地球，華格納說得對，人盯著地球很有可能會忘我的境界，很危險：我不敢看它，因為它會擄走我的視線，令我想起自己放棄過多少事物。這是個糟糕的地方，盧卡斯。」

盧卡斯的心很痛，但沒在母親面前表現出退縮的模樣。他再度抓住她的手。

「我好怕，盧卡斯。我怕死。死亡好像動物，像骯髒又鬼祟的動物，追我追了一生。那音樂好棒，盧卡斯。」

「我來播他演奏的〈三月水〉。」

「讓音樂流瀉吧，盧卡斯。」

亞德里安娜睜開眼，發現自己不小心睡著了。這事實在她腦海中塞滿冰冷的暈眩感。那有可能成為她的最後一覺，她原本有可能話沒說完就撒手人寰。如今，撼動她心臟的冰冷一波波襲來，毫不止息。盧卡斯坐在她身旁。亞德里安娜看著他的表情，猜他正在工作。托基尼奧化為檔案、通聯、訊息的漩渦。音樂停了。那男孩很會唱歌，很棒。她想叫盧卡斯再播一遍，但又不想破壞這一刻。清醒，而不被注意。

她將視線撇向地球。叛徒。葉瑪亞向她顯現閃耀、橫越大海的道路，從那世界延伸至月球的道路。她走了上去，結果那路是陷阱。她無法回頭，這片乾燥的海上沒有光連成的線段。

「盧卡斯。」

他放下工作，抬起頭來。他的微笑帶給她喜悅，小事物。

「抱歉。」

「抱歉什麼？」盧卡斯說。

「很抱歉把你帶到這裡來。」

「妳並沒有把我帶來。」

「別老是只盯著文字的表層意義，為什麼你一定要唱反調呢？」

「上頭那個不是我的世界，我的世界在這裡。」

「你說世界，不是說家。」

「妳沒什麼好抱歉的，媽。」

亞德里安娜的手伸向桌上的咖啡，但杯子已經冷了。

「我會請人泡一杯新的。」盧卡斯說。

「麻煩了。」

牙狀地球的明暗交界線畫在大西洋上；熱帶氣旋朝北北西前進，赤道低壓帶雲道形成的佩斯利花紋安靜地沉入夜色中。在綠意的邊緣，巴西的東北角尖端蓋過地平線。夜晚那側的行星布有光之蕾絲縫邊。光成群，成漩渦，與氣象狀況形成鏡像。下面住著人。

「妳知道他們後來怎麼了嗎？」

「盧卡斯，你說誰？」

「我都知道，妳用那種表情看著地球時，心裡想著的就是他們。」

「他們潦倒了，過程跟其他潦倒的人沒兩樣。不然他們還能怎樣？」

「這個世界不容易過活。」盧卡斯說。

「他們的世界也一樣。我一直在想的是我媽，盧卡斯。她在公寓內唱歌，而我爸還有經銷權，正在擦車。車子在陽光下是多麼耀眼。卡歐的臉也會清楚浮現在我眼前，其他人的臉就不會了。就連亞琪的模樣，我也無法清楚回想。」

「妳有膽。」盧卡斯說：「鐵手就只有妳一個。」

「那個蠢名號！」亞德里安娜說：「那是個詛咒，不是稱號。再播音樂給我聽吧，盧卡斯。」

亞德里安娜坐滿椅子，放鬆身體，荷西那呢喃般的歌聲和輕快的吉他樂音包圍著她。盧卡斯看著母親徜徉在歌詞與和弦當中，陷入淺眠。還在呼吸。**咖啡來了**，托基尼奧說。盧卡斯從女僕手中接過咖啡，放到桌上時發現：母親沒在呼吸了。

他牽起她的手。

托基尼奧沒顯示任何生命跡象。

她走了。

盧卡斯感覺到他吸入胸腔內的空氣在顫抖，不過狀況沒有他想像的那麼恐怖，差得遠了。葉瑪亞緩緩褪為白色，並摺疊收縮。牙狀地球永恆地立於東方地平線上。

穿紅色洋裝的露娜打赤腳挑揀圓石，穿梭於博阿維斯塔的空池內。溪流乾了，瀑布不再由十尊奧里莎的眼睛和嘴唇奔流而下。拉法說不出自己想關掉博阿維斯塔水流的原因，反正也只有露娜反對。他唯一想得到的表達方式是：博阿維斯塔得做個表示。

追悼會辦得草率，令人失望。賓客的悼詞都不如柯塔家族成員淒切，而柯塔家並沒有舉辦告別式的傳統，表達心意的方式誠摯，但不甚順暢，流程管理也很糟。姊妹會懂得擺宗教排場，但柯塔家不允許他們參加葬禮。致詞結束，一小把骨灰（月球開發法人只允許他們保留這麼多，用於私人儀式）撒完後，各世家的代表便走向有軌機動車。短暫的儀式中，露娜就像水一般歡快地遊蕩，探索這古怪的乾燥世界。

「爸比！」

「不要吵他，小公主。」露西卡．阿沙默說，她跟女兒一樣穿著紅衣。紅色是阿沙默一族的葬禮色。「他有很多事情要調適。」

拉法踩上鋪石，穿過乾燥的溪流，進入竹林，仰望嘴唇開啟、雙目大睜的奧里莎臉龐。有雙小腳在竹子間踏出一條小徑：是露娜。她比他還要了解此地，掌握了它所有的祕密。不過它現在是他的囊中物了，他成了博阿維斯塔先生。住在一個地方與擁有一個地方是天差地別。拉法的手指滑過修長、邊緣粗糙的竹葉。他先前以為自己會哭，以為自己會哀痛不已，哭得像個小孩。拉法知道自己的情緒很容易產生波動，受到刺激後就發飆、欣喜若狂或洋洋得意。**你媽死了**。他感覺到的情緒有：震驚，對；非得做點事、做一大堆事的念頭強烈，行動卻徒然地停擺，因為他知道不管怎麼做都無法改變母親已死的事實；憤怒——有一點，事發突然、真相的揭露都令他火大，原來亞德里安娜已經病很久了，奔月派對那時就已病入膏肓；罪惡感，因為刺殺行動後發生了雪崩般的連串事件，掩蓋了亞德里安娜病況釋出的跡象；憎恨，沒想到臨終前長時間陪伴她的人是盧卡斯。他並不哀傷，情緒並未氾濫：淚水沒流下。

他在聖塞巴斯蒂昂亭內站了一會兒，四周的溪流已乾涸，沉積物凝固，上頭出現六角形裂痕。這裡曾經是他最喜歡的博阿維斯塔涼亭。他們有喝茶、見社交界和商界賓客、接待親戚、閱讀的涼亭，有晨景涼亭和夜景涼亭。不過這一個，位於博阿維斯塔主空間東側的這一個亭子，是她生前辦公的地方。拉法一直都不喜歡那些亭子，認為它們做作又愚蠢。亞德里安娜建造博阿維斯塔是以自私為出發點，這是她為了實現特定空想而存在的宮殿。它現在是拉法的了，但它永遠不會屬於他。亞德里安娜就在乾涸的池塘、水道、竹子、涼亭的圓頂、奧里莎的臉孔中，他連一片葉子和一顆小石子都不能去動。

「水。」拉法呢喃，同時感覺到博阿維斯塔的震動。水翻攪於水管、幫浦中，這頭汩汩流，那頭竄出細流，水孔和水龍頭奔流出水，細流匯聚成溪，水道中的水位逐漸高升，咕嚕咕嚕地繞著石子轉，招來漩渦、泡沫和枯葉。奧里莎像的眼角和嘴角有水匯聚，鼓脹成巨大的淚珠。它們在表面張力作用下顫抖，最後爆開，化為緩慢的瀑布。起先是陣雨和細流，接著變成飛躍的小瀑布。在關掉它們之前，拉法從來沒意識到博阿維斯塔充斥著濺起的水花和細流。

「爸比！」露娜驚叫。她拉著洋裝，水已淹到小腿。「好冷！」

博阿維斯塔已經是拉法的囊中物了，不過露西卡還是不會跟他共享。

「你認為你會搬回來嗎？」拉法問。

盧卡斯搖搖頭。

「太近了，我喜歡保持距離。而且這裡的聲音效果很糟。」他碰了一下拉法的布里奧尼西裝袖口。「借一步說話。」

拉法感到納悶，為何盧卡斯要把他叫到花園深處去？在鋪石與池子間，他的褲管可能會沾溼，鞋子也有弄髒的風險。

「說吧。」

「媽和我在最後幾個小時聊了很多。」

拉法恨得牙癢癢的，喉嚨和下巴都僵了。他是長子，會長，金童。應該要由他陪伴媽最後一刻才對。

「她幫公司想了個計畫。」盧卡斯說，傾瀉而下的水流模糊了他的說話聲：「她的遺願。她創了一個新職位，『最高』，並且要艾芮兒坐那位子。」

「艾芮兒。」

「我已經接受了，不過她抵死不從。艾芮兒將會成為『最高』，最高位者，柯塔氦氣之首，地位比你我都高，老弟。別爭，別提什麼建議。我已經在安排了，我們完全不可能去更動遺囑。大勢已去，箭在弦上了。」

「我們可以打……」

「我說了，別爭，別提建議。上法庭只是浪費時間和金錢。艾芮兒了解法庭運作，會讓我們永遠受挫下去。那樣不行，我們要按照規章走。我們的妹妹被歹徒持刀襲擊，身受重傷，下半身等於是癱瘓了，復健過程將會非常緩慢，而且充滿不確定因素。柯塔氦氣的組織規章當中有醫療權限條款，它允許因疾病或傷勢而無法完整履行職責的董事會成員卸下辦公室職務。」

「你是說——」

「對，我是。這是為了公司好，拉法。艾芮兒是非常能幹的律師，但她對氦氣開採一竅不通。我們不是要上演董事會政變，只是要暫時中止她行使權力，撤銷她的職責。」

「暫時是要到什麼時候？」

「直到我們完成公司改組，讓它呈現出它需要的模樣，而非去符合媽的怪念頭。拉法，她生前病得很重。」

「閉嘴，盧卡斯。」

盧卡斯退後一步，舉起雙手討饒。

「我這樣說當然不對，我道歉。但我告訴你，媽自己原本也可能被那條款拉下來。」

「別說了，盧卡斯，滾邊去。」

盧卡斯又退了一步。

「我們只需要兩份醫療報告，而我手上已經有了。其中一份來自神之若望醫療中心，另一份來自我們自家的馬卡拉格醫生，她接下來會繼續擔任我們家族的專屬醫師，為此感到非常開心。兩份報告，多數決。」盧卡斯對著水花另一頭呼叫：「回心轉意就讓我知道！」

露娜沿著小溪移動，濺起水花，使空中掛起一道道緩慢沉降的銀色水紗。它們受光，並加以衍射：她便成了以彩虹為冠的女孩。

有軌機動車門關上，又開了。艾芮兒往外望。

「呃，妳要來嗎？」

月台上唯有瑪莉娜可能是艾芮兒的說話對象，但瑪莉娜還是皺起眉頭，以嘴型說：**我**？

「對，妳，還會有誰？」

「嚴格來說，我的合約已經終止……」

「對，對，妳原本不是為我，是替我媽工作。呃，妳現在改為我工作了。」

副靈海蒂發出叮一聲：有信件，一份合約。

「來吧，我們快離開這該死的陵墓。我們還有一場婚禮得策畫呢。」

11

年度婚禮倒數兩天！是什麼讓五龍比我們任何人都優越？階級。柯塔家在整個婚禮籌備過程中徹底展現了階級高度。艾芮兒・柯塔碰上可怕的襲擊事件還不到一個月，她不但靠機器腿恢復以往的行動力，還在病床上寫好尼卡赫婚約！

梅利迪安是愛好婚禮之城，而路卡辛侯・柯塔與丹尼・馬肯齊的婚禮前所未有地盛大。月之鷹貢獻他的私人庭園來舉辦結婚典禮，樹上綴滿彩帶、生化燈、閃亮的星星。香檸檬、金桔、矮橘樹被噴上銀漆，紙燈籠掛在枝幹間，小徑將會撒滿玫瑰花瓣。AKA貢獻了一百隻白鴿，釋放時將蔚為奇觀，振翅聲不斷。牠們都受到了基因改造，壽命只有二十四小時。有害動物法相當嚴格。

合約預定在橋亭簽署。快樂的男孩與男孩身後將有一群高特技演員在天蠍座α星中央區表演飛翼芭蕾，利用綁在腳踝上的長幡畫出一個個表意文字。月之鷹在容許範圍內批准天蠍座α星中央區的居民稍微裝飾這一帶：陽台上掛起旗子，長幡飄揚於行人穿越道，成串的排燈節生化燈從橋上溢出。漫畫造型的蝙蝠、蝴蝶、鴨子氣球飛行於中央區空域。視野最棒的陽台租金已飆到六百比西，橋梁和檢修通道上絕佳的位置早就被標價、占據了。經過激烈競標後，獨家影像權將簽給谷夏八卦平台。接觸協定非常嚴苛：媒體的無人機必須保持一定距離以示尊重，主辦方也不接受媒體訪問新人的任何一方。

四百名賓客由二十名外燴人員與八十名侍者服務，各文化、宗教的餐點需求都會獲得照料，各種飲食方面的偏執要求也會獲得滿足。會供肉。流言在席間傳來傳去，說婚禮蛋糕是路卡辛侯用他的經典手法做出來的，這話不對。蛋糕來自可娃烘焙坊，歷史最悠久的婚禮蛋糕、月球蛋糕製造商。梅利迪安假期旅館內有家滿月酒吧，那裡的肯特·納拉希馬創作了新雞尾酒來慶賀，酒名叫臉紅男孩，成分有：一烈酒杯的高級琴酒、泡沫、融化後在整杯琴酒內勾起色彩、香味漩渦的膠狀物、片片金箔。另有無酒精飲料和香草水供應不喝酒的人。

一個星期前就開始架設保全網了。月球開發法人、柯塔家、馬肯齊家保全人員的聯絡往來達到前所未有的頻繁，強納森·阿猶德的花園進行了地毯式的掃描，以灰塵微粒和皮屑為最小單位。

年度婚禮倒數三天！這兩個男孩會穿什麼？路卡辛侯·柯塔最近的造型在網路上傳開了：穿著筆挺的研討班男孩，奔月派對上的花呢外套和棕褐色褲子。他化身為時尚指標的那兩週，人人都穿著內襯衣，並用麥可筆在衣服上塗鴉。他在祖母八十大壽派對上的打扮，然後是祖母的追悼會，事情來得真突然，叫人悲傷。他又回到時尚圈的鎂光燈下了：他的化妝師會是誰？這將是決定本季風潮的一大關鍵。抬起頭來，男孩們！你們都得這樣裝扮。丹尼·馬肯齊：喔，有誰在乎嗎？姓馬肯齊的人當中有哪個時髦過？不過婚禮西裝該由誰設計呢？絕不能交給副靈。我們喜歡的設計人工智慧有：羅亞爾、聖達勉、頂尖男孩、布魯斯與布拉格、辛蒂蕾拉。誰會拿到合約？還有妝……

年度婚禮倒數兩天！是什麼讓五龍比我們任何人都優越？階級。柯塔家在整個婚禮籌備過程中徹底展現了階級高度。艾芮兒·柯塔碰上可怕的襲擊事件還不到一個月，她不但靠機器腿恢復以往的行動力，還在病床上寫好尼卡赫婚約！不到兩週前，亞德里安娜·柯塔辭世這驚天動地的消息才讓全月球陷入哀戚。不過，要凸顯家族的英勇還有什麼更好的方式呢？就抬頭挺胸、盛裝打扮、華麗上場吧，年度婚禮！

年度婚禮倒數一天。如今最可靠的社會地位符碼是：你在賓客名單上，還是沒有？沒人自招，不過谷夏討了些債、做了些威脅、送出大量的吻和微型比基尼，所以我們可以獨家告訴你名單上有誰！也可以告訴你沒有誰！準備好迎接這驚天動地的消息……

年度婚禮當天。最早聚集的是一小排人；名流觀察家坐在事先預約的、景觀最佳車站的座位上，對峙著各種造型的小飛船，蝙蝠、蝴蝶、吉祥的野獸。天蠍座α星中央區居民在預定時間將所有布條甩過陽台欄杆，讓它們緩慢地展開，化為祝福的掛毯和婚禮小裝飾。賓客電梯抵達會場樓層，保全人員也就位了。掃描邀請卡，帶客人到接待處，送上滿月酒吧特調的臉紅男孩。東道主強納森．阿猶德和阿德里安．馬肯齊心情愉快極了。攝影無人機在規定範圍內飛竄、耍花招，競相拍攝名流特寫。預訂簽約的半小時前，賓客在主辦方的引導下前往橘亭。舞蹈表演精妙而緊湊，主辦方嚴格要求每位賓客都按照座位表入座。伴郎釋放出玫瑰花瓣的噴泉。倒數二十分鐘，各家族成員到場了。鄧肯，馬肯齊，以及他的歐科伴侶安娜塔西亞．沃隆佐夫、阿波利奈爾．沃隆佐夫。他女兒塔拉，以及塔拉的歐科。他們喧鬧的兒女們。布萊斯．馬肯齊倚著兩根枴杖，堅定而緩慢地移動著，十幾個養子隨侍一旁。哈德利．馬肯齊也來了，神色自若，外表俊俏。羅伯特．馬肯齊無法離開坩堝，因此派人來表達歉意，並向新人送上祝福，衷心希望馬肯齊和柯塔這兩大世家能夠和平解決紛爭。代表他出席的是婕德．陽—馬肯齊。

柯塔家：拉法和露西卡、羅伯森和露娜。盧卡斯單獨過來。艾芮兒和她的新保全，消息已傳開，賓客都知道她在家族中取得了一席之地，激起一陣陣竊竊私語。卡林侯，穿著合身的西裝。華格納和他的歐科伴侶安妮麗絲．馬肯齊，看起來很緊張，另外還有狼幫的夥伴，三十個身穿深色西裝的人，自成一個婚禮派對，為噴銀漆、綁緞帶的婚禮花園增添了一些危險的氣味。

所有人就座，一個小室內樂團正演奏著〈花好月圓之夜〉。

路卡辛侯曾聽人說，男人脫衣服應該要從下半身開始脫，因此穿衣的順序應該是顛倒的。剛列印出來的新衣，銀袖釦，金色太廉價了。領帶是鴿灰色的，上頭有青海波花紋，繫成一個五截式的埃爾德雷奇結。路卡辛侯每天都花一小時看金吉的示範影片練習。內衣材質是蜘蛛絲。為什麼不把這材質拿去做所有衣服？因為這樣大家整天只會忙著享受它的觸感，什麼事也不做。還有襪子，高度及小腿的一半。不能露出腳踝，那是可怕的原罪。接著是褲子，路卡辛侯猶豫了好幾天才選擇頂尖男孩。他退掉其他五款設計。纖維是灰色的，比領帶略暗一些，上頭有幽靈般的花緞紋。褲子沒反摺，摺痕鮮明，褶襴成雙。成雙的褶襴現在很流行。不只褶襴，任何成對的設計都很流行。外套正面有兩個釦子，袖口有兩個釦子，下襬正面外開。四公分長的翻領高高鼓起，孔眼對孔眼。口袋巾摺成兩個三角形，方正的筆直摺法已經退流行一個月了。再搭上帽沿極窄的軟呢帽、兩公分長的絲帶和蝴蝶結，他會用拿的，不會別上。他不希望頭髮受到干擾。

「顯示我的模樣。」

金吉顯示路卡辛侯在旅館房間攝影機中的模樣。他轉身，悉心撥弄衣服，噘嘴。

「我他媽辣死了。」

弄頭髮之前，先搞定妝。路卡辛侯塞了一條毛巾到衣領上，坐上桌，讓金吉湊近他的臉。這妝容組合也是時尚品牌寇特利特別幫他設計的。路卡辛侯相當享受這儀式的節奏，搽劑層層疊上，琢磨並使之混合，細修並增添細膩的色彩變化。他眨眨塗了眼影的眼睛。

「喔，棒。」

接著，他坐在同一張桌上弄頭髮。仔細將鬈髮推高，並以倒梳的方式凸顯風格，策略性地運用定型液、慕斯、髮膠、髮蠟。他搖頭，頭髮彷彿是活物。

「連我都想跟自己結婚了。」

最後一個步驟，他將穿環一個一個穿到定位。金吉又讓他看了自己最後一眼，接著他深呼吸，走出天蠍座α星的如家酒店。

待命的三輪摩托開門，準備讓路卡辛侯．柯塔上車。金吉下令，它便飆向航鷹廣場的車潮。旅館位於中央區，從鷹巢搭電梯就能抵達，完全斷絕出差錯的機會。廣場上的人群瞥了他一眼，然後定睛一看，認出他來。有些人點頭或揮手。路卡辛侯順直領帶，然後仰望。中央區像是彩帶形成的瀑布，漫畫造型氣球翻滾、推擠著彼此，橋梁上擠滿人群，彷彿長出了毛邊，他們的聲音灌入天蠍座α星中央區這口井，迴盪其間，他都聽見了。

上頭有個年度婚禮。如家酒店正門對面有家AKA雜貨商店，兩者隔著廣場。那家店主打上流市場，客人都是把烹飪當興趣。路卡辛侯上街，走向它。人車都繞過他，自律的漣漪沿著廣場往外擴散，沿著五條大道前進。窗內托盤擺著色澤明亮的蔬菜，顯眼的肉品冷藏櫃內掛著釉亮的鴨子、家禽肉灌的香腸，冰上擺著魚與青蛙。店深處擺著冰箱、各種豆子的容器，一束束做沙拉用的蔬菜放置在保鮮的水氣中。兩個中年婦女坐櫃台，她們倚著彼此，笑到身體晃個不停。那是分享祕密時的笑。她們以阿沙默一族的方式配戴阿丁克拉符號副靈：狀似鵝的桑可拉、星號般的亞那瑟同坦。

路卡辛侯進入店內後，她們的笑聲就止息了。

「我是盧卡斯．柯塔二世。」他宣告。她們都知道他是誰。這個星期以來，社群網站上塞滿了他的臉，除此之外什麼也沒有。她們露出害怕的表情。他將軟呢帽放到櫃台上，取下左耳的金屬尖刺，放到帽子旁。「這個請讓亞別娜・曼努・阿沙默過目，她會明白這是什麼意思。我要求金凳保護我的人身安全。」

我們的關係就像地球與月球，盧卡斯・柯塔心想。布萊斯・馬肯齊是顆懷孕的行星，而我是枯瘦的衛星。他從這類比中找到了樂趣。另一個樂趣是：路卡辛侯正是從這旅館溜走的。他心中泛起兩個小微笑。而這次會談的樂趣僅止於此。

布萊斯・馬肯齊使力跺步，走向沙發。枴杖，腳，另一支枴杖，腳，動作像是過時的四足採礦機。盧卡斯看不下去了。他怎麼受得了？他的諸多愛侶與養子又怎麼受得了？

「飲料？」

布萊斯坐到沙發上，同時發出悶哼。

「我就當作你說不了。我喝的話，你會介意嗎？我們跟假期旅館的工作人員簽的是計時合約，然後呢，呃，你也知道我的個性。我喜歡從各種狀況中獲取最大利益，而這些臉紅男孩真的很棒。」

「你的輕浮態度很不恰當。」布萊斯・馬肯齊說：「那男孩在哪？」

「我們說話的這個當下，路卡辛侯應該已經抵達忒了。」

賓客，家族成員，然後是儀式主持者。主持者的角色不過是見證尼卡赫婚約的簽署，但強納森・阿猶德卻端出月之鷹的派頭接下這任務。當艾芮兒建議他主持儀式時，他還裝出驚訝，甚至羞怯的模樣。**不，不，我不可能，呃，喔，那好吧。**

強納森・阿猶德盛裝出席：正式的阿格巴達袍，搭上他特地為這場合訂做的金徽章。「他是不是穿墊高鞋？」拉法悄悄對盧卡斯說。一旦注意到這點，每件事都蒙上了鞋子的陰影。要是沒這雙鞋，他將會比新人矮一個頭。拉法深陷在他自己的玩笑話中，雙眼緊閉，咬緊牙關，但憋笑還是使他整個人不斷發抖。

「別鬧了。」盧卡斯用氣音說：「我還得上台把兒子交給他咧。」他無法抵抗笑意的傳染，他吞下一串棘手的咯咯笑，偷偷擦去眼淚。樂團高聲演奏〈花好月圓之夜〉。布萊斯．馬肯齊走向他在橋亭的定位，步伐笨拙，忸怩，敷衍，手不知道該往哪擺。他燦笑，強納森．阿猶德則張開雙臂，像是在召喚超自然力量的祭司。

「好戲上場了。」拉法低聲對弟弟說。就在這時，全柯塔家的副靈同時低語：**路卡辛侯來電**。三十秒內，谷夏就將新聞傳遍了月球。**路卡辛侯．柯塔：逃跑新郎**。

「你有沒有跟你兒子聯絡？」布萊斯．馬肯齊問。

「目前還沒有他的消息。」

「聽到你這麼說真開心。我總覺得這是你和他一起搞的鬼。」

「你說這話太荒謬了。」

布萊斯．馬肯齊搖搖頭，氣得臉一抽一抽的。

「現在的問題是，我們該如何補償損失？」

「有損失？」

臉又抽了一下，鼻孔大張，呼吸聲聽得一清二楚。

「我的家族形象受損，馬肯齊金屬的名譽受損；谷夏將會向我們提告，我們還得賠一筆錢。」

「酒水帳單肯定也很不得了。」盧卡斯說。他只見過布萊斯．馬肯齊兩次，都是在社交場合，從來沒在商場交過手，不過盧卡斯已經看穿他的伎倆和惡棍調調了。肉身恫嚇，不是靠肌肉，而是靠質量。他彷彿靠重力支配這房間，你只要絆到腳、跌一跤就會粉身碎骨。我知道你是怎麼玩完的，盧卡斯心想，但你是地球，而我是月球。潛在的可能性使他頭昏眼花。一切都很清晰，前所未有的清晰。

「無禮之至。」布萊斯．馬肯齊說。他在流汗，流汗的巨漢。

「你們家和我們家都不會被提告要脅嚇倒。你的提案是什麼？」

「重新籌備婚禮，成本均攤。你能不能保證兒子會到場？」

「我無法保證。」盧卡斯說：「我不能為我兒子代言。」

「你到底是不是他爸？」

「我剛剛說了，我無法代替路卡辛侯發言，但我全心支持他的決定。」盧卡斯說：「而我自己的發言是：去你的，布萊斯．馬肯齊。」

第三度臉部肌肉抽搐，含住上唇。剛剛的反應都只是不爽，現在是震怒。

「好。」布萊斯的刃衛進入大廳，扶他從沙發上起身，協助他撐起楞杖站好。他的腳靈巧得令人意外，闊步從盧卡斯身旁經過，喀，喀，喀，喀。盧卡斯發現：為難布萊斯是第三層樂趣，微小、卑鄙，但令人愜意。

布萊斯在門邊轉身，豎起一根手指，楞杖在他的腕環上晃啊晃的。「喔，對了，還有最後一件事。」布萊斯前進一步，甩了盧卡斯一巴掌。力道很小，盧卡斯往回彈是因為震驚，被他的膽識、言外之意所震。「報上隨從姓名吧，如果你需要代理人，就再報上扈衛的名字。時間、地點由法庭決定。馬肯齊家要你們以血還債。」

科托科的副靈接連在亞別娜．曼努．阿沙默四周現身，她就快無法呼吸了。她超乎預期地畏懼。阿丁克拉符號的副靈在她的鏡片內發光，每過一秒就有新成員加入。她被發光的箴言團團包圍。先前，她必恭必敬地整理了房間。董事會成員也許是你在隧道、筒田、街上、群落內見過的人，但科托科並不只是許多個人的集合，還代表了連貫性、變革、家系、多樣性、阿布索、企業。任何人都可諮詢科托科，而這行動必然蘊含了一個問題：你為什麼需要諮詢？亞別娜收好幾樣東西，摺好家具，在地上擺了黑、紅、白三盞生化燈，排成三角形，然後坐在中央。她也淋浴過了。

最後出現的是桑薩姆，大酋長的副靈。亞別娜打了個冷顫，她喚出了大人物。

「亞別娜。」阿多芙．孟沙．阿沙默說。副靈發出的是使用者的嗓音。「妳好嗎？金凳向妳問安。」

「亞多庫娜娜。」這是阿肯族其中一支氏族的問候語。

「喔，妳整理過房間了，真棒。」遠端月面的阿科許娃．德戴說。

「燈排得很好。」忒的柯菲．安托說。

「好啦，妳要問我們什麼？」曼彭的柯娃米娜．曼努直接問出那個隱藏的問題。

「我向人許下承諾。」亞別娜說，手指不自覺地撥弄頸項間的吉納米符號項鍊。「如今我得實踐諾言了，但我不知道自己當初有沒有權做那個承諾。」

「這事跟路卡辛侯．柯塔有關。」又一個副靈說，亞別娜知道說話者是露西卡．阿沙默。

「是的。我知道我們欠柯塔家一次人情，因為卡喬在奔月時被他們救了一命，但馬肯齊家如果轉而對抗我們怎麼辦？他們現在就跟柯塔家撕破臉了。」

「他向我們尋求庇護。」來自希里爾農場的亞布拉．坎德說。

「但我當初有權許下諾言嗎？」

「如果我們食言，月球上的人會怎麼看待我們？」阿多芙・孟沙說。排成圈的副靈齊聲低語：

fawodhodie ene obre na enam。獨立伴隨責任。

「可是馬肯齊家……我的意思是，我們不是最龐大的家族，也不是最有錢或最有權的……」

「讓我告訴妳一段小歷史。」阿多芙大酋長說：「妳說得沒錯，AKA不是五龍當中最富有或歷史最悠久的。我們不是出口商，不像柯塔家那樣維繫著地球的燈火，也不像馬肯齊家掌握著地球科技工業的命脈。我們不是工業鉅子，也不是科技產業龍頭。我們來到月球時，不像陽家那樣有政治後援，不像馬肯齊家擁有財富，也不像沃隆佐夫家掌握發射設施。我們不是亞洲人也不是西方人，我們是迦納人。迦納人上月球！多麼放肆的想法！那是白人和中國人的遊戲。不過艾福阿・孟沙想出了一個點子，發現了一個良機，一路苦幹、奮鬥、力爭，來到了月球。妳知道她發現的良機是什麼嗎？」

「鏟土也許能致富，但賣鏟子一定能致富。」亞別娜說。每個孩子裝上設備、戴上鏡片、與副靈連線後，就會立刻學到這句諺語。她總是認為那句話很沉悶、沒什麼重要的，只是老人的智慧之語。他們是店員和農夫，不像柯塔家與馬肯齊家有魅力十足的塵工，也不像沃隆佐夫家有那些精美的玩具。

「親愛的，我們的獨立性是買來的。」阿多芙・孟沙說。她的副靈由暹羅鱷與艾斯涅泰克列瑪（牙與舌）組成，代表團結與獨立的阿丁克拉符號。「我們不會將它拱手讓人，我們不會讓馬肯齊欺壓我們。」

「不會讓任何人欺壓我們。」柯娃米娜・曼努補充。

「妳獲得解答了嗎？」阿多芙大酋長問。

亞別娜低下頭去，縮攏手指，月球人普遍接受的行禮方式。科托科的副靈一個接一個消失，最後一個還閃著光的是露西卡．坎德．阿沙默—柯塔的副靈。

「妳沒有對吧？」

「什麼？」

「沒獲得解答。」

「我獲得了，我只是不太……」

「放心？」

「我覺得我讓整個家族陷入了險境。」

「月球上有多少人？」

「什麼？大約一百五十萬。」

「一百七十萬。感覺很多，但沒有大到毋須擔心基因庫的問題。」

「近親繁殖，突變累積，遺傳漂變。背景輻射。我在學校學過。」

「而每個家族應對的方式不同。我們改良了阿布索系統，還訂下種種限制，關於誰不能和誰做愛。妳是……什麼？」

「布列多。我不能和亞瑟尼以及歐由科發生關係，當然也不能找上同氏族的人。」

「陽家和所有異族同婚，來者不拒。月球上有半數人都是陽家人。柯塔家有古怪的教母制度，不過他們總是保持基因庫的開放與潔淨。馬肯齊家就不一樣了，他們維持家族的封閉性與緊密性，擔心血脈遭受汙染，稀釋族裔認同。他們近親交配，而且回交。不然那些雀斑是哪裡來的？不過這很危險——非常危險，因此他們得確保自己產下純種後代。他們會雇用我們去做基因工程，我們已經做了三十年。這是我們的祕密，同時也是我們不受馬肯齊家威脅的原因。他們擔心會生下雙頭寶寶。」

亞別娜對耶穌輕聲念出一段禱文。

「阿沙默家為每一個家族守密。不過亞別娜，妳要盯緊路卡辛侯。馬肯齊不敢動我們，但他們很會記仇，攻擊範圍廣寬。」

查巴林機器人小心翼翼地拾起、運走強納森．阿猶德花園內散落的死鴿子。當初釋放鴿子的時機是經過計算的。籠門彈開，鳥群振翅上衝，發出羽毛的喝采，掠過離開會場的賓客頭頂。艾芮兒小心翼翼前進，同時發出貓呼嚕似的喉音，穿梭於腐爛的玫瑰花瓣間。她不信任機械腿行走於軟爛物質上的安全度。她跟母親一樣討厭活物，因為有機物一下子就會變得很噁心。

強納森．阿猶德在公寓內接見她，俯瞰花園。緞帶與漆成銀色的果實仍裝飾著柑橘樹，食物殘渣散落在草地上。

「嗯，真是一團亂。」強納森．阿猶德向艾芮兒打招呼，並且說道。

「我們會雇人來收拾自己搞出來的亂子。」艾芮兒說。

「我沒機會在『活動』上跟妳說：看到妳行動自如真開心。那件低下襬洋裝跟妳很搭。我後來跑了幾個地方，發現年度婚禮雖然毀了，但新郎的姑姑開創了新的時尚風潮。那孩子還好嗎？」

「他在接受阿沙默家的庇護。」

「柯塔家與阿沙默家，你們總是走得很近。」

「強納森，我要你阻止這件事。」

「艾芮兒，妳知道只要我還……」

「月球開發法人一旦想讓某狀況發生或不發生，總能找到方法。」

他們隔著矮桌對坐，機器人端了兩杯臉紅男孩過來。

「妳知道嗎？我真的愛死這調酒了。」月之鷹說。艾芮兒今天下午沒有半點喝東西的心情。月之鷹啜飲一口酒，發出稀哩呼嚕聲。

「克拉維斯法庭上次受理決鬥審判已經是兩年前的事了。」艾芮兒說。

「並不是，」強納森．阿猶德放下杯子。「上一次是艾堯允對費爾穆斯。」

「我們絕對不會刀劍相向，我早就知道了。惡棍調調，我是靠這獲勝的。這兩個官司性質也不一樣。前者是離婚官司，後者是老派的單挑，名譽官司。」

「布萊斯．馬肯齊確實算是取得了先機。」

「強納森，你可以取消這場對決。」艾芮兒說。

「妳真的不要喝任何東西嗎？」月之鷹說，並舉杯。他的視線在杯緣上方與她的交會。他的視線飄向公寓深處，一次，兩次，三次。艾芮兒瞪大眼睛。

「強納森，這時間喝酒對我來說還有點太早。」法庭和法律圈當中有個人盡皆知的笑話：阿德里安會將月之鷹五花大綁，綁得像繩縛秀那樣。那不是笑話。

他們要你們流血，他用嘴型說。「誰代表盧卡斯？」

「卡林侯。」

強納森．阿猶德震驚到嘴巴大開。**你的歐科並沒有說他們要心臟流出來的血。**

「他們任命哈德利．馬肯齊為扈衛，我們得找一個地位相應的人。」

她不肯讓月之鷹別開視線。**你可以阻止這一切，拯救兩個年輕人。**

「強納森？」

「艾芮兒，我幫不了妳。我不是法律。」

「我似乎說上癮了，但我還是要說：去你的。」艾芮兒用意志力命令雙腳起立，抓起手拿包。她擠出法庭上的說話音量，讓聲音擊向客廳後牆：「我也去你的，阿德里安，希望我弟把你叔叔切成碎片。」

他為了決鬥一事回到博阿維斯塔來。艾芮兒心想，我就辦不到。儘管身陷黑暗中，那時她還是感覺到自己被打開、探入、侵犯，害怕自己纖細的腳再也無法撐起身體，一閉上眼睛就看到那把刀子，於是她拒絕讓母親將她送回博阿維斯塔。你也會看到刀子，卡林侯。每次都會。刀在我身後，在你前方。換作是我，我會因恐懼動彈不得。他趴在我們的岩石夫人亭的一張桌子上。奧旬瀑布的水氣匯聚於圓頂上，沿著邊緣滴落。卡林侯發出呻吟，聽起來像是性愛時的小叫聲。這又在艾芮兒心中激發反感：別人親密地碰觸你的身體。別人親密地碰觸了她的身體，比按摩和做愛都還親密。

卡林侯轉頭，對著姊姊笑。

「唷。」

「小卡，我的不爛之舌這次令我失望了。」

卡林侯悲傷的表情抽動著，接著師傅的深部按摩更令他露出痛苦的表情。艾芮兒心想，你很棒，而我聯想到刀子劃開完美肌膚，冰冷的恐懼充滿我體內。

「抱歉。」

「沒什麼好抱歉的。」卡林侯說。

「我可以試著……不，我什麼也做不了。我能說的都說完了，他們將會舉辦決鬥審判。」

「我知道。」

艾芮兒親吻弟弟的頸後。

「小卡，殺了他。讓他死得緩慢又痛苦。在他們面前殺了他，把他們希望對我們做的全加諸在他身上，讓他在他們面前失血過多而死。為我殺了他。」

「我可以去嗎？可以嗎？」

「不行！」拉法凶巴巴地說。羅伯森小跑步跟在父親腳邊。

「我要去幫卡林侯加油。」

「不行。」拉法又說了一次。

「為什麼不行？你要去，每個人都要去。」

拉法轉身面對羅伯森。

「這不是手球，不是比賽。沒什麼好加油的。我們去是不讓卡林侯孤軍奮戰。我不想去，我不想要他去。但我會去，而你不能去。」

羅伯森開始拖著腳步走路，皺眉。

「那我現在要去見他。」

拉法火大地嘆了口氣。

「好。」

健身房是博阿維斯塔最少人利用的一個房間。機器人清理了積年累月的灰塵，緩慢加熱那深邃石塊中的永恆冰冷。卡林侯以緞帶在天花板上掛了陶鐘，共七個。他穿著戰鬥褲做出各種動作，虛晃一招，閃避，出刀，在地板上不斷旋身。

「老弟。」

卡林侯氣喘吁吁地來到欄杆邊，刀放到壁架上，下巴壓上彎起的手。

「嘿，羅伯森。」

「叔叔。」

「你有沒有弄響？」拉法朝掛鐘點點頭。

「我沒弄響任何鐘。」卡林侯說。飛快、預料外的動作襲向他，他完全來不及反應。羅伯森持刀，刀尖抵在卡林侯右耳下方的柔軟肌膚。

「羅伯森……」

「哈德利．馬肯齊教我的。他說，拿走敵手的刀就要反過來對付他，絕對不要放開刀子。」

卡林侯的動作如流水。閃過刀尖，順勢抓住羅伯森手腕緊扭，讓他嘗嘗痛的滋味。

「謝啦，羅伯森。我會注意的。」

所有的鐘都響了，發出輕柔的叮叮噹噹。又一個小地震。

卡林侯走出浴室，瞪大眼睛。

「這裡有按摩浴缸。連我在博阿維斯塔的房間都沒有按摩浴缸。」

「小卡，我能為你做的也就只有這些了。」

盧卡斯籌備卡林侯營地的過程困難異常。淒慘落空的婚禮依舊影響著社會氛圍，敵對雙龍將進行決鬥的消息一旦走漏，絕對不會只在八卦網站當中流傳，就算柯塔家和馬肯齊家威脅提告也沒用。俊俏男孩衣不蔽體地決鬥，甚至比帥氣男孩結婚還棒。這間位於獵戶座中央區的專屬公寓是透過一家又一家空殼公司租下的，列印機的設計檔案則是透過另一批空殼公司取得，按摩師、物理治療師、心理學家、廚師、營養學家、刀匠、便衣保全都匿名透過經紀人工智慧招募。他們在隔壁公寓打造了一個訓練房，暗中將馬里亞諾．加百列．迪馬里亞從南后帶過去。最後是卡林侯的月鋼戰鬥刀，他們派人從神之若望帶了過來，安置在道場內。

「這是臥房。」

「我可以繞著床走一圈。」

卡林侯倒在床上，頭枕雙手，心情歡暢明朗。盧卡斯繃緊嘴唇。

「我很抱歉。」

「什麼？」

「這件事我很抱歉，我不該要求……」

「你沒求我，是我提議的。」

「但我要是沒堅持祖護路卡辛侯……」

「艾芮兒到博阿維斯塔找過我，你知道她說什麼嗎？『抱歉，我阻止不了這件事。』而你認為狀況是你造成的，所以感到抱歉。盧卡斯，我早就知道這一天會來臨。我列印出自己的第一把刀並盯著它看時，就預見了這一天。不是預見自己將與哈德利．馬肯齊對打，而是預見家族總有一天會仰賴我打一仗。」

這是寬容的表現。

「哈德利・馬肯齊很壯，身手矯健。」

「我更精實。」

「卡林侯……」

盧卡斯望著大字形躺在床上、為純棉感到開心的弟弟。你可能會在二十四小時內喪命。你怎麼有辦法忍受？怎麼有辦法忍受任何一分一秒被浪費在瑣事上？也許那就是戰士的智慧。瑣事，高織紗數進口棉花帶來的立即體感，織品才是不可或缺之物。

「怎麼啦？」

「你動作更快。」

華格納拿起刀，本能地找到最佳的平衡握法。他望著手中之物。他才剛剛通過伸手不見五指的漆黑，正處於注意力和集中力的顛峰狀態，原本可能會花好幾個小時沉醉於刀鋒線條和鍛造成果中。

「你也太輕鬆了。」卡林侯說。

「可怕的玩意兒。」華格納將刀收回盒中。「我會到場。我不想去，但我會去。」

「我也不想去。」

兄弟相擁。卡林侯想分公寓內的一個房間給華格納，但他已經向狼幫求助了。地球以暗面示人的期間，幫屋寒冷又陰暗。他前天晚上從提阿非羅上來，在幫屋的床上輾轉反側。那是張小床，他四肢大張盡可能將它占滿，但無法改變只有他一個人在的事實。反覆浮現的夢境困擾著他：裸體站在風暴洋中央。安妮麗絲不相信他前往梅利迪安是為了處理家族事務，不過她想不出留得住人的好謊言。

「有沒有我能為你做的事？」華格納問，而卡林侯的笑聲嚇到他了。

「其他人全都把抱歉掛在嘴邊，都在說他們的罪惡感有多深。沒人問你這個問題。」

「我能為你做些什麼？」

「我非常想吃點肉。」卡林侯說：「對，我會想吃肉。」

「肉。」

「你能吃肉嗎？」

「通常沒辦法，但為了兄弟你……」

副靈影子找到了一家巴西炭烤店，奢華級的昂貴價格，號稱提供產量稀少的豬肉，以及以酒按摩、受音樂撫慰的侏儒種日本和牛肉。玻璃展示窗展示著肉品櫃中懸吊的屍骸，尺寸小如寵物。價格令人暈眩。卡林侯和華格納在雅座入座，聊天，蘸醬吃他們的高級牛肉，不過大多數時間他們保持沉默，在沉默中陪伴彼此，就跟大多數交情好的男人沒兩樣。他們發現，所有的溝通交流都完成了。

和我一起跑，他說。

瑪莉娜和卡林侯落到長跑隊伍末端，吸吐五口氣後，呼吸節奏便與儀式合一。瑪莉娜這次不怕跟著他們吟唱了。世上只有一個長跑隊伍。她上次脫隊至今，它都不曾止息，不分日夜地運動著。下一刻，她的心臟、血液、肌肉都融入了隊伍的一致性中。

好，我會去，好，她說。瑪莉娜接起卡林侯電話時，以為那會是個性愛邀約。她很希望做點別的事，離開公寓，離開近在咫尺的死神在裡頭散發的氣味。卡林侯想回家，跑步。搭最快的列車只要一個小時就能抵達神之若望。她和卡林侯穿著長跑裝上路，旁人會瞄他們幾眼，微笑。他們湊在一起好帥氣。你知道他們是誰嗎？喔，真的？瑪莉娜的跑步裝比先前更小、更貼身，過去她絕對不敢這樣穿；她身上的噴漆也更肅殺了。她心想，**我變得更緊繃、更凶狠了**。她從真空儲存槽取出奧貢的綠色纓帶，驕傲地綁上它們。

瑪莉娜奔向隊伍前方。卡林侯笑了，他和她並肩前進。**刀無歇，奧貢之刃在屋外揮砍，刀無歇，奧貢之刃迎向制勝一擊**。接著時間，自我，意識都消失了。

他們踉蹌地衝上回程火車，滿心歡喜，滿頭大汗。列車在赤道一上加速的同時，他們才跌坐到座位上，擠在一塊。瑪莉娜縮到卡林侯懷中。他真棒，喚醒了她心中的野貓性子。她很愛男人的異質性，他們對她而言就像動物一樣難解。她愛，因為他們是跟自己完全不同的驚奇存在。

「妳會來嗎？」卡林侯口齒不清地說。

她等待、畏懼這問題已久，答案已準備好了。

「會，我要去，可是……」

「妳不會看。」

「卡林侯，我很抱歉，我沒辦法眼睜睜看著你受傷。」

「我不會死。」

十分鐘後到達梅利迪安。

「小卡。」這是瑪莉娜第一次用最親暱的名字稱呼卡林侯，家人和愛人專用的名字。「我打算離開月球。」

他說：「我懂。」不過瑪莉娜感覺到他的身體繃緊了。

「我拿到錢了，我媽不會有事了。我覺得你們家很棒，但我不能留下。我每天擔心受怕。每一天，每分每秒，我都嚇死了。這樣不能過活。卡林侯，我得離開。」

乘客已開始起身，把小孩、行囊拉到身旁，與朋友會合，準備下車。瑪莉娜和卡林侯在加壓側月台接吻，她踮起腳尖。列車上的旅客微笑著。

「我會去的。」瑪莉娜說。他們回各自公寓。到了早上，卡林侯出門應戰。

對戰雙方到場的不久前，機器人才完成法庭清掃工作。這裡已經閒置十年了。空氣經過潔淨，房間內沒有任何老舊的血漬，真實的和想像出來的都不存在。這裡感覺很冷，儘管空氣已加溫到皮膚溫度。房間小巧而美麗，鋪了木頭牆板和地板。決鬥場位於中央，是一塊直徑五公尺的空心地板，適合跳舞或對戰。擂台四周的狹窄座位是見證人席與法官席。敵對雙方和法官都坐得離決鬥場很近，都可能被動脈噴出的血沫潑中。這就是決鬥法庭的道德觀：暴力觸及所有人。

馬肯齊座位區內，有鄧肯．馬肯齊和布萊斯．馬肯齊（他差點塞不進狹窄的座位），還有羅伯特．馬肯齊、婕德．陽—馬肯齊，扈衛之母。柯塔座位區內有拉法、盧卡斯、華格納、艾芮兒。艾芮兒的保全瑪莉娜．卡爾札也在場。馬肯齊的法律團隊想強迫路卡辛侯、羅伯森和露娜列席，不過艾芮兒在最後一刻成功駁回他們的提議。這起案件由雷米、艾爾阿什毛伊和米許拉法官審理，當中沒有任何人跟艾芮兒．柯塔共事過。

雷米法官宣布開庭，艾爾阿什毛伊法官宣讀原告狀書，米許拉法官詢問被告是否願意和解或道歉。不願意，盧卡斯．柯塔說。

繁文縟節使人冷靜，號令在場者，讓你對決鬥場即將發生之事產生疏離感。

隨從進場了。馬肯齊方是丹尼．馬肯齊以及保安隊副隊長康斯坦．達弗斯，柯塔方是赫特．裴瑞拉和馬里亞諾．加百列．迪馬里亞。雙方都將戰鬥用的刀械呈給法官。他們並不懂刀，但還是仔細檢視了一番，同意雙方使用。馬里亞諾·加百列·迪馬里亞親吻月鋼刀的刀柄，再放到刀架上。

對戰者從法庭下方的獸欄往上爬，都在踏入法庭時仰望，接著環顧四周，估量它的大小以及造成的限制。空間比他們想的還小，上演的將會是快速、野蠻的肉搏戰。卡林侯穿著米色的短褲，哈德利的是灰色的；都跟他們的膚色呈現對比。他們沒配戴副靈，在數位世界等於是裸體。飾品會成為弱點，但卡林侯還是在右腳踝繫上一圈綠繩，聖喬治偏愛的顏色。

瑪莉娜雙手掩面，無法直視卡林侯，儘管她非看不可。他是個男孩，臉上掛著微笑的男孩，晃過一個又一個房間，沒發現身後的門一道道關上，每個房間都越來越小，最後置身於此一殺戮地。她感到噁心，每根骨頭和肌腱都在發暈。卡林侯蹲下，赫特和馬里亞諾湊向他低語。決鬥場另一頭的哈德利·馬肯齊跳上跳下，吸鼻子，瞪視，像是能量與意志形成的旋風。瑪莉娜心想，他會將卡林侯開膛剖肚。她從來沒這麼害怕過。媽的診斷結果出爐、地月循環太空船於白沙公園起跑時，她都沒這麼怕。

法官召喚決鬥者上前。兩百一十公分高的卡林侯比哈德利高，但體重也較重。那個姓馬肯齊的是鐵絲與鋼鐵拼出來的。雷米法官向兩人說話。

「在此告知，這場決鬥完全合法，克拉維斯法庭深表遺憾。你們採取的行動極野蠻，有失家族與企業的顏面。你們可以繼續進行了。」

馬里亞諾·加百列·迪馬里亞將刀子交給卡林侯。卡林侯掂掂刀子，找到適當的抓握處，定位出平衡與速度。接著試手感與力度，讓刀尖往九個方位舞動。抓得牢，但保持飄忽。使力，不使力。虛晃一招，戳刺，旋動，而非劈砍。只在劈砍時使力。讓五感發揮到極限，感應黑暗迷宮中的掛鐘。

「隨從離場。」

赫特和馬里亞諾退到見證席下方的場邊棚內。法庭決鬥場沒有回合制，沒有休息或建議時間。打到勝負分曉為止。

卡林侯向家族行禮。肥厚的淚珠緩慢地沿著瑪莉娜・卡爾札的臉頰滾落。

「上前。」

卡林侯和哈德利在擂台中央面對面，舉刀行禮。

「開始。」

兩名鬥士壓低身子，擺出作戰態勢，重心穩定，手抬起。他們撞成一團了。卡林侯旋身，試圖牽動哈德利，毀其平衡，但對方機警而敏捷，動作快到卡林侯瞬間亂了節奏。他旋即穩定下來。瑪莉娜從未看過持刀決鬥，不知道它如此醜陋、富侵略性而嚴酷。毫無高貴的成分，不像擊劍那樣有劈砍和戳刺的技巧，還可迴避與反擊，攻與防。持刀決鬥的第一次接觸就是最後一次，任何一擊都會是最後一擊。劈，卸除其武器，捅，癱瘓其行動。速度快得叫人目眩，比思緒流動還快。哈德利臉上掛著骷髏似的微笑，精神萬分集中，動作比卡林侯更快、更輕盈、更敏捷。虛晃，轉身，回到伺機而動的態勢。她瞄了其他柯塔家成員一眼。拉法閉著眼睛，艾芮兒雙手摀著嘴，華格納的臉是一張專注的面具，盧卡斯的臉像是骷髏。擂台另一側的馬肯齊家成員表情全部如出一轍。

她看不下去了，但也無法別開視線。

沒人跟得上那殺氣騰騰的步調。卡林侯失衡了，她看得出來。他的反應慢了零點一秒，肌膚上的汗水晶瑩。雙眼冷酷，情感封在心中，沒外顯在臉上。他在跳一支舞，殺戮二步舞。緊湊，快速，刀在劈劃、戳刺時反光。持刀的手，腳部肌腱。一高一低。卡林侯佯攻，哈德利以刀擋下，然後在對方肱二頭肌畫出一條深邃切口，再轉身劈向對方腹部。卡林侯已走位走到一半，刀子在他的肚子上畫出一條血線。他沒注意到。此時他的腎上腺素爆發，讓他超越疼痛，超越專一戰鬥之外的一切事物。不過肱二頭肌的刀傷帶來沉重負擔。他正在失血，失去操作身體的精準度。他就要輸掉這場決鬥了。卡林侯轉身回躍，與哈德利拉開距離。哈德利衝上前將距離勾銷，但卡林侯瞬間改以左手持刀。這只製造了一瞬間的意外性，但已足以斥退哈德利。他搖搖頭，彷彿要擺脫脖子的不適，接著也改以左手持刀。

兩雙赤腳在卡林侯溫暖、腥甜的血液上滑動。

哈德利．馬肯齊下一波攻擊可能採取的形式，卡林侯都看得見。它們同時在他眼前上演，所有結果都是刀子畫開他手部肌腱、卸除他的武器、撕裂他的腳筋使他倒地，然後是開膛剖肚。

他會死在這裡。

下一刻，他看到了另一個可能性。刀子無涉其中，惡棍調調才是關鍵。有誰會在持刀決鬥時使出巴西柔術？卡林侯甩開刀子，刀嵌入法庭的木板牆，顫抖著。哈德利的目光被刀支開，卡林侯便在這瞬間跨入對方防守範圍內，封住對方的手部擺動，猛力折他的肘關節。

劈啪聲迴盪在法庭競技場內。刀落地了。

卡林侯將哈德利的斷手扭到對方身後。兩人湊得好近，宛如一對愛侶。卡林侯撈起落地的刀子，順勢插入哈德利．馬肯齊的喉嚨，切斷頸內靜脈。

法庭內所有人都起身了。

哈德利臉上掛著淡淡的意外表情，接著變換成失望。血液從隱祕的傷口噴出，他的雙手在死亡面前無益地揮動著。卡林侯讓他躺下，讓他在範圍逐漸擴大的血泊中發出咕嚕聲，揮動雙手。

卡林侯怒吼。仰起上身，握拳，怒吼。他踹觀戰席的木板，一踢再踢，拳頭搥穿牆面。咆哮。他轉身面向家族，甩掉頭髮上的汗水，發出勝利的叫喊。

瑪莉娜雙手掩面，眼前場景令她無法承受。這就是卡林侯，他一直都是這樣的人。

哈德利現在靜止不動了，法庭內響起第二個聲音——嚎啕慟哭，詭異得不像人類發出的哭聲，原本很難判斷其源頭，不過後來婕德．陽衝向了欄杆，而鄧肯．馬肯齊捉住她，抱住她。她還在哭，喪子的悲傷剝奪了她的條理。馬肯齊的隨從拿布蓋住遺體。

「此案了結。」米許拉法官的吼聲壓過咆哮和慟哭：「散會。」

赫特．裴瑞拉和馬里亞諾．加百列．迪馬里亞有意扶卡林侯走回法庭下方的獸欄，但他甩開他們，走到決鬥場另一頭，當著馬肯齊家咆哮。混著汗水的血液自他身體滴落。他朝婕德．陽、布萊斯．馬肯齊比了中指。

瑪莉娜覺得自己就快死了。

「隨從，請管好你們那方的扈衛。」艾爾阿什毛伊大喊。赫特和馬里亞諾一人抓住卡林侯一邊肩膀，硬將他扭向門邊。婕德．陽吐了口口水，口水在月球上能夠飛得非常遠。唾液擊中卡林侯肩膀，他轉身，跺腳濺起一片血沫。血雨降在她臉上，在馬肯齊家的人身上種下點點汙漬。

「把他帶走！」拉法大吼。

瑪莉娜已經逃離法庭競技場了。她將後腦勺抵在牆面上，希望它的堅實和冰涼能夠鎮住暈眩中的血管脈動。奔跑的保全與她擦肩而過，準備將柯塔家成員護送到待命中的交通工具那裡去。玻璃隔板將走廊劃分為柯塔側和馬肯齊側，刃衛團團包圍出席法庭的馬肯齊家成員，不過瑪莉娜還是看得到鄧肯．馬肯齊在擦繼母臉上的血液。

「喔，卡林侯。」她低語：「我原本可能愛上你的。」

卡林侯．柯塔在克拉維斯法庭獲勝的十分鐘內，柯塔氦氣的第一架精煉機就停擺了。三十秒後，第二台也斷線了。三分鐘內，北雨海的整段森巴線都停擺了。

VTO月球飛船隼號的乘客艙內，拉法、盧卡斯、卡林侯、赫特．裴瑞拉的副靈都亮了起來。在回希帕提婭轉運站的列車上，華格納．柯塔也收到了影子的警告。開往梅利迪安公寓的摩托上，碧賈浮和海蒂提醒使用者。

柯塔氦氣正遭受攻擊。

租用VTO月球飛船的費用對五龍成員來說，仍是一筆天文數字，不過拉法知道，不管克拉維斯法庭的決鬥結果如何，他都有必要盡快將家人護送到安全的地方。飛船降落在神之若望的升降台時，東西雨海、中央寧靜海已全面停擺。

「我們剛剛又失去西寧靜海了。」月船將乘客艙放到牽引器上的時候，赫特．裴瑞拉又說。「我剛和南寧靜海聯絡上，我將通話轉給你們。」

頭盔影像出現在所有人的鏡片上：毀滅的森巴線。鏡頭平移，映出殘骸、破銅爛鐵、塑膠碎塊，全都散布在月壤上，範圍遼闊。五輛精煉機陣亡，一輛探測車被掉落的建築橫梁砸爛，如頭顱般洞開。

「你們收到了嗎？」有個女人喊叫著，副靈標牌顯示她的姓名，姬尼．姆巴耶，位於寧靜海。「他們準備殺光我們。」她身後的天空有一片強光，炫目的熾光，一整堆建築鋼架拋向鏡頭。女人用法文咒罵，畫面中斷了。姓名標牌變白。

「卡林侯！」拉法搖晃他的弟弟。在法庭競技場爆發怒氣與狂熱後，此刻他像是患了緊張症，整個人毫無反應。隨從將他扭進扈衛獸欄後，醫療機器人便幫他治療腹部、肱二頭肌，為他注射大量的鎮靜劑。他的隨從幫他沖掉身上的血，把他塞進便服，打包送上隼號。「發生什麼事了？」

卡林侯試圖聚焦在他哥哥的臉上。

「我們失去整段南寧靜海森巴線了。」赫特·裴瑞拉說，他面如死灰。氣閥連結，等壓程序也完成了，乘客進入電梯大廳。「三十條人命。」

「卡林侯！你是塵工。」

「讓我看看。」卡林侯說，並將姬尼·姆巴耶的影片重看三遍，這時電梯來了。「停止所有森巴線的運作。」

「發生什麼事了？」拉法開口，但盧卡斯打斷他。

「我已經下令了。」

「撐不了多久的，他們會直接重新計算彈道。」卡林侯把電梯內的每個人望了一輪，看有沒有人想通。「他們正在向我們發射彈運乘客艙。你們要是將南寧靜海的回報影片放慢速度播放，就會看見其中一個乘客艙，在撞擊的前一刻。那閃光不是光，是彈運乘客艙引發的衝擊。」

「我們無處可躲。」拉法說。

「這不是受到一時刺激就能辦到的事。」盧卡斯說：「得先定位我們所有精煉機的位置，預約彈運，調整發射座標。他們已經預謀好一段時間了。」

「誰？」赫特·裴瑞拉說。

盧卡斯突然對他發飆：「還會有誰？你這老蠢蛋！」

聖塞巴斯蒂昂方樓康達科娃大道，電梯語音指示。

「我們能怎麼辦？」拉法說。

「出更高價。」盧卡斯說：「沒人打得贏『錢將軍』。」他向托基尼奧下令，結果它頓了一下。它從來沒頓過。

暫時無法與柯塔氦氣帳戶連線，托基尼奧說。

電梯門開了。

「解釋原因。」盧卡斯說。

我們的銀行系統正遭受阻斷服務攻擊，托基尼奧說。

電梯大廳一陣搖晃，康達科娃大道上的民眾都抬頭仰望，這是穴居人的本能。

「還真會挑時候啊，」拉法說：「這地震。」

「不是地震，」卡林侯說：「是錐形裝藥。」

一女一男，打扮入時而瀟灑，他們走下二十八號特快車，通過氣閥，進入忒車站。他們穿梭在推擠的乘客間，自信十足，很清楚自己要往哪裡去。忒車站是個惡名昭彰的迷宮，但他們似乎非常有方向感。有人在引導他們。他們在公用列印機領取預約列印的塑膠刀，有凹槽和刀刃，利度可傷人。這一女一男是刺客，受雇來找路卡辛侯．柯塔，準備將他開膛剖肚。他們的副靈鎖定著金吉。男孩無私密性可言，無所遁形。他們跟隨他穿過隧道和農場，通過陡峭筒田上方的高架走道，沿著斜坡往上爬，穿過住宅區，每走一步就拉近一些距離。

路卡辛侯．柯塔整個早上都在房間內等待克拉維斯法庭決鬥的消息，罪惡感將他剁成了碎片。他爸後來又給了他一個時間，但不是婚禮重新舉辦的時間，而是關於那一巴掌的結果。算計過的侮辱，挑起決鬥。這是他跟布萊斯．馬肯齊之間的舊怨，婚禮只是藉口。

我要去，路卡辛侯說。

不，你不准來，盧卡斯下令。

我得去看，路卡辛侯說。

沒人需要去看，盧卡斯說，**待在忒，你會很安全。我會讓你知道結果**。

路卡辛侯試著坐下來，試著到處走動，試著玩遊戲，試著瀏覽社群網站，試著烤點東西，但就是靜不下心。無法集中精神，恐懼令他反胃。後來金吉亮起，收到了一個盧卡斯傳來的訊息。**卡林侯贏了**，就這麼一句。

卡林侯贏了，路卡辛侯放下心中一顆大石，感覺鬆了一口氣，得意洋洋。他得找人聊這事，得見見別人。透過副靈傳訊不過癮。亞別娜，見見我。他幾乎在忒的隧道裡奔跑起來。刺客以副靈交換著訊息，目標動起來了，事情容易許多，不用駭進公寓的保全系統。他們打算在恩克魯瑪圓環堵他，在大庭廣眾面前解決他。他們以為他們的通訊頻道很安全。來了，他們的手伸向藏起的刀子，準備圍住路卡辛侯。

危險，金吉說，**危險，路卡辛侯．柯塔！**路卡辛侯定在原地，在勞靈廣場中央轉身，試圖從幾百人當中找出試圖刺殺他的敵手。他看到一個男人湊了過來，手中持刀，距離很近。他沒注意到身後的女人。

不過屋頂上的機器人注意到她了。ＡＫＡ的人工智慧在這兩名乘客抵達時，即解讀出他們的行動模式，他們還在庫福爾街列印刀具，然後是地表上展開的一連串事件。他們派出一台保全機器人——這隻聰明的蜘蛛暗中在雜亂的天花板上快步移動，穿梭於忒城擁擠的隧道內，跟蹤那兩個跟蹤路卡辛侯．柯塔的刺客。機器人鎖定目標，發動攻擊。它跳到女刺客的脖子上，插入神經毒針。就在她肺部緊緊鎖死時，機器人彈離她，翻過路卡辛侯的肩膀，撲到男刺客臉上。他根本來不及出手保護自己，機器人就黏到他臉上了。ＡＫＡ生化製程下的箭蛙毒液速效又強力。兩名刺客分別倒在路卡辛侯．柯塔兩側，蜘蛛則快步離去，鑽到勞靈廣場的下層結構中。ＡＫＡ不喜歡被捲入其他龍的政治鬥爭中，但非做不可時，金凳的方針是「快狠準」。

你安全了，金吉說，**援軍很快就會抵達**。

華格納對希帕提婭轉運站月台盡頭的靜謐石柱產生了強烈的感情，它位於兩個世界之間——完好的世界與黑暗世界；也立於兩個時空之間——過去與未來。所有龍（甚至像他這樣的半龍）都生活在暴力陰影中，但他從未看過他者死在敵人手中。他還聞得到血味，那味道將會永遠揮之不去。他想像自己散發出那氣味，而列車上的所有人都聞得到。華格納了解他體內的狼，但他在法庭決鬥場上發現：卡林侯體內之物比狼還狂野。他不了解那玩意兒的性質，為此感到恐懼。因為它一直存在於卡林侯體內，而他卻始終沒注意到。這讓他們以兄弟身分共享的每一刻、每個體驗都變得虛妄。

龍交戰，狼該站在哪？

影子發光了，安妮麗絲來電。

「華格納，你在哪？」

「希帕提婭。」

「華格納，回梅利迪安去。」

「安妮，怎麼了？」

「回梅利迪安去，別回來這裡，別回家。」

她低沉而急迫的聲音，壓低的嗓子，偷偷摸摸的齒擦音都刺激著他的集中力，使他手臂、頸後的寒毛豎起。

「安妮，發生什麼事了？」

她的聲音變成了呢喃：「他們在這裡，在等你。喔天啊，他們要我發誓……」

「安妮，你說的是誰？」

「馬肯齊的人。他們逼我的，他們說我只能選一邊，不是家人，就是敵人。別回來，華格納，他們要每一個姓柯塔的死。」

「安妮——」

「我是他們的家人。我沒事，我沒事的，華格納。」他聽到畏懼、憋住的啜泣。「快走！」

中斷連線，影子說。

「打回去找她。」

華格納，我接不通。

一個個家庭在月台上兜圈子。孩童們的聲音產生了回音，而回音又鼓勵他們發出更大的聲音。麵盒被地下小農場的怪風颳起，閃過清掃機器人。柯塔和馬肯齊家在地表上交戰著，而地下的車站內，民眾轉車上班，或去找家人、朋友、愛人、樂子。如果他們看到一個男人抱膝倚著柱子，會想像他在為自己的生路奮鬥嗎？

安妮麗絲在家，他不知道她碰上了什麼事。

快走！她說。

華格納從柱子旁起身，穿過月台來到對向軌道前方。

那只好流亡嘍，與狼為伴。

康達科娃大道再度震動，高處屋頂的塵土脫離原位，化為輕盈飄下的閃亮雲朵，優雅如神恩。街道上的人車全都靜止了。群眾先是仰望頭頂，接著面面相覷。

聖塔芭芭拉與聖喬治主氣閥遭到破壞，每個人的副靈都向它的使用者報告，**連帶影響電梯安全性。**

「他們要穿過屋頂下來了。」拉法說。

主車站有武裝敵對部隊。

「畫面。」卡林侯下令，聖喬治照辦。身穿防刺裝甲的士兵走出列車氣閥，在月台上列隊。他們身上佩戴雙刀和泰瑟槍槍套。搭八十七號特急列車展開入侵，平凡無奇的行動。乘客困擾地皺眉：現在是在拍《心臟與頭骨》嗎？他們缺乏攻擊列車乘客和公民的正當性。「有多少人？」

五十人。聖塔芭芭拉氣閥和聖喬治氣閥有十個人，聖塞巴斯蒂昂電梯內各有五人。又一次爆炸撼動了聖塞巴斯蒂昂方樓。**緊急氣閥失去完整性了，我的相機都斷線了。**

光線閃動著，這是前所未有的狀況。滿懷恐懼的駭人嗚咽在康達科娃大道泛開。他們最害怕的情況是受困黑暗中，空氣外洩。**敵人已進入聖塞巴斯蒂昂方樓。敵人於康達科娃大道與泰勒斯可娃大道上。**

「他們會在這裡宰了我們。」卡林侯說：「赫特，我要兩名保全跟著盧卡斯和拉法。拉法……」

「我得跟我的孩子待在一塊，他們可能在博阿維斯塔……」

「從方樓的這一側沒辦法前往車站。盧卡斯，走外圍隧道到西十二樓，然後走塞洛娃大道入口。」

「我來發布全體避難警報。」

「好兄弟。不過你也得離開這裡。」

「我要跟家族同進退。」

「盧卡斯，你不是戰士，他們會剁碎你的，老兄。」

「小卡，他們試圖刺殺路卡辛侯。他們想殺我的孩子。」

「你現在就等於是柯塔氦氣。抱歉了，拉法，請你拯救公司。你有計畫嗎？」

「我總是有計畫。」

「說說說。」

天際線閃動著，七快一慢。全體撤離。你最害怕的狀況，就在剛剛發生了。輻射，非受限環境下擊發子彈，減壓，屋頂坍塌，受損。敵人入侵。保障自身安全，前往避難所，離開此地。康達科娃大道上的上萬副靈，以及神之若望每一層樓、每條大道、全方樓的副靈都唱和著警報。整個空間一度陷入驚恐的靜默，下一刻各種動作就爆發了。摩托掉頭，將乘客載到最近的集合點去，行人拔腿狂奔，飛行器衝向副靈顯示的安全地點。商店、咖啡店、酒吧、俱樂部人去樓空。慌亂的酒醉者盯著天空，彷彿它就要垮下來了。學校老師召集全班學生，將啜泣的孩子送往避難所。媽在哪？爸呢？家長打電話給小孩，跟夥伴走散的孩童惶恐大哭，機器人定位流浪兒和走失者，將他們引導到安全的地方，之後就能與家人重逢——如果真有「之後」的話。夜時區和週區的入睡者、晨型人、輪班工紛紛驚醒。恐懼，開火，塌陷！辦公室與公寓空無一人，一雙雙腳重踩在各樓層與走道上，一具具身體沿樓梯傾瀉，在低重力環境下自低樓層往下躍。他們身後的柯塔氦氣辦公室爆炸了，一間接一間，建築用塑膠、廉價木料、柔軟家具四處飛濺。

「聖喬治，列印我的護甲。」

三分鐘內可於西十五樓公用列印機取件。

「赫特，我的刀。」

赫特．裴瑞拉打開莊重的盒子，卡林侯．科塔的月鋼刀反射著陽光線的光。一支柯塔氦氣保安小隊上氣不接下氣地抵達了，沒裝備，滿頭問號，人數過少。

「你，還有你，跟著拉法和盧卡斯。赫特，帶五名保全墊後。」卡林侯給不起五名保全，但他已在辦公室爆炸炸飛的殘骸中發現人體。馬肯齊家打算徹底摧毀柯塔氦氣，物質和精神都不放過。「發個全體呼叫，叫所有柯塔氦氣員工集合到你身邊，然後帶他們到東塞巴斯蒂昂避難所。馬肯齊的人在那裡不會動他們。」

「你這麼想？」

「避難所是神聖的空間，就算是馬肯齊的人馬也不會炸掉那裡的。去吧。」

赫特．裴瑞拉向他的士兵點頭，他們一同大步慢跑於康達科娃大道上，手握刀柄。英勇，卻也絕望的場面。神之若望太巨大、太駁雜了，橫跨太多時區，而馬肯齊的人馬已經抵達了各角落。神之若望陷落了。

「拉法！」

盧卡斯已在一層樓之上，和兩個保鑣一起爬上陡峭的梯子，逆著傾瀉而下的人潮。身為謀略家，他的動作還真靈巧。

「離開這裡！」

「小卡！」

盧卡斯自兩層樓之上呼喚。街區和大道如今已變得空盪盪的，棄置的三輪摩托擠在避難所氣閥前，機器人無目的地來回奔走著。

「我可以燒死他們全部，燒死馬肯齊。羅伯特、婕德、鄧肯、布萊斯，全都不放過，全都燒死。」

「盧卡斯，我們跟他們不同。」

盧卡斯點點頭，接著起勁地揮動雙手，一路往上爬。拉法看了他最後一眼，然後低頭穿過一個十字路口。卡林侯穿上扎實的護甲，將刀子滑進電磁鞘中。

「我們要爭取時間。」卡林侯對自己的小隊說。小隊成員是八名保全，而馬肯齊的二十名刃衛正在康達科娃大道上並排前進。「且戰且走，不計代價爭取時間。好，跟我來。」他開始慢跑，而他手下的鬥士排出楔形陣。卡林侯發出蔑視的嚎叫，聲音迴盪在空盪盪的聖塞巴斯蒂昂牆間。

拉法奔跑著，西裝外套與領帶平行地面，鞋子感覺很不對勁。黃色的緊急照明燈旋轉明滅著，被丟棄的水瓶、鼓、對應各奧里莎的彩色繐帶散落在環城隧道的地面上，一片狼藉。長跑終於也畫下終點了。

離開公寓前，艾芮兒在自己和瑪莉娜的包包內塞滿鈔票。

「盧卡斯說帳號已經被鎖死了，」艾芮兒說：「這個到處都可以用。」

「搭火車？」

「我十分鐘前訂了票。」

柯塔氮氣正在瓦解，神之若望遭受攻擊。卡林侯正在作戰，拉法試圖前往博阿維斯塔，沒人知道盧卡斯在哪。華格納在梅利迪安。路卡辛侯在忒，艾芮兒和瑪莉娜打算去找他，一同尋求庇護。瑪莉娜不敢相信一個企業可以毀得這麼快。

二十層樓，距離梅利迪安車站一公里。上百種可能的死法在外頭等著她們。摩托很快，不過摩托可能被駭。電梯和手扶梯上有可能躲著十來個刃衛，街上幾百個人當中可能有受雇的殺手，甚至可能全都是敵人。就在此刻，無人機可能已鎖定這間公寓，刺殺機器人、神經毒素昆蟲可能已沿著通風管爬入屋內。

「起來，」瑪莉娜說：「我們用走的。」

艾芮兒走向樓層梯的半路上定住了。

「快啊！」瑪莉娜喊道。

「我沒辦法，」艾芮兒說：「我的腳不聽使喚。」

瑪莉娜知道要提防各種威脅和駭客攻擊，卻漏了最私人、最能耗損行動力的一個項目。

「脫掉。」下一波攻擊很有可能命令艾芮兒的義肢走向一群刃衛中間。

「我拿不掉。」使勁又害怕的艾芮兒用氣音說。瑪莉娜拔刀。

「抱歉了。」

第一刀將裙子割開，第二和第三刀斬斷供電系統的耐屈電線。伺服電動機失去供電，腳關節彎折了。艾芮兒的手一陣亂揮，即將跌跤，瑪莉娜接住了她。

「把它們拿掉，把它們拿掉。」艾芮兒大叫，胡亂撥弄靜止的義肢。

「我不想切傷妳。」瑪莉娜謹慎又快速地以刀尖挑出塑膠鎖和鉤釦，注意力熊熊燃燒著。「不要動！」還差兩個接頭。艾芮兒的公寓位於巷內，那一帶也安靜，不過駭進機器義肢的人遲早會過來了解狀況：為什麼計畫沒成功？而這條巷子是死巷。「好了。」瑪莉娜將腳撬開，艾芮兒拖行身體，掙脫它們。

「妳能爬嗎？」瑪莉娜問。

「我可以試試。」艾芮兒說：「為什麼問這個？」

瑪莉娜朝聯外巷弄深處的維修梯點頭。

「我不知道有沒有辦法一路往下爬。」艾芮兒說。

「我們沒要往下，通往車站的路上每隔一公尺就會部署一個馬肯齊家的人馬。我們要往上爬。」

進入貧民區，高地，上城區。不受眷顧者之城。月球上最高明的婚姻律師和她保鑣將可躲入世界的屋頂。「我來幫妳，不過要先……」瑪莉娜以食指觸碰兩眼之間，副靈關閉了。一秒後，碧賈浮也追隨海蒂的腳步，消失無蹤。「妳先。」

「幫我個忙。」艾芮兒下令，她跟西裝外套扭打著。瑪莉娜幫她脫掉。如今她身上只剩連褲襪和運動內衣——她的戰鬥衣。

「我的包包給我。」艾芮兒說，而瑪莉娜將它踢遠。

「妳要怎麼帶走？用咬的？」

「現金也許會有很大的用處。」

「比保持妳喉嚨完好無缺還有用？」

艾芮兒拖著身體爬了二、三、四個梯級。

「我爬不遠。」

「我說我會幫妳。」瑪莉娜鑽到艾芮兒懸空的身體下方，她癱瘓的雙腿垂掛在脖子兩側。「前傾身體，重量放到我肩膀上。我們得通力合作。左手，右手，我的右腳，然後是我的左腳。」瑪莉娜扛起艾芮兒，一起爬梯子。月球重力減少了艾芮兒的重量，但並沒有徹底取消它。瑪莉娜猜她承受的艾芮兒體重大約是十公斤。她肩負十公斤爬垂直的梯子能爬多久？才爬一層樓，她的肌肉就開始疼痛了。

兩樓，三樓。還有六十樓才會抵達世界的屋頂。抵達之後，瑪莉娜也不知道該怎麼辦。不管柯塔一族是生是死，他們的帝國會存續還是會解體，她都不知道該做什麼。能不能在上城區找到落腳處？能不能活下來？馬肯齊的人馬會不會在上頭等她？她都不知道。她只知道左手、右手、左腳、右腳，一個梯級又一個梯級，一層樓又一層樓。瑪莉娜和艾芮兒就這樣展開逃亡。

音響室燒起來了，火舌舔食、環繞牆面和音響效果完美的地面。掩藏在劈啪與嗶啵聲背後的完美機制。煙霧繚繞，在空調系統的攪動下化為鬼魂與惡魔，隨著火焰疾行。水氣與煙霧團在火球中點燃。防火系統啟動，封住整個房間，並用海龍滅火。

第一發泰瑟槍擊中卡林侯的背部，他整個人的動作立刻鎖死，所有肌肉都開始抽搐。他奮力大吼，同時設法繼續握住刀子。往下劃，切斷連接鐵鉤與泰瑟槍的線纜，接著整個人抖了一大下。他轉身，往外一劈。刃衛紛紛後退。現在只剩他孤軍奮戰了，他的所有隊員都毫無尊嚴地倒在血泊中，散布在康達科娃大道上。馬肯齊家的刃衛繞著卡林侯．柯塔轉，但他還是繼續奮戰。他的護甲上布滿刀痕、鑿痕、擊中克維拉纖維而非肉體的鐵鉤。他擊倒了五名馬肯齊的人馬，但援軍一秒一秒增加。

卡林侯一步又一步奮戰，擊退一個又一個馬肯齊人馬，退到東避難所氣閥。赫特．裴瑞拉死了，保全也跟他一起上路，不過避難所裡待滿了人，密閉而安全。

一圈刃衛朝卡林侯逼近，辱罵他、戳刺他。他無法脫身，無法脫身。第二發泰瑟槍擊中他的膝蓋，第三發卸除他的武器，第四發使他化為抽搐的肉玩偶，罩在泰瑟槍鐵鉤的閃亮網絡之下。他的力氣、機動性、刀子都沒了。他將會跪在月球上的洞穴裡受死。他只剩下憤怒。一名刃衛走向他，摘掉自己和他的頭盔。是丹尼・馬肯齊。他拿起卡林侯手中滑落的其中一把刀，欣賞輪廓與刀刃之精巧。

「真棒。」

他將卡林侯的頭往後拉，劃開其氣管。

屍首血液流乾後，刃衛將衣服剝個精光，拖到西七樓行人穿越道，倒掛在橋上。

五分鐘後，他們發出了合約。發給所有柯塔氦氣倖存的員工、外包商、代理商，跳槽向馬肯齊金屬效忠的合約，期限、條件、報酬都寫得清清楚楚。「慷慨」還不足以形容那筆錢。馬肯齊一族總是三倍奉還。

北上的月球探測車奔馳在豐饒海。

只設想一個逃脫方案的人是傻子。

盧卡斯在升職進入柯塔氦氣董事會後開始規畫他的逃生策略，每年都會加以評估、修正，好因應今天這種狀況。每個策略背後都有同一個深刻體認：月球上無處可躲。當他坐到董事會會議桌旁，碰觸光滑閃亮的木料，感受到優雅木桌和屁股下旋轉椅的脆弱性，感受到頭頂石頭的重量和腳下石頭的冰涼時——他就想通了。無處可躲，但可到外頭去。盧卡斯關閉托基尼奧前給它的最後一個指令是，儲存前往中央豐饒海月環站的路線。

五年前，他就把價值一千萬的金子儲存在地球蘇黎世的米拉博銀行了。沃隆佐夫人愛死金子了，當他們無法相信機器、飛船、兄弟姊妹時，他們就相信金子。

你們設法自保吧，他在氣閥那裡向保全下令，**丟開刀子，放下護甲，切斷通訊。我要走這裡。**

他不希望他們得知他真正的逃亡計畫。希望他們都成功脫身。盧卡斯一直都很欣賞盡忠職守的人，馬肯齊一族也是，所以他們不會愚蠢地浪費優質人力，只放該放的血。盧卡斯就是這樣一路走來的。他跑得很快，默不作聲，躲避馬肯齊一族的偵測。神之若望肯定會淪陷，卡林侯肯定會死。他只希望拉法能順利抵達博阿維斯塔，希望教母將孩子們帶到安全的地方。馬肯齊家將會剷除他的家族，根枝不留。這也是盧卡斯一直以來的招數。華格納正在逃亡，而艾芮兒的狀況他完全不清楚。路卡辛侯很安全，阿沙默家處死兩名馬肯齊刺客，再度確立他們的獨立性。這讓盧卡斯感到心暖暖的。此時他在柯塔氦氣探測車內部緊攀著的塑膠環境罩中，而他的孩子安全了。

五分鐘後抵達中央豐饒海站，探測車說。

「備妥乘客艙。」盧卡斯下達指令。彎曲的螢幕顯示出他的目的地：一公里高的鋼梁結構塔，以及一長排繫鏈轉運艙。裝載與卸載設施，太陽能板田，近在咫尺的赤道一的分線：中央豐饒海站。它是柯塔氦－3罐與馬肯齊精煉稀土貨板的主要運輸中心。今天，它將運送不同以往的貨。

「執行進站程序。」盧卡斯說。敏捷的探測車溜向一圈藍光，也就是外氣閥。接著完全停擺。

「探測車，請入站。」

探測車停在豐饒海上，閃亮氣閥門的五公尺外。

「探測車……」

「我說啊，你叫了也不會有反應的。」人聲打破公用頻道的寂靜，一張臉出現在螢幕上：亞曼達·陽。

「就算妳離婚後懷恨在心，這也太超過了？不能切碎幾件西裝外套就了事嗎？」

亞曼達・陽真切地大笑。

「盧卡斯，我不得不稱讚你，你很專業。呃，不過你說外套？反列印？不，現在的狀況跟我們的離婚無關，你自己也很清楚。而我準備殺了你，這次我會成功的，除非你在哪裡又塞了個機智英勇的雞尾酒女服務生？我不覺得有。」

「我們一直想不透蒼蠅是怎麼通過安檢的。」

亞曼達・陽點點自己的耳垂。

「珠寶，親愛的。你同父異母的兄弟要是繼續查下去，遲早會查出來的。他的工作很全面。你們姓柯塔的實在太容易操控了，容易得荒謬。成天都在表現巴西男子氣概，而馬肯齊家根本不怎麼需要刺激。不過有能力預測敵人的下一步後，事情就變得簡單多了。我們也才算得到你會嘗試離開月球。所以我就出現在這嘍，在你的軟體內。不過我們這樣是在浪費時間，我得殺了你。我有好幾個選項。我可以炸了你的車，不過你離月環有點太近了。我也可以讓探測車減壓，很快就能了結你。不過我想我只會直接命令探測車不斷開、不斷開，直到你氧氣耗盡。」

減壓探測車。人皮是性能絕佳的加壓衣，人體能在真空中運作十五秒。他得讓她繼續說話，趁機在駕駛艙內尋找可救命之物。虛榮始終是她的缺陷。

「我有個問題。」

「是，接受死者最後請求是我們遵守的慣例。什麼問題呢，親愛的？」

「為什麼這麼做？」

「喔，告訴你就一點也不好玩了。壞人把整個主計畫都洩漏出來？不過我是這樣想的：我可以給你提示。你很聰明，盧卡斯，你自己應該能想通。這樣一來你就有事做了，不用眼睜睜看著空氣存量不斷減少。自從第一天起，我的家族就不斷拿下赤道一鄰近土地的購買優先權，兩個月前，我們正式收購了土地。這樣應該可以讓你分心一陣子了。」

「我會專心致志地思考。」盧卡斯說，並撲向駕駛艙另一頭，使勁拍按緊急逃生口控制鈕。艙門炸開了。盧卡斯發出尖叫，中耳像是扎了千根針，每個靜脈竇都灌滿沸騰的鉛。尖叫是好事，讓他的肺免於破裂的命運。接著尖叫中斷了，爆發的空氣將身穿西裝外套、打褶褲、繫領帶的盧卡斯震到豐饒海上。他揚起一片月塵雲，滾啊滾的。眼睛，要睜開眼睛。一旦閉上就會凍到睜不開。眼盲剝奪判斷力，失去判斷力就只有死路一條。他奮力起身，眼角瞥見探測車的車輪旋轉著。車在動，她想撞倒他。一步，兩步，停了。一步，兩步。不過他身上的一切都在衰亡，體內就快碎裂了。腳穿雙色平跟船鞋的盧卡斯探出身子，按下外氣閥控制板。閃燈將整個氣閥染成純粹的藍。氣閥門甩開了，盧卡斯將自己拖進去，氣閥門旋即關上，封死。盧卡斯的肺部、眼睛、耳朵、腦就快爆開了，接著他聽到空氣湧回氣閥發出的轟隆聲，然後在轟隆聲中聽到自己的聲音。他的尖叫一直都沒停。砰，氣閥一陣晃動。亞曼達令車子撞進氣閥內了。沃隆佐夫將氣閥造得很堅固，但「遭挾持探測車的衝撞」並非設計時考慮的變數之一。盧卡斯大口吸入空氣，爬向內氣閥。門開了，他跌入其中。門關上了。中央豐饒海車站又晃動了一次，盧卡斯讓臉頰抵著冰冷、堅硬、美妙的鐵網地板。牆上，他視線的正前方又掛著月球夫人聖像。他伸手觸碰她骨頭那半張臉。

還沒完呢。

「Corcovado, Dorolice, Desafindo[7]。」盧卡斯嘶啞地念出密碼。

歡迎你，盧卡斯・柯塔，車站說，**你的乘客艙已備妥，月環將在六十秒內抵達，進行軌道轉運。**

盧卡斯擠出最後一點力氣，蹣跚地進入艙內。

請注意，最大加速下，重力將會暫時上升至月球重力的六倍。駕駛艙向他說明，安全護槓同時降到他胸膛上，布墊夾住他的腰。氣閥密封了。車站上升。又一次性質不同的震動搖晃著艙內的盧卡斯，而他鬆了一口氣，幾乎快哭出來了——駕駛艙已離站，爬上終端塔，前往繫鏈月台。**上升中，月環於二十秒內抬升。**

他想像月環沿著赤道旋向他，平衡器沿著它上下移動，使它恰到好處地沉降到低處的月球重力之內，夾住這生命包裹。抓具連結完成時，盧卡斯大聲吶喊。盛裝盧卡斯與尖叫的乘客艙被夾上天際，甩離月球，深入廣袤的黑暗中。

屍體散布在博阿維斯塔有軌機動車月台，像是月球地表的破銅爛鐵。一整隊遇害的馬肯齊刃衛。吹箭器的槍管旋過來，鎖定拉法，動作又快又精準，令他一時喘不過氣。槍枝們猶豫了。如果馬肯齊駭入保全系統，拉法早在抵達大門前就會掛掉。吹箭器咻地向上挑起，收到一旁。讓友軍通過。

蘇格拉底試圖聯絡羅伯森和露娜，但博阿維斯塔的網路掛了。

拉法走出車站，預期會看到恐怖的景象。長長的谷地內空盪盪的，水從奧里莎漠然的臉孔中湧出，流經溪流、池子、瀑布，嘩啦嘩啦。竹林擺盪，葉片在微弱的風中搖曳。太陽線已調節到正午剛過的亮度。

「嗨，博阿維斯塔！」

---

7 駝背，朵拉利絲，走音。皆為巴莎諾瓦曲名。

他的呼喊激起十幾個回音。

他們可能認出他了，也可能死在血泊中，倒臥在石柱間、房間內。

「嘿！」

一個又一個空房間。博阿維斯塔從來不曾帶給他現在的感受，感覺完全不像他的宮殿。他媽的公寓，面向花園的寬敞房間。會客處，會議室，工作人員區。他以前和露西卡一起住的公寓，露娜喜歡躲藏的窄縫；她還以為沒人知道她在那裡偷看。空無一人。他穿過門，來到休息區。一隻手抓住他，一甩，將他砸向牆面，再扔到地上。愛麗絲教母站在他上方，刀尖距離他左眼球只有一公分。她收刀。

「抱歉，柯塔先生。」

「他們在哪？」

「避難所。」

博阿維斯塔晃了一下，灰塵從天花板撒落。是破門炸藥發出的，單調的爆破音，不會錯的。

「跟我來。」

愛麗絲教母牽起拉法的手，穿過一個又一個房間，通過博阿維斯塔那不斷擴張的走廊迷宮。避難所是鋼、鋁、強化玻璃組成的容器，塗有黃黑兩種顏色的線條：全世界都通用的符號，代表危險。教母和博阿維斯塔的工作人員緊張地窩在板凳上。羅伯森和露娜衝向窗邊，手按著玻璃。副靈可透過區域網路連線，拉法跪下，頭抵住玻璃板。

「感謝上帝，感謝上帝，我嚇死了。」

「爹地，你要進來嗎？」露娜說。

「等一下，我得確認還有沒有人在外頭。」

博阿維斯塔再度晃動，避難所的防震彈簧嘎吱作響。它可收容二十人，就算是月球上最可怕的東西砸向它，裡頭的人還是可以呼吸。

「由我來就行了，柯塔先生。」愛麗絲教母說。

「妳做得夠多了，進去吧，快。」

門鎖旋開了，愛麗絲教母最後又看了拉法一眼，詢問意味濃厚。而拉法搖搖頭。

「你們回過神之前，我就會回來了。」拉法對露娜說，兩人都伸手觸碰玻璃。

他檢查過南側了，但公司辦公室和輔助設施在花園北側。

「嘿！」

又一次爆破，他得加快腳步。空氣設備，水循環，電力，暖氣，都沒人。新一次爆破來了，截至目前為止最強烈的一次，震得葉子離枝，聖塞巴斯蒂昂亭的磚石結構坍塌，獵人奧索希的臉上出現一條裂痕。

沒人。

完全淨空，回來這裡真是個愚蠢的決定。露娜和羅伯森不需要他拯救，教母冷靜、妥善地照顧著他們。他才是不利條件，危險根源。如果他前往避難所，馬肯齊家的人就會劈開那地方去逮人。博阿維斯塔是陷阱。爆炸又來了，比前一次還要大，前所未有地大。奧索希臉上的裂縫變成岩隙，聖塞巴斯蒂昂亭的圓頂墜入水中。拉法開始奔跑。

有軌機動車目前無法使用，氣閥人工智慧說，**三公里處的屋頂坍塌已封住隧道。**

拉法無言地盯著氣閥，彷彿受到它的人身攻擊。他腦袋一片空白。地表氣閥，他可以學路卡辛侯溜出去，穿硬甲緊急逃生衣。神之若望陷落了，但路里克有個補給站。穿上硬甲緊急逃生衣，全速奔跑兩小時，之後在那裡開走探測車，前往忒。重新編制，恢復元氣。召集家人，反擊。

他衝向地表氣閥電梯，結果被震倒在地。這一波威力十足的爆炸將博阿維斯塔抬起，再重重往下砸，彷彿是一名鬥士折斷了敵人的頸椎。電梯大廳的前方土崩瓦解，化為殘骸之牆。衝擊波使拉法失去聽力，大受震驚。他也明白飛行中的殘骸代表什麼。他們炸掉地表氣閥了，博阿維斯塔如今已與真空連通。

衝擊波逆轉，博阿維斯塔將內部的空氣往外排。花園炸裂，每棵樹上的葉片都遭到剝落，所有未固定的物件都被吸向地表氣閥的升降機井，轟向地表，儼然是廢料、葉片、花園家具、茶杯、花瓣、割下的草、遺失珠寶、爆炸碎片聚合成的噴泉。門窗凹陷、碎裂。博阿維斯塔籠罩在玻璃碎片與金屬碎塊的龍捲風中，減壓警報尖嘯，音量隨著氣壓降低逐漸變弱。拉法緊緊抱著聖塞巴斯蒂昂亭的柱子，奪命狂風撕扯著他，他的衣服、皮膚被漫天飛舞的玻璃割出上千個傷口。他感覺肺部著火，大腦燃燒，他從血液中吸取完最後一丁點氧氣時，視野染上一整片的紅。他最後淺淺地吸了幾口真空。他將死在這裡，但他不想鬆手。不過他的視野暗了下來，氣力不斷流失。神經突觸燒毀，一個接一個死去。抓握力道越來越小，撐不住了。即使撐了也沒意義、沒希望。拉法最後發出無聲的哭號，滑離柱面，被吸入風暴之中。

月環乘客艙飛越遠端月面。盧卡斯．柯塔若能連線攝影機畫面或有窗戶可往外看，他肯定會盯著半片遠端月面的奇觀不放，它亮如鑽石，填滿他的天空。但他沒窗戶，也沒攝影機，欠缺通訊手段，也沒有娛樂和光線。托基尼奧處於離線狀態，盧卡斯犧牲了一切讓自己得以呼吸。他甚至沒有足夠的電量可以打通電話給路卡辛侯，讓兒子知道他爸還活著。估算結果很吃緊，但也很精準。計算不需信念，它只是一個又一個等號。

盧卡斯的領帶已掙脫他的夾克，飄浮於無重力中。

太陽企業的計畫非常直截了當，像小孩想出來的。盧卡斯在乘客艙內有思考的時間，而亞曼達．陽的告白讓他三、兩下就推出了結論。永遠不要多嘴。她犯了這個錯，而他將三倍奉還。她老是瞧不起他，陽家也總是把柯塔一族視為較低下的骯髒階級。可笑的草原牛仔，出身巴西貧民窟的暴發戶。馬肯齊金屬摧毀了柯塔氦氣，地球看著這幕，擔心起自己的氦氣核融合電廠。馬肯齊金屬想強取柯塔氦氣的市場，因此原本就有氦－3存量，不過長遠來看，真正的關鍵是太陽企業行使了赤道地區土地的優先購買權——他們許久前就下的賭注。在赤道一南北各六十公里處鋪滿月壤燒結成的太陽能板，然後利用微波將能源傳回地球。太陽企業的強項始終在資訊與能源領域。他們想把月球當作資源永遠不會耗盡的永久軌道發電站。這是人類史上最昂貴、最大型的公共建設計畫，不過在柯塔氦氣倒閉、月球氦－3供應量下滑，人人歇斯底里之際，投資者肯定會拚了命把錢往太陽企業的口袋裡塞，甚至不惜與其他金主廝殺。長期與人民共和國交戰的太陽企業將會取得最後勝利。這計畫非常了不起，盧卡斯衷心欽佩。

了不起之處，在於它的單純性。只要種下幾個誘因，人類的自尊心就會接手完成一切。刺殺蠅是高招；簡簡單單就製造出的混亂使柯塔家和阿沙默家的關係蒙上陰影，同時又暗指馬肯齊家才是真凶。盧卡斯也深信：害死瑞秋．馬肯齊的軟體故障是太陽企業的伺服器引起的，使艾芮兒殘廢的砍傷事件也是恆光宮的授意。小小的刺激，返饋不斷增強，暴力循環，密謀使你的敵人自相殘殺。陽家策畫多久了？他們總是苦幹數十年，運籌數世紀。

有能力預測敵人的下一步後，事情就變得簡單多了，亞曼達．陽曾說。華格納提到太陽企業為懷塔克里．戈達德設計了量子電腦系統，艾芮兒也證實這點。三皇，內建精準的真實世界模型，因此做出高準確度的預測。對懷塔克里．戈達德有益，對陽家更有益。

他們沒料到盧卡斯會活下來。

托基尼奧以低解析度介面啟動了，盧卡斯得以和乘客艙的感應器和控制系統連線。乘客艙發出高頻嗶嗶聲，它的目的地也做出同樣的回應。一切都經過計算。就在那裡，在接近繞月軌道最遠端處、準備折返地球的VTO循環太空船聖彼得與保羅號鎖定了乘客艙，取得控制權。微加速使乘客艙震動，盧卡斯的領帶也掉了下來。火箭推進器噗噗作響，將乘客艙推入會合軌道。如今循環太空船已來到太空艙攝影鏡頭的視野中，托基尼奧向他展示令人屏息的畫面：沐浴在陽光下的太空船，五個住居環沿著中央驅動與維生軸上下排列，頂著太陽能面板之冠。

在這裡，盧卡斯將會用儲放在蘇黎世的千萬黃金換得沃隆佐夫家的庇護，他需要待多久就能待多久，待到他規畫好返家與復仇行動為止。

火箭推進器噗噗打嗝，助泊臂伸長，抓住乘客艙，將盧卡斯．柯塔拉進太空船內。

月球飛船低空飛過破瓦殘礫。博阿維斯塔噴發出的物質散落在方圓大約五公里內，依尺寸與重量排列：最輕的物質（葉子、割下的草）組成外環，然後是玻璃碎片、金屬塊、石塊和燒結物，最大最重、最完整無缺的物件離氣閥的殘骸最近。駕駛員手動操作飛船，尋找安全降落地點。她操作推進器的手法像是在彈奏樂器，飛船舞動著。

地表活動艙內，路卡辛侯．柯塔、阿沙默家的亞別娜和露西卡與VTO救援小隊、AKA保安小隊一起換裝。博阿維斯塔失去活動跡象已滿兩小時，只有避難所的信號燈閃動著。避難所很堅固，不過博阿維斯塔的毀滅程度遠超過設計時考量的變數。綠燈，飛船降落了，活動艙開始減壓。路卡辛侯和亞別娜以頭盔相撞，友好的招呼，也安撫彼此的恐懼。副靈化為他們左肩上的姓名標牌。

VTO當初反對繞到忒去接露西卡．阿沙默，認為他們救援任務的危險度會因而提高。「我女兒在那裡。」VTO還是持反對意見。「AKA會支付你們額外的燃料、時間、空氣費用。」他們就這樣談妥了。「我們三個去。」

活動艙減壓完成，金吉說，**艙門開啟**。

亞別娜捏了捏路卡辛侯的手。

路卡辛侯從未搭過月球飛船，期待的是刺激的體驗：以前所未有的高速奔馳於地表上，火箭推進下趕至救援現場。結果實際上他坐在無窗的乘客艙內，經歷一連串無法預測的晃動和震盪，突如其來的加速將他往前甩，安全帶再將他攔住。花的時間也比預料的長，令他想像起下頭的狀況。

VTO救援小隊筆直穿過散落殘骸的曠野，來到氣閥前，急忙架設絞盤架和探照燈。露西卡、亞別娜、路卡辛侯以及露西卡的保全人員走下斜坡，踏上地表。月球飛船的搜索燈大放光明，變形的花園擺設、扭曲的建築鋼梁、插在月壤上的強化玻璃碎片、砸爛的機械後方都拖出一條緩慢移動的深長暗影。路卡辛侯和亞別娜穿過廢墟。

「娜娜大人。」

露西卡的保全人員有新發現。他們的頭盔燈燈光不規則地掃過花呢布、肩膀的幅度、一束毛髮。

「留在這裡，路卡辛侯。」露西卡下令。

「我要去看他。」路卡辛侯說。

「留在這裡！」

兩名保全人員捉住他，逼他轉向一旁。路卡辛侯試圖掙脫，但他們是剛從阿克拉上來的新工人，才待六個月，肌肉比任何月球第三代男孩都還要結實。亞別娜站到他面前。

「看著我。」

「我想看他！」

「看著我！」

路卡辛侯轉過頭去，瞄到露西卡幾眼。她跪在月壤上，雙手按著面罩，身體前後晃動。他瞥見一個稀巴爛又扭曲的物體，爆開後脫水冰封到只剩一個皮囊。接著亞別娜捧著他頭盔兩側，將他的頭轉向她。路卡辛侯有樣學樣，將她的頭盔拉近，相觸。塵工之吻。

「我永遠不會原諒做出這種事的人。」路卡辛侯對著私人頻道發誓：「羅伯特・馬肯齊，鄧肯・馬肯齊，布萊斯・馬肯齊。我認你們為仇敵。我在你們身上做了記號，你們是我的。」

「路卡辛侯，別這樣說。」

「妳別說那些，亞別娜。這是我的家務事，妳不用插嘴。」

「路卡辛侯……」

「這是我的事。」

「阿沙默・柯塔女士。」

VTO救援小隊透過公用頻道發出的呼叫嚇了露西卡一跳。

「我們準備好了。」

她一隻手搭上路卡辛侯的肩膀，地表活動衣的觸覺系統將地表的毛糙和手的觸感都傳給了他。

「小路，那畫面會殺死你的。」

他只瞥到一眼，露西卡不許他看。他大伯，她的歐科。不過他看到的那一丁點畫面將揮之不去。

「娜娜，他們在等我們。」其中一個保全說，她周到地引導路卡辛侯前進，讓他持續背對那屍骸。被月球奪走性命的人，死狀都很淒慘。

沃隆佐夫小隊幫露西卡鉤絞盤釦環，接著是路卡辛侯，最後是亞別娜。路卡辛侯盪向黑色食道般的氣閥豎井，環顧四周，頭盔燈的燈光潑濺在礦坑的牆上。博阿維斯塔減壓時引發的大爆炸，已將豎井內所有可能勾住、劃破地表活動衣的障礙掃除殆盡了，但仍不改他正朝恐懼與黑暗垂降的事實。避難所的求救信號燈還在閃動，不過它可能已變形、卡住、失效、破裂。

「下降。」

亞德里安娜第一次垂降到熔岩管內、進入她未來宮殿內的狀況肯定跟這很像。光打在石頭上，絞盤的震動透過繩索傳來。**你氣老爸逃家時從這裡上去**，路卡辛侯想，一時受尷尬燒灼，**你的回程卻是如此不同**。

接著，路卡辛侯的近距離感應器響了，他的雙腳觸地。腳下傳來沙沙聲，還有殘骸的質地。他鬆開綁帶，跨入博阿維斯塔。沃隆佐夫小隊已緊急架好工作燈，燈光更像是暗示，而非揭示種種事物的存在：贊果的眼窩有陰影，亭子傾倒一地，像是失敗的撲克牌戲法。無葉之樹連芯都結凍了，由下往上打的燈光為它們營造出詭譎的觀感。伊安莎豐滿、性感的嘴唇。冰晶的跡象與反光，是奧里莎們結凍的淚水。路卡辛侯的頭燈燈光在霜封、僵硬的枯草地上舞動，乾涸池子和水道內的黑色冰塊像是一塊塊鏡片。沒被減壓爆炸炸飛的物體全都順間凍結，上了一層霜。

路卡辛侯不小心撞上他漏看的物體，它在傾斜的人行道上滑行了一段。他的頭燈燈光鎖定了它，是柯塔董事使用的老舊桌子，裂開，缺了一根桌腳。他扶正它，而它下一刻就歪了一邊。他穿過破損門框和碎椅，走過鋪滿被單碎布的樹下，靴子壓碎真空凍結的樹枝和玻璃珠。亭子全塌了，無一幸免。他以頭燈燈光逐一照亮奧里莎的臉龐。奧薩拉，光之主宰。葉瑪亞，創造者。贊果，正義之靈。奧旬，愛之靈。奧貢，戰士之靈。奧索希，獵人之靈。雙胞胎伊貝基。奧莫露，疾病主宰。伊安莎，變化之后。娜娜，萬物之源。

他過去從來不信這些。

「我會把這裡恢復原狀。」他用葡萄牙文低語：「這是我的。」

第二組頭燈燈光射入空間內，將他固定在光泊之中，接著是第三組。露西卡和亞別娜下來了，但他搶先她們前進，沿著奧里莎之間的乾涸河床移動，前往等待救援者的所在之地。

（第一部完）

詞彙表

月球居民使用多種語言，有些單字借自中文、葡萄牙文、俄文、約魯巴文、西班牙文、阿拉伯文、阿肯文。

阿布索：指擁有同樣母系祖先的家人。AKA維持此制度以及婚姻禁忌，以保留基因多樣性。源自阿肯族文化。

阿丁克拉：阿肯族的視覺符號，代表特定概念或格言。

阿格巴達袍：約魯巴族的正式服裝。

阿帕吐：紛爭之靈。

眼幕：互動式隱形眼鏡上的小虛擬方格，上頭會顯示個人的四大元素帳戶狀態。

最高：韓國企業頭銜，最高領導者。

CPD：巴西的社會身分碼，某幾項重要社會交易或金融交易一定會用到。

四大元素：空氣、水、碳、資訊傳輸，月球生活所需的基本日用品，每日以眼幕付款。

吉納米：阿丁克拉符號，意為「除了神（我無所畏懼）」。

地語：機器可理解的簡化版、發音系統化的英文。

谷夏：月球社群網站上最大的八卦平台。

會長：韓國企業頭銜，意為總裁。

月光菜鳥：剛抵達月球者。

專務：韓國企業頭銜，意為總經理。

科托科：ＡＫＡ議會，會員採輪流擔任制。

教母：代理孕母。

摩托：三輪自動車。

惡棍調調：耍詐、逞凶的藝術。

娜娜：亞香緹人對長者的敬稱。

尼卡赫婚約：婚約合約，尼卡赫一詞來自阿拉伯文。

歐科：婚姻伴侶。

大酋長：ＡＫＡ總裁，任期為八年。

奧里莎：非洲與巴西文化融合出的烏班達信仰中的聖靈與聖人。

先士：中性人的正式稱謂。

查巴林：自由接案的有機物回收者，回收後會將有機物賣給所有有機物的擁有者月球開發法人。

扈衛：決鬥法庭上的傭兵戰士，原文字面意義為防衛者，辯護者。

夏威夷曆法

月球社會採用夏威夷曆法系統，使用不重複的月相為一個月內的每一天命名。月球月份有三十天，無「週」的概念。

1. 辯日 Hilo
2. 弓日 Hoaka
3. 勃日 Ku Kahi
4. 二勃日 Ku Lua
5. 三勃日 Ku Kolu
6. 止勃日 Ku Pau
7. 勃瘠日 Ole Ku Kahi
8. 二勃瘠日 Ole Ku Lua
9. 三勃瘠日 Ole Ku Kolu
10. 止勃瘠日 Ole Ku Pau
11. 隱日 Huna
12. 敬坎神日 Mohalu
13. 果日 Hua
14. 神日 Akua
15. 星日 Hoku
16. 聖日 Mahealani
17. 氣日 Kulua
18. 植勃日 Lā'au Kū Kahi
19. 二植勃日 Lā'au Kuū Lua
20. 止植勃日 Lā'au Pau
21. 再勃瘠日 'Ole Kū Kahi
22. 再二勃瘠日 'Ole Kū Lua
23. 再止勃瘠日 'Ole Pau
24. 卡那落勃日 Kāloa Kū Kahi
25. 卡那落二勃日 Kāloa Kū Lua
26. 止卡那落日 Kāloa Pau
27. 坎神日 Kāne
28. 洛諾日 Lono
29. 命日 Mauli
30. 滅日 Muku

Hit

暢／小說

098

新月球帝國I：血染新月

•原著書名：*Luna: New Moon*•作者：伊恩．麥克唐諾（Ian McDonald）•翻譯：黃鴻硯•校對：呂佳真•美術設計：蕭旭芳•責任編輯：徐凡•國際版權：吳玲緯•行銷：巫維珍、何維民、蘇莞婷、林圃君•業務：李再星、陳紫晴、陳美燕、葉晉源•副總編輯：巫維珍•編輯總監：劉麗真•總經理：陳逸瑛•發行人：凃玉雲•出版社：麥田出版／城邦文化事業股份有限公司／10483台北市中山區民生東路二段141號5樓／電話：(02) 25007696／傳真：(02) 25001966、發行：英屬蓋曼群島商家庭傳媒股份有限公司城邦分公司／台北市中山區民生東路二段141號11樓／書虫客戶服務專線：(02) 25007718 ; 25007719／24小時傳真服務：(02) 25001990 ; 25001991／讀者服務信箱：service@readingclub.com.tw／劃撥帳號：19863813／戶名：書虫股份有限公司•香港發行所：城邦（香港）出版集團有限公司／香港灣仔駱克道193號東超商業中心1樓／電話：(852) 25086231／傳真：(852) 25789337•馬新發行所／城邦（馬新）出版集團【Cite(M) Sdn. Bhd.】／41-3, Jalan Radin Anum, Bandar Baru Sri Petaling, 57000 Kuala Lumpur, Malaysia.／電話：+603-9056-3833／傳真：+603-9057-6622／讀者服務信箱：services@cite.my•印刷：前進彩藝有限公司•2020年10月初版•定價450元

國家圖書館出版品預行編目資料

新月球帝國I：血染新月／伊恩．麥克唐諾（Ian McDonald）著；黃鴻硯譯. -- 初版. -- 臺北市：麥田, 城邦文化出版：家庭傳媒城邦分公司發行, 2020.10
面；　公分. --（Hit暢小說；RQ7098）
譯自：Luna: New Moon
ISBN 978-986-344-816-7（平裝）
873.57　　109012436

城邦讀書花園
www.cite.com.tw

LUNA: New Moon

First published by Gollancz, an imprint of the Orion Publishing Group, London

Published by arrangement with Orion Publishing Group through The Grayhawk Agency.